D1364105

新編諸子集成

帛書老子校注

下

高明 撰

中華書局

道經校注

一（今本道經第一章）

甲本：道，可道也，非恒道也。名，可名也，非恒名也。

乙本：道，可道也，〔非恒道也。名，可名也，非〕恒名也。

王本：道，可道，非常道。名，可名，非常名。

世傳今本皆同王本，唯顧歡本無「道，可道」一句，而注云：「經術政教之道也。」顯係首句之釋，想必抄寫脱誤，非異文也。

帛書甲、乙本同作「恒道」、「恒名」，今本皆作「常道」、「常名」。「恒」、「常」義同，漢時因避孝文帝劉恒諱，改「恒」字爲「常」，足見帛書甲、乙本均抄寫於漢文帝之前。再如帛書甲、乙本每句末均有「也」字，今本無。乙本有殘損，參照甲本補。

王弼注：「可道之道，可名之名，指事造形，非其常也。故不可道，不可名也。」「指事造形」指可識可見有形之事或物，非永存恒在也；「不可道」之「道」，「不可名」之

「名」，則永存恒在。河上公注：「謂經術政教之道也，非自然長生之道也。『常道』，當以無爲養神，無事安民，含光藏暉，滅迹匿端，不可稱道。」又云：「謂富貴尊榮高世之名也，非自然常在之名也。『常名』，愛如孾兒之未言，鷄子之未分，明珠在蚌中，美玉處石間，内雖昭昭，外如愚頑。」依王弼、河上公兩注，「道」、「可道」與「恒道」三「道」字，字同而義異。第一個「道」字，通名也，指一般之道理。禮記中庸：「道也者，不可須臾離也。」朱熹注：「道者，日用事物當行之理。」「可道」猶云「可言」，在此作謂語。荀子榮辱：「君子道其常，小人道其怪。」楊倞注：「道，語也。」「恒道」謂永存恒在之道。此「道」字乃老子所用之專詞，亦謂爲「天之道」（七十三章），「法自然」之道（二十五章）。「道」可以言述明者，非永存法自然之道也。「法自然」之道，變易無窮，因勢而行，與時俱往，非可以智知而言明。「名」爲物之稱號。禮記祭法「黄帝正名百物」，疏云：「上古雖有百物而未有名，黄帝爲物作名。」「可名」之「名」，在此作謂語，稱名也。「恒名」指永存恒在之名，老子用以異於世人習用百物之名也。老子把「道」與「名」作爲同一事物之兩個方面提出討論，第一次指出名與實，個别與一般的區分；同時他以「恒道」、「恒名」與「可道」、「可名」，即「無名」與「有名」，闡明事物實體與現象的辯證關係。

甲本：无名，萬物之始也；有名，萬物之母也。

乙本：无名，萬物之始也；有名，萬物之母也。

王本：無名，天地之始；有名，萬物之母。

景龍、易玄、遂州、敦煌甲本均無兩個「之」字，作「無名，天地始；有名，萬物母」。

帛書甲、乙本「萬物之始」、「萬物之母」，兩句均作「萬物」。世傳今本多同王本，前句作「天地之始」，後句作「萬物之母」，前後不同。此一分歧已來源很久，過去雖有爭論，但未能得到解決。如朱謙之云：「似兩句皆作『萬物』非。案『始』與『母』不同字義，說文：『始，女之初也。』『母』則『象懷子形，一曰象乳子也』。以此分別『有名』與『無名』之二境界，意味深長。蓋天地未生，渾渾沌沌，正如少女之初，純樸天真。經文二十五章『有物混成，先天地生』，四十章『有生於無』，此『無名』天地始也。『天下萬物生於有』，有則生生不息，四十二章『道生一，一生二，二生三，三生萬物』，此『有名』萬物母也。又莊子齊物論『天地與我並生，萬物與我爲一』，亦皆『天地』與『萬物』二語相對而言。」朱氏之說雖辨，但事實並非如此。馬敘倫云：「史記日者傳引作『無名者，萬物之始也』。王弼注曰：『凡有皆始於無，故未形無名之時，則爲萬物之始；及其有形有名之時，則長之育之，亭之毒之，爲其母也。』是王本兩句皆作『萬物』，與史記所引合，當是古本如此。」蔣錫昌補充云：「道藏顧歡道德真經注疏第五十二章於經文『天下有始，以爲天下母』下引成玄英疏云：『故經云「萬物始」也。』是成玄英本作『無名，萬物始』。」今據帛書甲、乙本論證，原本兩句均作「萬物」，馬、蔣之説至確。今本前句作「天地」者，乃後人所改，當訂正。

蔣錫昌云：「按天地未闢以前，一無所有，不可思議，亦不可名，故强名之曰『無名』。二十一章王注所謂：『至真之極，不可得名；無名，則是其名也。』迨天地既闢，萬物滋生，人類遂創種種名號以爲分別，故曰『有名』。質言之，人類未生，名號未起，謂之『無名』；人類已生，名號已起，謂之『有名』。故『無名』、『有名』，純以宇宙演進之時期言。莊子天地：『泰初有無，無有無名。』此莊子以『無名』爲泰初之時期也。『無名』爲泰初之時期，則『有名』爲泰初以後之時期也明矣。十四章：『視之不見名曰夷，聽之不聞名曰希，搏之不得名曰微，此三者不可致詰，故混而爲一。其上不皦，其下不昧；繩繩不可名，復歸於無物。是謂無狀之狀，無物之象，是謂惚恍。迎之不見其首，隨之不見其後。』此老子自冥想其所謂『無名』時期一種空無所有、窈冥恍惚、不可思議之狀態也。老子有感於現實之不滿，特贊美此種『無名』時期之可樂。因此世界清静空寂，無事無爲，既無生物，亦無罪惡，故即以『無名』或『無』爲『道』之代名詞。三十二章『道常無名』，二十五章『有物混成，先天地生……吾不知其名，字之曰道』，四十二章『道生一，一生二，二生三，三生萬物』，四十章『天下萬物生於有，有生於無』，『道』、『無』二字與『無名』同爲萬物之始，可見『無』即『無名』，『無名』即『道』也。」

甲本：〔故〕93恒无欲也，以觀其眇（妙）；恒有欲也，以觀其所噭（徼）。

乙本：故恒无欲也，〔以觀其218上妙〕；恒又（有）欲也，以觀其所噭（徼）。

王本：故常無欲，以觀其妙；常有欲，以觀其徼。

邢玄、景福、慶陽、樓古、磻溪、樓正、孟頫、顧、彭、徽、邵、司馬、蘇、吴等諸本無「故」字，作「常無欲，以觀其妙；常有欲，以觀其徼」；景龍、易玄、遂州、敦煌甲諸本均無兩「以」字，作「常無欲，觀其妙；常有欲，觀其徼」；敦煌甲本「徼」又作「噭」。帛書乙本殘損「以觀其妙」四字，甲本保存較好，「妙」字作「眇」。甲、乙本「徼」字均作「噭」；「欲」後均有「也」字，同作「恒无欲也」、「恒有欲也」。馬叙倫云：「詳此二句，王弼、孫盛之徒，並以『無欲』、『有欲』爲句；司馬光、王安石、范應元諸家，則並以『無』字、『有』字爲句。近有陶方琦依本書後文曰『常無欲可名於小』，謂『無欲』、『有欲』仍應連讀。易順鼎則依莊子天下篇曰『建之以常無有』，謂莊子已以『無』字『有』字爲句。倫校二説，竊從易也。」今從帛書甲、乙本勘校，「欲」後皆有「也」字，作「故恒无欲也，以觀其眇；恒有欲也，以觀其所噭」。足證王弼、孫盛在「欲」字下斷句不誤，宋人倡以「無」字「有」字爲句不確，易、馬二氏之説，皆不可信。過去因標句不同，釋義亦異。蘇轍云：「聖人體道以爲天下用，入於衆有而『常無』，將『以觀其妙』也。體其至無而『常有』，將『以觀其徼』也。」高亨云：「『常無』連讀，『常有』連讀。『常無欲以觀其妙』，猶云欲以常無觀其妙也；『常有欲以觀其徼』，猶云欲以常有觀其徼也。因特重『常無』與『常有』，故提在句首。此類句法，古書中恒有之。」帛書甲、乙本「欲」下既有「也」字，句逗已明，舊讀本不待辨。然而嚴靈峰云：「常有欲之人，自難虚静，何能『觀徼』？是如帛書雖屬古本，『也』字應不當有，而此句亦當從『有』字斷句，而『欲』字作『將』字解，爲下『觀』字之副詞。又『噭』字，説文：『吼也，從口，敫聲。』尤不可通，吼聲可用耳『聽』，安可以目『觀』之乎？足證此爲誤字無疑。」嚴氏爲衛護己見，不惜否定古本，一手焉能遮天。尤指「噭」爲誤字，謂「吼聲可用耳聽，安可以目觀之乎」？豈不知古人用字寬，書多假借，不能以今量古，以誤字責之。王弼以「欲」字下爲逗，讀作「故常無欲，以觀其妙」，斷句與帛書甲、乙本同。注云：「妙者，微之極也。萬物始於微而後成，始於無而後生。故常無欲（原衍『空虚』二字，據波多野太郎説删去），可以觀其始物之妙。」「常有欲，以觀其徼」，帛書甲、乙本作「恒有欲也，以觀其所徼」。王注云：「徼，歸終也。凡有之爲利，必以無爲用；欲之所本，適道而後濟。故常有欲，可以觀其終物之徼也。」意思是説，「有」必須以「無」爲用，思慮必須以「無」爲本，然後才能適合於道，有所歸止。焦竑云：「『徼』讀如邊徼之『徼』，言物之盡處也。晏子曰：『徼也者，德之歸也。』列子曰：『死者德之徼。』皆指盡處而言。蓋無之爲無，不待言已，方其有欲之時，人皆執以爲有，然有欲必有盡，及其盡也，極而無所更往，必復歸於無，斯與妙何以異哉！」此二釋過去多宗之，然亦難免牽强之嫌。老子主張虛柔静觀，無爲無欲，「常有欲」則背其旨，焉能觀物之邊際或歸止？蔣錫昌釋「徼」字爲「求」，似較義長。他説：「説文：『徼，循也。』段注：『引伸爲徼求。』左氏文二年傳：『寡君願徼於周公魯公。』注：『徼，要也。』漢書嚴安傳『民離本而徼末矣』，師古注：『徼，要求也。』此指有名時期人類極端發展其佔有慾之要求而言。下『其』字爲『有名』之代名詞。『常無欲，以觀其妙』，謂常以無欲觀無名時期大道之微妙也。『常有欲，以觀其徼』，謂常以有欲觀有名時期人類之要求也。」蔣氏所謂「無名時期」，係指遠古時代宇宙間一切空虛清静，既無人類，亦無所謂思欲。他説：「此種境界不易體會認識，故爲道之極微妙深遠處。二十一章所謂『道之爲物，惟恍惟惚』，即指此境界而言也。」所謂「有名時期」，係指近古時代，既有人類和人類之慾望，因慾望無限發展，必至互相争奪，而不能長保。他説：「故老子之『常無欲，以觀其妙』，欲使人知無欲之爲妙道，而迫於虚無也；『常有欲，以觀其徼』，欲使人知有欲要求之危險，而行無欲以免之也。」

甲本：兩者同出，異名同胃（謂），玄之有（又）玄，衆眇（妙）之〔門〕94。

乙本：兩者同出，異名同胃（謂），玄之又玄，衆眇（妙）之門。

王本：此兩者同出而異名，同謂之玄，玄而又玄，衆妙之門。

世傳今本多同王本，蔣錫昌據江安傅氏雙鑑樓藏宋刊范應元老子道德經古本集注勘校，缺「此兩者同出而異名，同謂之玄」十二字，上海涵芬樓古逸叢書影印宋范氏古本集注有此十二字。又清本因避聖祖諱，改「玄」字爲「元」，今當更正。

帛書甲、乙本均保存較好，經文也相同。甲本僅殘損一「門」字，並假「胃」字爲「謂」，假「有」字爲「又」，假「眇」字爲「妙」；乙本亦假「胃」字爲「謂」，假「眇」字爲「妙」。與今本勘校，世傳本均較帛書多出四字，即句首「此」字，「出」後「而」字與「謂」後「之玄」二字，讀作「此兩者同出而異名，同謂之玄，玄之又玄，衆妙之門」。彼此經義雖無原則差異，但句型則有顯著不同。帛書甲本在「異名同謂」之下標有句號，故帛書組斷四字一句，可從。

「兩者」究屬何指，舊注甚爲分歧。河上公注：「兩者，謂有欲、無欲也。」王弼注：

「兩者，『始』與『母』也。」范應元注：「兩者，『常無』與『常有』也。」王安石注：「兩者，『有』、『無』之道，而同出於道也。」高亨云：「兩者，謂『有』與『無』也。」張松如云：「細審文義，當是承上兩句『其妙』、『其徼』而言，也就是説的無名自在之道的微妙與有名爲我之道的運行這兩個方面。或曰：『兩者』遥指『道』與『名』，即『恒道』與『可道』或『無名』與『有名』，此義自可與『其妙』、『其徼』相通。」舊釋已將經文中相對詞語如「道」與「名」、「恒道」與「可道」、「無名」與「有名」、「無欲」與「有欲」、「無」與「有」、「始」與「母」、「妙」與「徼」等等，皆已講遍，諸家理解不同，各抒己見，而使讀者無可適從。以經文分析，竊以爲王弼注似較切於本義。但是，王注字有衍奪謬誤，幾不可讀，樓宇烈王弼集校釋據陶鴻慶説予以整理。王注云：「兩者，『始』與『母』也。『同出』者，同出於玄也。在首則謂之『始』，在終則謂之『母』。玄者，冥默無有也；始，母之所出也。不可得而名，故不可言同名曰『玄』。而言同謂之『玄』者，取於不可得而謂之然也。不可得而謂之然，則不可以定乎一玄已。若定乎一玄，則是名則失之遠矣。故曰『玄之又玄』也。『衆妙』皆從玄而出，故曰『衆妙之門』也。」所謂「玄」，是一非常抽象的描述，形容其深遠黝然而不可知。蘇轍云：「凡遠而無所至極者，其色必玄，故老子常以『玄』寄極也。」王弼認爲，老子以「玄」形容一種「冥默無有」的狀態。不是確定的名稱，是對「道」的形容，而是不可稱謂之稱謂。他在老子指略中説：「然則道、玄、深、大、微、遠之言，各有其義，未盡其極者也。然彌綸無極，不可曰『細』；微妙無形，不可名『大』。是以篇云『字之曰道』、『謂之曰玄』而不名也。」

道經校注

二（今本道經第二章）

甲本：天下皆知美爲美，惡已；皆知善，訾（斯）不善矣。

乙本：天下皆知美之爲美218下，亞（惡）已；皆知善，斯不善矣。

王本：天下皆知美之爲美，斯惡已；皆知善之爲善，斯不善已。

范應元本後句「皆」前也有「天下」二字，作「天下皆知善之爲善，斯不善已」；蘇轍本兩句句尾「已」字均作「矣」，謂「斯惡矣」，「斯不善矣」。

帛書甲本第一個「美」下捝一「之」字，當同乙本作「天下皆知美之爲美，惡已」。帛書本與世傳今本前後句對偶不同，但經義無別。今本中類似這種駢文形式，可能受六朝文體的影響而改動；帛書甲、乙本文簡而義顯，乃存先秦文體。

人世間揚美而惡自顯，舉善而不善明。王弼注：「美者，人心之所進樂也；惡者，人心之所惡疾也。美、惡猶喜怒也，善、不善猶是非也。喜怒同根，是非同門，故不可得而偏舉也。」蔣錫昌云：「無名時期以前，本無一切名，故無所謂美與善，亦無所謂惡與不善。迨有人類而後有名，有名則有對待。既有美與善之名，即有惡與不善之名。人類歷史愈久，則相涉之事愈雜，則對待之名亦愈多。自此以往，天下遂紛紛擾擾，而迄無清靜平安之日矣。下文乃舉『有無』等六對以明之。」

甲本：有无之相生也，難易之相成也，長短之95相刑（形）也，高下之相盈也，意（音）聲之相和也，先後之相隋（隨），恒也。

乙本：〔有无之相〕生也，難易之相成也，長短之相刑（形）也，高下之相盈也，音聲之相和219上也，先後之相隋（隨），恒也。

王本：故有無相生，難易相成，長短相較，高下相傾，音聲相和，前後相隨。

敦煌甲本同王本，但句首無「故」字；河上、吴澄二本「較」字作「形」，謂「長短相形」；遂州、顧歡二本「較」字亦作「形」，又「前」字作「先」，謂「長短相形」，「先後相隨」；邢玄、景福、慶陽、樓古、磻溪、孟頫、樓正、傅、范、司馬等諸本「較」字亦作「形」，「相」前皆有「之」字，作「有無之相生，難易之相成，長短之相形，高下之相傾，音聲之相和，前後之相隨」；蘇、邵、彭三本與之同，唯「音聲」二字作「聲音」，謂「聲音之相和」，稍異；焦竑本「較」字作「形」，「音聲」二字作「聲音」，謂「長短相形」，「聲音相和」。

帛書甲、乙本經文相同，「相」前皆有「之」字，句末皆有「也」字。與今本勘校，王本「較」字，帛書作「形」，謂「長短之相形也」；又今本「前」字，帛書作「先」，謂「先後之相隨」；又今本「高下相傾」，帛書作「高下之相盈也」。尤異於今本者，甲、乙本最後有「恒也」二字。畢沅云：「古無『較』字。本文以『形』與『傾』爲韻，不應作『較』。」劉師培云：「文子云『長短不相形』，淮南子齊俗曰『短修相形』，疑老子本文亦作『形』，與『生』、『成』、『傾』協韻。『較』乃後人旁注之字，以『較』釋『形』，校者遂以『較』易『形』矣。」蔣錫昌云：「按顧本成玄英疏：『長短相形……何先何後？』是成『較』亦作『形』，『前』作『先』。强本嚴君平注：『先以後見，後以先明。』是嚴亦作『先』。老子本書『先』、『後』連言，不應於此獨異。如七章『是以聖人後其身而身先』，六十六章『欲先民必以身後之』，六十七章『舍後且先』，皆其證也。『較』當從畢、劉二説作『形』，『前』應從本書之例作『先』。」畢、劉、蔣三氏之説至確，帛書甲、乙本即作「長短之相形也」，以「刑」字假「形」而不作「較」，作「先後之相隨」而不作「前後之相隨」，爲此得一確證。帛書甲、乙本「高下之相盈也」，世傳今本皆作「相傾」，帛書整理組云：「盈，通行本作『傾』，蓋避漢惠帝劉盈諱改。『盈』假爲『呈』或『逞』，呈現。帛書經法四度：『高下不蔽其形。』」其説甚是。綜合上述討論，足證帛書甲、乙本此節經文遠優於今本，尤其是最後有「恒也」二字，今本挩漏。它是對前文諸現象的總概述，指明事物矛盾對立統一是永恒存在的。有「恒也」二字則前後語意完整；無此二字則語意未了，似有話待言之感。再如經文本韻讀，「生」、「成」、「形」、「盈」、「恒」協韻，語尾無「恒」字，則失韻。

蘇轍云：「天下以形名言美惡，其所謂美且善者，豈信美且善哉！彼不知有無、長短、難易、高下、聲音、前後之相生相奪，皆非其正也。方且自以爲長，而有長於我者臨之，斯則短矣；方且自以爲前，而有前於我者先之，斯則後矣。苟從其所美而信之，則失之遠矣。」老子教育人們從正反兩面觀察事物，不得偏舉，第一次指出宇宙間一切事物皆有正與反兩個方面，彼此相反而又互相依存。舉「有無」、「難易」、「長短」、「高下」、「音聲」、「先後」六事爲例，具體闡述它們的矛盾現象，無「有」即無所謂「無」，無「難」即無所謂「易」。諸如「長短」、「高下」、「音聲」、「先後」以至於美醜、善惡，皆爲相反相成，相互影響和作用。他利用事物相對的比較關係，概括説明自然界和人類社會的各種現象和本質。並進而指出，宇宙間的矛盾是永遠存在的。

甲本：是以聲（聖）人居无爲之事，行〔不96言之教〕。

乙本：是以耶（聖）人居无爲之事，行不言之教。

王本：是以聖人處無爲之事，行不言之教。

敦煌甲、遂州、顧歡三本「聖人」下有「治」字，作「是以聖人治處無爲之事」。馬叙倫云：「尋十七章王弼注曰：『太上，大人在上。「居無爲之事，行不言之教，萬物作焉而不爲始。」』『居無爲之事』三句，即引此文，則王『處』作『居』。」帛書甲、乙本均作「居无爲之事」，六十三章王弼注：「以無爲爲居，以不言爲教。」亦引此文，老子原文當如此。蔣錫昌云：「聖人治國，無形無名，無事無政，此聖人『處無爲之事』也。聖人一面養成自完；一面以自完模範感化人民，讓人民自生自營，自作自息，能達『甘其食，美其服，安其居，樂其俗』之自完生活，即爲已足。過此而求進取，謀發明，增享樂，便是多事。五十七章云：『我無爲而民自化，我好静而民自正，我無事而民自富，我無欲而民自樸。』所謂『好静』、『無事』、『無欲』，皆爲人君自完之模範；而『自正』、『自富』、『自樸』，則人民受感化後之自完生活。此聖人『行不言之教』（即以身爲教）也。」

甲本：〔萬物作而弗始〕也，爲而弗志（恃）也，成功而弗居也。

乙本：萬物昔（作）而弗始，爲而弗侍（恃）也[219下]，成功而弗居也。

王本：萬物作焉而不辭，生而不有，爲而不恃，功成而弗居。

景龍、易玄、邢玄、景福、樓古、磻溪、孟頫、樓正、彭、徽、邵、司馬、蘇、吴等諸本無『焉』字，作「萬物作而不辭」。敦煌甲本無「生而不有」一句，「辭」字作「爲始」，謂「萬物作而不爲始，爲而不恃」；遂州本與之全同，唯「恃」前挩一「不」字，作「萬物作而不爲始，爲而恃」；傅本亦作「萬物作而不爲始」；范本作「萬物作焉而不爲始」。末句景龍碑「功成」二字作「成功」，無「而」字，並「弗」字作「不」，謂「成功不居」；敦煌甲與遂州二本與之相同，唯「居」字作「處」，謂「成功不處」；傅本作「功成不處」；范本作「功成而不處」；易玄、景福、慶陽、樓古、磻溪、孟頫、樓正、彭、徽、邵、司馬、蘇等諸本作「功成不居」；吴、焦二本作「功成而不居」，顧本作「功成弗居」。

帛書甲本首句稍殘，乙本作「萬物作而弗始」，「作」字假「昔」爲之。與今本勘校，甲、乙本均無「生而不有」一句；王本「功成而弗居」，甲、乙本作「成功而弗居也」，范本作「功成而不處」。易順鼎云：「考十七章王注云『大人在上，居無爲之事，行不言之教，萬物作焉而不爲始』數語，全引此章經文，是王本作『不爲始』之證，但比傅本多一『焉』字耳。作『不辭』者，蓋河上本，後人因妄改王本以合之。幸尚存此注，可藉以見王本之真。」蔣錫昌云：「易説甚塙。三十章王注：『爲始者務欲立功生事。』三十七章王注：『輔萬物之自然而不爲始。』二注皆自此經文而來，亦其證也。顧本成疏：『始，先也。』是成亦作『不爲始』。」帛書乙本作「萬物作而弗始」，則爲易、蔣二氏之説得一確證。「始」、「辭」古皆之部字，讀音相同，在此則「辭」字假爲「始」，「始」爲本字。「萬物作而弗始」，謂宇宙間萬物皆順其自然發展，聖人不造不始。如第三十章王弼注：「爲始者務欲立功生事，而有道者務欲還反無爲。」「弗始」者，即不造作事端，「立功生事」，而無事、無爲也。

帛書甲、乙本均無「生而不有」一句，敦煌甲本與遂州本亦無此句。按老子中同此文相近者今本有四處，除本章外，如第十章：「生而不有，爲而不恃，長而不宰，是謂玄德。」第五十一章亦云：「生而不有，爲而不恃，長而不宰，是謂玄德。」此二處「爲而不恃」句前，皆有「生而不有」一句，故後人仿此而妄增。今本第七十七章云：「是以聖人爲而不恃，功成而不處。」行文語法均與本文相同，皆無「生而不有」一句，足證老子原本即當如此，今本衍此四字。高亨云：「『恃』猶『德』也，心以爲恩之意。『爲而不恃』猶言施而不德，謂施澤萬物而不以爲恩也。莊子應帝王篇曰：『化貸萬物而民弗恃。』『而民弗恃』猶言民弗德，謂民不以爲恩也。在宥篇曰：『會於仁而不恃。』『不恃』猶言不德，謂不以爲恩也。老莊書之『恃』字，同於他書之『德』字，易繫辭曰：『勞而不伐，有功而不德。』謂有功而不以爲恩也。管子正篇曰：『愛之生之，養之成之，利民不德。』『利民不德』，謂利民而不以爲恩也。此他書用『德』字之例。『恃』、『德』古聲同，故其義同。『恃』從寺得聲，『德』從直得聲，古音並在之部。詩柏舟篇曰『實維我特』，釋文曰：『特，韓詩作直。』……即『寺』、『直』聲同之證，然則『恃』、『德』亦可通用矣。」

甲本：夫唯居，是以弗去。

乙本：夫唯弗居，是以弗去。

王本：夫唯弗居，是以不去。

河上公本「唯」字作「惟」，謂「夫惟弗居」；景龍、易玄、邢玄、樓古、孟頫、樓正、顧、徽、邵、司馬、蘇、遂州、吴、焦等諸本「弗」字均作「不」，謂「夫唯不居」；礌溪、彭耜作「夫惟不居」，傅奕、范應元作「夫惟不處」。

帛書甲本「居」前挩一「弗」字，抄寫之誤，當同乙本共作「夫唯弗居，是以弗去」。此之謂聖人無事、無欲，不造作生事，亦不居天下之功。因不居天下之功，故其功永存而不滅。王弼以反意注云：「使功在己，則功不可久也。」

道經校注

三（今本道經第三章）

甲本：不上賢，〔使97民不争。不貴難得之貨，使〕民不爲〔盜。不見可欲，使〕民不亂。

乙本：不上賢，使民不争。不貴難得之貨，使民不爲盜。不見可欲，使220上民不亂。

王本：不尚賢，使民不争。不貴難得之貨，使民不爲盜。不見可欲，使民心不亂。

邢玄、景福、磻溪、孟頫、樓正、河上、顧、徽、邵、司馬、蘇、彭、焦等諸本與王本同，唯最後一句無「民」字，作「使心不亂」。景龍碑「尚」字作「上」，無「爲」字，最後一句亦無「民」字，作「不上賢，使民不争。不貴難得之貨，使民不盜。不見可欲，使心不亂」；遂州本與之全同，唯「民」字均作「人」；易玄本亦與之同，唯「不上賢」作「不尚賢」；敦煌甲本亦同景龍碑，唯「賢」作「寶」，謂「不上寶，使民不爭」。

帛書甲本殘損較甚，乙本保存完好，可據補甲本缺文。與今本勘校，帛書乙本首句「不上賢」，世傳諸本多同王本作「不尚賢」，唯景龍碑作「不上賢」，與乙本同；甲、乙本末句「使民不亂」，王本作「使民心不亂」，世傳諸本多作「使心不亂」。劉師培云：「文選東京賦注引作『使心不亂』，易艮卦孔疏引此文亦無『民』字。蓋唐初避諱，删此字也。古本實有『民』字，與上兩『使民』一律。淮南子道應引此文亦無『民』字，疑亦後人據唐本所删。」易順鼎亦云：「晉書吴隱之傳曰：『不見可欲，使心不亂。』文選東京賦注、沈休文鍾山詩注兩引亦皆無『民』字。素問卷一王冰注引老子亦無『民』字。」馬叙倫、蔣錫昌對此均有議論，皆謂老子經文當作「使心不亂」，而無「民」字。帛書甲、乙本同作「使民不亂」，無「心」字，則同前文「使民不争」、「使民不爲盗」章法一律，可見世傳今本作「使民心不亂」或「使心不亂」，皆非原文。劉師培云「民」乃「唐初避諱删此字也」，蔣錫昌非之，他説：「老子一書用『民』字甚多，如唐初欲删，不應留全書所有『民』字，而獨删此一字也。且依避諱通例，『民』字儘可改易『人』字，亦不應並『民』字而删之也。」蔣説誠是，雖説因避諱而删「民」字不確，但謂「使心不亂」也有訛誤。今從帛書甲、乙本考察，老子原文當作「不見可欲，使民不亂」，今本作「使民心不亂」或「使心不亂」者，皆後人所改。

王弼注：「『賢』猶『能』也。『尚』者，嘉之名也。『貴』者，隆之稱也。唯能是任，尚也曷爲？唯用是施，貴之何爲？尚賢顯名，榮過其任，爲而常校能相射。貴貨過用，貪者競趣，穿窬探篋，没命而盗，故可欲不見，則心無所亂也。」「相射」猶言「相勝」，即相互爭勝。「爲而常校能相射」，乃謂「尚賢顯名，榮過其任」，勢必使民相互競技比能，爭强好勝，遂即詐慮之謀起矣。

甲本：是以聲（聖）人之（治也，虚[98]其心，實其腹，弱其志），强其骨。

乙本：是以耶（聖）人之治也，虚其心，實其腹，弱其志，强其骨。

王本：是以聖人之治，虚其心，實其腹，弱其志，强其骨。

景龍、敦煌甲、遂州三本首句均無「是以」和「之」三字，作「聖人治」；易玄、河上、顧歡三本亦無「之」字，作「是以聖人治」；傅、范、蘇三本「治」下有「也」字，作「是以聖人之治也」；唐李約道德真經新注（道藏能一—能四）、元李道純道德會元（道藏談三—談四）均無「之治」二字，作「是以聖人」。

帛書甲本殘損十一字，乙本保存完好，可據補甲本缺文。與今本勘校，帛書首句句尾有「也」字，其餘經文全同王本。

所謂「聖人之治」，主要是使民無知無欲，甘食肚飽，健强體魄，而無憤無爭，安居樂俗，永遠過着「小國寡民」、互不往來之樸實生活。

甲本：〔恒〕使民无知无欲也，使〔夫智不敢，弗爲而已，則无不治矣〕[99]。

乙本：恒使民无知无欲也，使夫220下知（智）不敢，弗爲而已，則无不治矣。

王本：常使民無知無欲，使夫智者不敢爲也，爲無爲，則無不治。

易玄本首句「民」字作「人」，謂「常使人無知無欲」；顧歡本「民」字作「心」，謂「常使心無知無欲」；遂州本無「民」字，作「常使無知無欲」。後一句，顧歡本無「夫」、「也」二字，「智」字作「知」，謂「使知者不敢爲，爲無爲，則無不治」；景龍與之同，唯無「爲無爲」三字，作「使知者不敢爲，則無不治」；易玄、景福二本無「也」字，作「使夫知者不敢爲，爲無爲，則無不治」；徽、司馬、邵、蘇、吴、彭諸本與之同，唯最後有「矣」字；敦煌甲本作「使知者不敢，不爲，則無不治」；遂州本作「使夫智者不敢，不爲也，爲無爲，則無不治」；傅奕本作「使夫知者不敢爲，爲無爲，則無不爲矣」；范應元本與之全同，唯第一個「爲」後有「也」字，作「使夫知者不敢爲也」。

帛書甲、乙本首句均保存完好，甲本僅殘一「恒」字；後一句，甲本殘甚，僅存一「使」字，乙本保存完好，可據補甲本缺文。與今本勘校，乙本後一句作「使夫知不敢，弗爲而已，則无不治矣」，與敦煌甲、遂州二本經義相近，而異於其他今本。朱謙之云：「據羅氏影印貞松堂藏西陲秘籍叢殘校敦煌本，『敢』下有『不』字，羅考異中失校。又遂州碑本亦作『不敢不爲也』。强思齊引成玄英疏：『前既捨有欲無欲，復恐無欲之人滯於空見，以無欲爲道，而言不敢不爲者，即遣無欲也。恐執此不爲，故繼以不敢也。』是成疏本亦作『不敢不爲』。惟顧本成疏作『而言不敢爲者，即遣無欲也』，脱此『不』字。今案『不敢』、『不爲』乃二事，與前文『無知』、『無欲』相對而言，『不敢』斷句。經文三十章『不以取强』，各本『不』下有『敢』字，『敢』字衍文。但六十七章『不敢爲天下先』，六十九章『吾不敢爲主而爲客，不敢進寸而退尺』，七十三章『勇於不敢則活』，以『不敢』與『不爲』對，知顧本成疏經文有誤脱。老子原意謂常使一般人民無知、無欲，常使少數知者不敢、不爲，如是則清静自化，而无不治。」又云：「『不敢』、『不爲』，即不治治之。論衡自然篇曰：『蘧伯玉治衛，子貢使人問之：「何以治衛？」對曰：「以不治治之。」夫不治之治，無爲之道也。』誼即本此。蓋老子之意，以爲太上無治。世之所謂治者，尚賢則民争；貴難得之貨，則民爲盗；見可欲則心亂。今一反之，使民不見可尚之人、可貴之貨、可欲之事。如是，則混混沌沌，反樸守醇；常使民無知無欲，則自然泊然，不争不盗不亂，此所以『知者不敢，不爲』。至德之世，上如標枝，民如野鹿；含哺而熙，鼓腹而遊。此則太古無爲而民自化，翱翔自然而無物不治者也。」朱説誠是，帛書乙本則爲其説得一確證。古籍多不標句，「不敢，不爲」如連讀，則同前文「恒使民无知无欲」意不相屬。後人不解其義，故删「不」字，改作「使夫知者不敢爲也」，文字雖通，但與老子經義相背。此當從朱説，今本均當據帛書本勘正。

道經校注

四（今本道經第四章）

甲本：〔道盅，而用之又弗〕盈也。潚（淵）呵，始（似）萬物之宗。

乙本：道沖（盅），而用之有（又）弗盈也。淵呵，似萬物之宗。

王本：道沖，而用之或不盈。淵兮，似萬物之宗。

傅奕、樓古二本首句「沖」字作「盅」，傅本作「道盅而用之，又不滿」，樓古作「道盅而用之，或似不盈」；景龍、遂州、敦煌甲、范應元諸本「或」字作「又」，謂「道沖而用之，又不盈」；景龍碑、遂州本「沖」字寫作「冲」（朱謙之謂景龍碑「又」字作「久」，誤校）；景福本「又」下有「則」字，作「道沖而用之，又則不盈」；磻溪、樓正、蘇轍三本作「道沖而用之，或似不盈」。後一句，敦煌甲本無「兮」字，作「淵，似萬物之宗」；遂州二本作「淵，似萬物宗」；彭耜本作「淵兮，似萬物宗」；河上、顧、林、孟頫諸本「兮」字作「乎」，謂「淵乎，似萬物之宗」；景龍碑作「深乎，萬物宗」。

帛書甲本稍殘，乙本保存完好，經文與王本基本相同。王本「道沖，而用之或不盈」，乙本作「道沖，而用之有弗盈也」，稍異。俞樾云：「説文皿部：『盅，器虚也。老子曰：道盅而用之。』『盅』訓『虚』，與『盈』正相對。作『沖』者，假字也。……『或不盈』，唐景龍碑作『久不盈』。久而不盈，所以爲盅，殊勝今本。」易順鼎云：「『或不盈』，俞氏樾據唐景龍碑作『久不盈』，非也。景龍碑作『久』，乃『又』字之誤，或讀碑者諦視未真耳。古『或』字通作『有』，『有』字通作『又』，三字義本相同。此文作『或』、作『有』、作『又』皆通，而斷無作『久』之理。竊謂王本作『又』，河上本作『或』。王注云：『故沖而用之，又復不盈，其爲無窮，亦已極矣。』足證王本作『又』無疑。淮南道應訓引老子曰：『道沖而用之，又弗盈也。』文子微明篇亦云：『道沖而用之，又不滿也。』此皆作『又』之證。又御覽三百二十二引墨子曰：『善持勝者以强爲弱，故老子曰：「道沖而用之，有弗盈也。」』是古本一作『有弗盈』矣。」帛書乙本即作「道沖，而用之有弗盈也」，「有」、「又」二字相通，「有弗盈」即「又弗盈」。「又」字與「或」亦通，如詩經小雅賓之初筵「或佐之史」，箋云：「又助以史。」經之本誼當作「又弗盈」，作「或不盈」者，後人所改。「沖」當從傅奕、樓古作「盅」，蔣錫昌云：「古言『盈沖』，亦言『盈虚』。後漢蔡邕傳『消息盈沖，取諸天紀』，即易豐卦之『天地盈虚，與時消息』也。唯『盅』本義以器虛爲比，故下亦以『不盈』爲言。四十五章『大盈若沖，其用不窮』，然則『不盈』猶言『不窮』矣。」

王弼注：「地雖形魄，不法於天則不能全其寧；天雖精象，不法於道則不能保其精。沖而用之，用乃不能窮。滿以造實，實來則溢。故沖而用之，又復不盈，其爲無窮亦已極矣。形雖大，不能累其體；事雖殷，不能充其量。萬物舍此而求主，主其安在乎？不亦『淵兮似萬物之宗』乎？」

甲本：銼（挫）其，解其紛，和其光，同〔其塵〕。

乙本：銼（挫）其兑（鋭），解其芬（紛），和其光，同221上其塵。

王本：挫其鋭，解其紛，和其光，同其塵。

今本此文多同王本，唯景龍、易玄、敦煌甲、遂州、顧歡諸本「紛」字作「忿」，謂「解其忿」。

帛書甲、乙本經文相同，與世傳今本也基本一致。唯甲本首句「其」下捝一「鋭」字，當是抄寫之誤，非異文也；乙本第二句作「解其芬」，景龍碑、顧歡本等作「解其忿」。俞樾云：「陸德明曰：『河上本作『芬』』。然『芬』字無義，此句亦見五十六章。河上於此注曰：『紛，結恨也。』於彼注曰：『結恨不休。』則『芬』當讀爲『忿』。顧歡本正作『忿』，『芬』，『紛』皆假借耳。」馬叙倫云：「宋河上作『紛』，臧疏、羅卷、趙並作『忿』。成疏曰：『忿，嗔怒也。』則成亦作『忿』。各本及文選魏都賦注、三國名臣序贊注引並作『紛』。弼注曰：『紛解而不勞。』又五十六章注曰：『除争原也。』則王本作『紛』。『紛』字是。説文：『紛，馬尾弢也。』莊子知北遊篇曰『解其天弢』，即此文義。且『弢』與『鋭』義類，『忿』則不倫矣。」

王弼注：「鋭挫而無損，紛解而不勞，和光而不污其體，同塵而不渝其真。」經文主要在闡述道的作用。道之旨，主張虚静無爲，無知無欲，而「鋭」與「紛」皆源於「知」和「欲」，知多而欲鋭，欲鋭而紛争。使民無欲無争，所謂「挫其鋭，解其紛」。則從矛盾的另一方面，乃杜絶其滋欲之源，即前文所述「不尚賢」，「不貴難得之貨」，「不見可欲」，如此則鋭挫既無損，紛解亦不勞，使民無知、無欲、虚心、實腹、弱志、强骨，皆無殊無異，和光同塵，即可達到無爲之治的理想世界。故用此文具體説明「道盅，而用之又弗盈」之深遠道理。譚獻云：「五十六章亦有『挫其鋭，解其紛，和其光，同其塵』四句，疑羼誤。」馬叙倫亦云：「易順鼎據文選魏都賦注及運命論注引五十六章『知者不言，言者不知，是謂玄同』，無『塞其兑，閉其門，挫其鋭，解其紛，和其光，同其塵』六句，謂『挫其鋭』四句乃此章之文。倫謂此文『挫其鋭』四句，乃五十六章錯簡，而校者有增無删，遂複出也。」按老子一書，同文複出者多矣，情況各不相同，應具體分析。有些則因經文所需，絶不能因其複出即視爲錯簡。今從帛書甲、乙本勘校，本章與第五十六章皆有此四句，而且均與前後經文連通，足見今本老子此文不誤，譚、馬二氏之説不確。

甲本：〔湛呵似〕[100]或存，吾不知〔其誰之〕子也，象帝之先。

乙本：湛呵似或存，吾不知其誰之子也，象帝之先。

王本：湛兮似或存，吾不知誰之子，象帝之先。

景龍、易玄二本「兮似或」三字作「常」，「誰」下無「之」字，謂「湛常存，吾不知誰子，象帝之先」；敦煌甲及遂州二本與之全同，唯首句「常」前有「似」字，作「湛似常存」；河上、林、孟頫諸本「或」字作「若」，謂「湛兮似若存」；景福、慶陽、磻溪、孟頫、范本後一句作「吾不知其誰之子，象帝之先」；樓正、司馬二本作「吾不知誰子，象帝之先」。

帛書甲本稍殘，乙本保存完好，經文與王本同。唯第二句「吾不知其誰之子也」，王本無「其」字與「也」字，作「吾不知誰之子」。蔣錫昌云：「王本『知』下有『其』字，二十五章王注『不知其誰之子』係引此文，可證。『吾』者，老子自謂。『其』者，指道而言。」蔣説是，有「其」字義勝。

奚侗云：「道不可見，故云『湛』。說文：『湛，没也。』小爾雅廣詁：『没，無也。』道若可見，故云『似或存』。十四章『無狀之狀，無物之象』，二十一章『忽兮怳兮，其中有象；怳兮忽兮，其中有物』，即此證。」道是非以人之器官能感覺到的，它是「無狀之狀，無物之象」。老子不僅將其視爲「萬物之始」，「先天地生」，而且認爲「象帝之先」。這是先秦學者第一次將這位主宰宇宙、至高無上的帝，降到與萬物相等的地位，視帝產於道後，爲道所生。

道經校注

五（今本道經第五章）

甲本：天地不仁，以萬物爲芻狗；聲（聖）人不仁，以百省（姓）〔爲芻〕101狗。

乙本：天地不仁，以萬物爲芻狗；耶（聖）人不仁211下，〔以〕百姓爲芻狗。

王本：天地不仁，以萬物爲芻狗；聖人不仁，以百姓爲芻狗。

世傳今本多同王本，唯景龍碑「芻狗」二字作「𫇭狗」，景福、遂州二本作「蒭狗」，敦煌甲與孟頫二本作「茤狗」。帛書甲、乙本均稍有殘損，經文亦與王本同。「芻狗」乃草製祭物，「𫇭」、「蒭」、「茤」皆「芻」字之別體。劉師培云：「案『芻狗』者，古代祭祀所用之物也。淮南齊俗訓曰：『譬若芻狗土龍之始成，文以青黃，絹以綺繡，纏以朱絲，尸祝袀袨，大夫端冕，以送迎之；及其已用之後，則壤土草薊而已，夫有孰貴之？』高誘注：『芻狗，束芻爲狗，以謝過求福。』說山訓云：『聖人用物，若用朱絲約芻狗。』又曰：『芻狗待之以求福。』高

注：『待芻狗之靈，而得福也。』是古代祭祀，均以芻狗爲求福之用。蓋束芻爲狗，與芻靈同，乃始用終棄之物也。老子此旨曰：天地之於萬物，聖人之於百姓，均始用而旋棄。故以芻狗爲喻，而斥爲不仁。」朱謙之云：「呂氏春秋貴公篇高誘注引老子二句同。又莊子庚桑楚篇『至仁無親』，齊物論『大仁不仁』，天運篇『夫芻狗之未陳也，盛以篋衍，巾以文繡，尸祝齋戒以將之；以其已陳也，行者踐其首脊，蘇者取而爨之而已』，語皆出此。」「天地不仁」，言天地無施，則萬物自長；「聖人不仁」，言聖人無施，則百姓自養。萬物生死勢所必然，無生死之迭續，即無萬物之亘延。老子以「芻狗」爲喻，任其自然。

甲本：天地〔之間，其〕猶橐籥輿？虛而不淈（屈），蹱（動）而俞（愈）出。

乙本：天地之間，其猶橐籥輿？虛而不淈（屈），勭（動）而俞（愈）出。

王本：天地之間，其猶橐籥乎？虛而不屈，動而愈出。

遂州本無「之」與「乎」二字，作「天地間，其猶橐籥」；易玄本無「乎」字，作「天地之間，其猶橐籥」；景龍碑無「乎」，而「愈」字作「俞」，謂「天地之間，其猶橐籥。虛而不屈，動而俞出」；范應元本後一句亦作「虛而不屈，動而俞出」；傅奕本作「虛而不淈，動而俞出」。

帛書甲本稍殘，乙本保存完好，經文內容皆與王本同。唯「乎」、「屈」、「愈」三字，甲、乙本分別作「與」、「淈」、「俞」；「動」字，甲本又假「蹱」爲之。羅振玉云：「今本王作『屈』，與景龍、御注、景福三本同。釋文出『掘』字，知王本作『掘』。釋文又云：『河上本作屈，顧作掘。』」按王弼注「故虛而不得窮屈」，作「屈」是，當從王本。

吴澄云：「橐籥，冶鑄所以吹風熾火之器也。爲函以周罩於外者，橐也；爲轄以鼓扇於内者，籥也。『天地間猶橐籥』者，『橐』象大虛，包含周徧之體；『籥』象元氣，絪緼流行之用。」吴説近是，但未全備。橐是用獸皮做的製風主體，籥是用竹管做成，上面有吸氣和排氣的孔眼，皮橐受壓力鼓動，空氣即可從籥管中吸入或排出。正如程大昌云：「橐冶鞴也，籥其管也。橐吸氣滿而播諸爐，管受吸而噓之，所以播也。」老子謂天地如同橐籥，體内本空虛無物，則愈動而風愈出，乃自然使之；謂天地本亦自然而成，無私無愛，虛静無爲，故以爲喻。誠如蘇轍所云：「排之有橐與籥也，方其一動，氣之所及無不靡也。不知者以爲機巧極矣，然橐籥則何爲哉！蓋亦虛而不屈，是以動而愈出耳。天地之間其所以生殺萬物，雕刻衆形者，亦若是而已矣。見其動而愈出，不知其爲虛中之報也。」老子用以喻天地無爲，聖人不作也。

甲本：多聞數窮，不若守於中。

乙本：多聞數窮，不若守於中。

王本：多言數窮，不如守中。

世傳今本多同王本作「多言數窮」，傅奕本「多言」二字作「言多」，謂「言多數窮」；遂州本和想爾注本「言」字作「聞」，謂「多聞數窮」；又遂州「中」字又作「忠」，謂「不如守忠」。

帛書甲、乙本皆作「多聞數窮」，今本多同王本作「多言數窮」。遂州本與想爾注本作「多聞數窮」，同帛書甲、乙本；强本成疏謂「多聞博贍也」，是知成亦作「多聞」。論之古籍，文子道原篇引作「多聞數窮」，淮南子道應訓引作「多言數窮」。「多聞」與「多言」義甚别，舊注各執己見，解説不一。今從帛書甲、乙本觀察，作「多聞數窮」者是。先從道旨分析，老子主張虚静無爲，無知無欲。他認爲知識是一切紛争的源泉。六十五章云：「夫民之難治，以其知也。」十九章：「絶聖棄智，民利百倍。」依老子看來，最好是「使民無知無欲」，不學寡聞，如六十四章所云：「學不學，而復衆人之所過。」「多聞」即多學，如論語季氏「友多聞」，邢昺疏：「多聞謂博學。」可見「多聞」同老子主張的「使民無知無欲」和「學不學」相抵觸，故此經云「多聞數窮」，前後思想、脈絡完全一致。再如，淮南子道應訓用王壽林書來説明此經，如云：「王壽負書而行，見徐馮於周。徐馮曰：『事者應變而動，變生於時，故知時者無常行。書者言之所出也，言出於知者，知者藏書（王念孫讀書雜志云：「本作『知者不藏書』，今本脱『不』字。」）。』於是王壽焚書而舞之。故老子曰：『多言數窮，不如守中。』」王壽焚書故事也見於韓非子喻老篇，但引老子語則爲「故曰：學不學，復歸衆人之所過也。」（第六十四章文）「多言數窮」與「學不學」意義全不相同，爲何兩書同舉王壽焚書而引文意義相反呢？其中必有一誤。但就「多聞數窮」分析，却與「學不學」意義一致，如前文所舉「多聞謂博學」，「多聞數窮」與「學不學」，皆爲棄學之同義語，故同舉王壽焚書以作説明。從而足證道應訓引文有誤，本當作「多聞數窮」。還如本經訓：「博學多聞，而不免於惑。」即本老子此文。綜合上述，説明帛書甲、乙本保存了老子原文，今本多誤。

道經校注

六（今本道經第六章）

甲本：浴（谷）神〔不〕102死，是胃（謂）玄牝，玄牝之門，是胃（謂）〔天〕地之根。

乙本：浴（谷）神不死，是222上胃（謂）玄牝，玄牝之門，是胃（謂）天地之根。

王本：谷神不死，是謂玄牝，玄牝之門，是謂天地根。

世傳諸本多同王本，唯景龍、易玄、遂州三本後二句皆無「是謂」二字與「之」字，作「玄牝門，天地根」；景福、傅奕二本作「玄牝之門，是謂天地之根」。

帛書甲、乙本與王本經文基本相同，唯「谷」字作「浴」。畢沅曰：「陸德明曰：『谷，河上本作「浴」。』後漢陳相邊韶建老子碑銘引亦作『浴』。」俞樾云：「爾雅釋天：『東風謂之谷風。』詩正義引孫炎曰：『谷之言穀，穀生也。』生亦養也。王弼所據本作『谷』者，『穀』之叚字；河上本作『浴』者，『谷』之異文。」洪頤煊云：「『谷』、『浴』並

『欲』之借字。易損『君子以懲忿窒欲』，孟喜本『欲』作『浴』，其例證也。孟子盡心章：『養心莫善於寡欲。』是以欲神不死。」蔣錫昌云：「老子言『谷』者多矣，如十五章『曠兮其若谷』，二十八章『爲天下谷』，三十二章『譬道之在天下，猶川谷之於江海』，三十九章『谷得一以盈』，四十一章『上德若谷』，誼皆取其空虚深藏，而未有爲他訓者，此字當亦同之。『浴』、『穀』、『欲』雖可與『谷』並通，然以老校老，仍當以『谷』爲當。」蔣説誠是，甲、乙本「浴」乃「谷」之假字。

「谷神不死」一句，舊注紛紜不一。大略言之，如河上公云：「谷，養也。人能養神則不死也。『神』謂五藏之神也。肝藏魂，肺藏魄，心藏神，腎藏精，脾藏志，五藏盡傷則五神去矣。」王弼注：「谷神，谷中央無者也。無形無影，無逆無違，處卑不動，守静不衰，物以之成而不見其形，此至物也。」王釋「谷神」爲山谷，以其虚懷無物，無形無影，處卑守静，不可名狀，以喻道。蔣錫昌以胎息養生之術，曰：谷「乃用以象徵吾人之腹，即道家所謂丹田，以腹亦空虚深藏如谷也。『神』者，腹中元神，或元氣也」。謂：「有道之人，善引腹中元氣，便能長生康健，此可謂之微妙之生長也。」司馬光云：「中虚故曰『谷』，不測故曰『神』，天地有窮而道無窮，故曰『不死』。」嚴復云：「以其虚，故曰『谷』；以其因應無窮，故曰『神』；以其不屈愈出，故曰『不死』。三者皆道之德也。」

是知「谷」、「神」乃指二事，不得連讀。朱謙之云：「惟老子書中，實以『谷』與『神』對。三十九章『神得一以靈，谷得一以盈』，即其證。」綜觀上述諸釋，竊以爲司馬光、嚴復、朱謙之三氏之説更切本義。「谷神不死，是謂玄牝」，「谷」喻其虛懷處卑，「神」謂其變化莫測，「不死」指其永存不滅，三者乃道之寫狀。「牝」爲母性之生殖器官，「玄牝」是用以形容道生天地萬物而無形無迹，故謂其微妙幽深也。蘇轍云：「謂之『谷神』，言其德也；謂之『玄牝』，言其功也。牝生萬物而謂之『玄』焉，言見其生之，而不見其所以生也。『玄牝之門』，言萬物自是出也；『天地根』，言天地自是生也。」其説似也貼切。

甲本：緜緜呵若存，用之不堇（勤）。

乙本：緜緜呵其若存，用之不堇（勤）。

王本：緜緜若存，用之不勤。

景龍、磻溪、河上、顧歡、傅奕、范應元、彭耜諸本「緜」字寫作「綿」，謂「綿綿若存」；邢玄本作「綿緜若存」；景福本作「綿綿兮若存」。後一句樓古本「勤」字作「懃」，謂「用之不懃」。

帛書甲、乙本均有「呵」字，甲本作「緜緜呵若存」，乙本作「緜緜呵其若存」，互異。今本「勤」字，甲、乙本均作「堇」。

朱謙之云：「綿綿，諸本作『緜緜』。成玄英曰：『綿綿，微細不斷貌也。』『綿』爲俗字。玉篇：『綿，新絮也，纏也，緜緜不絶。今作「綿」。』五經文字云：『作「綿」者譌。』又『緜緜』下景福本有『兮』字，室町本有『乎』字。『勤』字武内敦本作『懃』。」

王弼釋「勤」爲「勞」，如云：「無物不成而不勞也，故曰『用而不勤』也。」洪頤煊云：「案『勤』通作『廑』字。文選長楊賦李善注引古今字詁：『僅，今「勤」字。』漢書文帝紀晉灼曰：『廑，古「勤」字。』説文：『廑，少劣之尻。』言其氣息綿綿若存，其用之則不弱少也。」于省吾云：「按舊多讀『勤』如字，洪頤煊讀『用之不勤』之『勤』爲『廑』，訓爲『弱少』。『用之弱少』，不辭甚矣。『勤』應讀作『覲』，金文『勤』、『覲』並作『堇』。……詩韓奕『韓侯入覲』，左僖二十八年傳『出入三覲』，覲，見也。『用之不覲』，言用之不見也。」于説也未切本義，既言「若存」，即有存而不見之意。如王弼注：「欲言存邪，則不見其形。」蘇轍亦云：「緜緜，微而不絶；若存，存而不可見也。」前句既言「若存」，後句不得再重「不覲」，尤言「用之不覲」，亦不辭也。「勤」當訓「盡」，「用之不勤」，猶言「用之不盡」。高亨云：「按淮南子原道訓曰：『旋縣不可究，纖微而不可勤。』高注曰：『勤，盡也。』是『勤』有『盡』義，於古有徵。原道訓又曰『用之而不勤』，謂用之不盡也。又淮南子主術訓曰『力勤財匱』，文子上仁篇曰『力勤財盡』，晏子諫篇下曰「百姓之力勤矣」，「力勤」皆謂「力盡」也。然則此云「用之不勤」，正謂「用之不盡」矣。」

道經校注

七（今本道經第七章）

甲本：天長地久。天地之所以能〔長〕103且久者，以其不自生也，故能長生。

乙本：天長地久。天地之所以能長且久者，以222下其不自生也，故能長生。

王本：天長地久。天地所以能長且久者，以其不自生，故能長生。

遂州本「天長地久」作「天地長久」，無「且」字，末句「生」字作「久」，謂「天地長久。天地所以能長久者，以其不自生，故能長久」；景龍碑與之全同，唯首句同王本作「天長地久」；易玄本第二句亦作「天地所以能長久者」；邢玄本作「天地所能長且久者」；吴澄本末句「生」字亦作「久」，謂「故能長久」。

帛書甲、乙本經文與王本同，僅多「之」與「也」二字。朱謙之云：「長久，各本作『長生』。嚴可均曰：『王氏萃編引邢州本與此同，易州石柱及河上、王弼作『長生』』，非也。』又案敦煌本與晉紀瞻易太極論引均作『長久』。此『久』字蓋叚借爲『有』，與前二

『久』字稍别。列子天瑞篇：『精神者，天之久；道進乎本不久。』注：『當作「有」。』『故能長久』，即言『故能長有』也。」案帛書甲、乙本並作「以其不自生也，故能長生」。「以其不自生」，則謂天地不自私其生。第五十章云：「生之徒十有三，死之徒十有三，而民生生，動皆之死地十有三，夫何故也？以其生生也。」「生生」即貴於養生，俗謂貪生怕死，故而死之機遇反倍於生。本章謂天地不自私其生，「故能長生」。二者從正反兩面闡述，語異而義同，足見老子原作「長生」，朱説不確。張松如云：「以本章末二句兩『私』字例之，作『長生』是。」此如第七十五章所云：「夫唯無以生爲者，是賢於貴生。」

甲本：是以聲（聖）人芮（退）其身而身先，外其身而身存。

乙本：是以耶（聖）人退其身而身先，外其身而身先，外其身而身存。

王本：是以聖人後其身而身先，外其身而身存。

世傳今本多同王本，唯唐杜光庭道德真經廣聖義疏（道藏羔一—行十二）無「是以聖人後其身而身先，外其身而身存」二句。

帛書甲、乙本經文與王本基本相同，唯今本「後其身」，甲、乙本均作「退其身」。甲本又以「聲」字借爲「聖」，以「芮」字借爲「退」；乙本在「外其身而身存」之前，衍「外其身而身先」六字。

河上公注云：「先人而後己者也，天下敬之先以爲長。薄己而厚人也，百姓愛之如父母，神明祐之若赤子，故身常存。」此即相反相成，辯證統一的道理。老子謂之爲「反者道之動，弱者道之用」。

甲本：不以其无（私）104輿（與）？故能成其私。

乙本：不以其无私輿（與）？故能成223上其私。

王本：非以其無私邪？故能成其私。

景龍碑無「非」與「邪」二字，作「以其無私，故能成其私」；遂州本與之同，唯「私」字作「尸」，謂「以其無尸，故能成其尸」；傅奕本「非」字作「不」，謂「不以其無私邪，故能成其私」；景福、易玄二本作「非以其無私，故能成其私」。

帛書甲、乙本經文内容與王本同，唯「非」字作「不」，「邪」字作「與」，並借「輿」字爲「與」；首句作「不以其无私與」，稍異。陳碧虛云：「河上公、嚴君平本『以其無私』，王弼、古本作『不以其無私邪』。」是知王本原「非」字亦作「不」，與帛書甲、乙本同。

王弼注：「無私者，無爲於身也。身先身存，故曰『能成其私』也。」蘇轍云：「雖然彼其無私，非求以成私也；而私以之成，道則固然耳。」

道經校注

八（今本道經第八章）

甲本：上善治（似）水，水善利萬物而有静。
乙本：上善如水，水善利萬物而有争（静）。
王本：上善若水，水善利萬物而不争。

景龍、易玄、邢玄、慶陽、樓古、磻溪、樓正、遂州、司馬等諸本「而」字作「又」，謂「水善利萬物又不争」。

帛書甲本首句作「上善治水」，古文「台」與「以」同字，「治」與「似」同音，故借「治」字爲「似」，謂「上善似水」；末句作「水善利萬物而有静」。乙本作「上善如水，水善利萬物而有争」；世傳今本多同王本作「上善若水，水善利萬物而不争」；或作「水善利萬物又不争」。首句甲本「似水」、乙本「如水」，今本「若水」，「似」、「如」、「若」三字義同。末句甲本「而有静」，乙本作「而有争」，今本作「而不争」或「又不争」。「有静」、

「有爭」與「不爭」，三者意義差别甚大，其中必有訛誤。帛書研究組在甲本「静」後注一「爭」字，讀作「而有爭」。注十五云：「乙本亦作『而有爭』，通行本作『而不爭』，義正相反。按下文云『夫唯不爭故無尤』，疑通行本是。」此説可從。但是，從帛書二本共同記載的内容來看，似乎還可作另一種解釋。帛書本身確有誤句、錯字、衍文等等，皆因抄寫不慎而造成。但多是在其中一本中發生，一般是甲本誤，則乙本不誤；反之亦如是。從不發現兩本同在一處，而且是共有同一錯誤者。尤其是甲、乙二本既非同一來源，亦非同時抄寫，不可能出現如此巧合。故此僅據末句「夫唯不爭故無尤」，即斷定甲本「有静」與乙本「有爭」，統爲「不爭」之誤，似證據甚弱，難以肯定。帛書用字不嚴，「爭」字與「静」互假，甲本「有静」可讀作「有爭」，乙本「有爭」也同樣可讀作「有静」。此文完全可以從甲本讀作「上善似水，水善利萬物而有静」。「有」字有求取之義，廣雅釋詁一：「有，取也。」「有静」猶言取於清静也。景龍、遂州諸本作「水善利萬物又不爭」，今據帛書論之，其中「不」字又像是後人仿王本而增入。王弼於「水善利萬物而不爭」下無注，僅於「處衆人之所惡」下注「人惡卑也」一句。河上公注云：「衆人惡卑濕垢濁，水獨静流居之也。」「水獨静流居之」，正是對「有静」之詮釋。以上兩種解釋皆通，故均記於此，以備參考。

蔣錫昌云：「『上善』謂上善之人，即聖人也。『善利』之『善』，猶好也。襄公二十八年傳『慶氏之馬善驚』，正義：『「善驚」謂數驚，古人有此語。今天謂數驚爲好驚，好亦善之意也。』」

甲本：居衆之所惡，故幾於道矣。

乙本：居衆人之所亞（惡），故幾於道矣。

王本：處衆人之所惡，故幾於道。

傅奕本「處」字作「居」，最後有「矣」字，作「居衆人之所惡，故幾於道矣」；范本與之全同，唯最後無「矣」字，稍異；徽、彭二本無「之」與「矣」二字，作「處衆人所惡，故幾於道」；遂州本無「所」字，作「處衆人之惡，故幾於道」。

帛書甲本首句作「居衆之所惡」，乙本作「居衆人之所惡」，甲本脱一「人」字。世傳今本除傅、范二本與帛書經文相同之外，其他多同王本，作「處衆人之所惡，故幾於道」。王弼云：「道無水有，故曰『幾』也。」爾雅釋詁：「幾，近也。」言道乃無形，水則有形，故曰「水之德近於道」。日人大田晴軒云：「幾，平聲，近也。繫辭上傳曰：『乾坤或幾乎息矣。』禮樂記曰：『知樂則幾於禮矣。』注：『幾，近也。』莊子漁父篇曰：『幾於不免矣。』吕氏春秋大樂篇曰：『則幾於知之矣。』注：『幾，近也。』道者無形，而水猶有形，故水之利萬物與諸生，其爲可見也，未能若道之無形施與也，故曰『幾於道矣』。」老子所言水近於道者，還包括下述七善。

甲本：居善地105，心善潚（淵），予善，信，正（政）善治，事善能，踵（動）善時。

乙本：居善地，心善淵，予善天，言223下善信，正（政）善治，事善能，動善時。

王本：居善地，心善淵，與善仁，言善信，正善治，事善能，動善時。

景龍、傅奕、孟頫三本「仁」字作「人」，「正」字作「政」，此二句謂「與善人」，「政善治」；慶陽本亦作「與善人」；易玄、邢玄、景福、磻溪、樓正、顧、范、徽、邵、司馬、彭、蘇、遂州、吴、林、焦等諸本「正」字均作「政」，謂「政善治」。

帛書甲本「予善」下挩一「天」字，「信」上挩「言善」二字，此二句當從乙本作「予善天，言善信」。乙本保存完好。同今本勘校，乙本「予善天」，今本作「與善仁」或「與善人」；甲、乙本「正善治」，王本也作「正善治」，其他今本多作「政善治」。作「政」字是，「正」字假借爲「政」。

「居善地」，「善」猶「好」也。荀子儒效篇：「至下謂之『地』。」禮論篇：「地者，下之極也。」此言水好居下。如本章云「居衆人之所惡」，乃謂其所處卑下也。第六十六章：「江海所以能爲百谷王者，以其善下也。」

「心善淵」，爾雅釋詁：「淵，深也。」釋天：「淵，藏也。」言心好深藏若虛。十五章：「古之爲道者，微妙玄通，深不可識。」

「予善天」，甲本「天」字挩漏，抄寫之誤，當據乙本補。今本作「與善仁」或「與善人」。馬叙倫云：「『人』與『仁』古通。」近年内出版之老子注譯，此經文多從今本，將帛書甲、乙本改作「與善仁」。竊以爲「予」字和「與」詞義雖同，而「天」字與「仁」意義迥别。問題未待深研，即隨意改動帛書經文，則不可取。按「仁」是儒家崇尚的行爲，而道家視「仁」乃有爲之表現，故甚藐視。如第三十八章云「上仁爲之」，「失德而後仁」，十八章云「大道廢有仁義」，十九章云「絶仁棄義，民復孝慈」。足見「仁」同老子道旨是抵牾的，經文不會是「與善仁」。老子視天如道，如第二十五章「天法道」，十六章「天乃道」，第九章「功遂身退天之道」，第七十七章「天之道，損有餘而補不足」。再如第二十五章「地法天」，河上公注云：「天湛泊不動，施而不求報，生長萬物無所收取。」此即説明水所以「予善天」之義。本經河上公注：「萬物得水以生，與虛不與盈也。」所云並非釋「仁」，「與虛不與盈」正指天道。如第七十七章云：「天之道猶張弓也，高者抑之，下者舉之，有餘者損之，不足者補之。」經文所謂「予善天」，猶言水施惠萬物而功遂身退好如天。且經文多韻讀，「心善淵，予善天，言善信」，「淵」、「天」、「信」皆真部字，諧韻。今本作「與善仁」者，「仁」乃「天」字之誤，或爲後人所改。

「言善信」，猶謂言必守信。第八十一章云：「信言不美，美言不信。」（今本錯簡，帛書甲、乙本此章均在第六十七章前）老子主張言不求美而好真誠。

「政善治」，老子主張無爲而治，即所謂「無爲自化，清靜自正」（史記太史公自序）。也即第四十五章所云：「清靜可以爲天下正。」如何才能使民「自化」、「自正」？具體作法如第五十七章所講：「我無爲而民自化，我好靜而民自正，我無事而民自富，我欲無欲而民自樸。」

「事善能」，廣雅釋詁：「能，任也。」老子認爲最好的處事態度是「事無事」，任其自然發展。如第二章所云：「是以聖人處無爲之事，行不言之教，萬物作而不爲始，生而不爲有。」

「動善時」，所謂「善時」者，即任其自然自作自息也。蔣錫昌云：「莊子天下篇述老聃之學曰：『其動若水，其靜若鏡，其應若響。』司馬遷傳述道家之學曰：『與時遷徙，應物變化。』皆此所謂『動善時』也。其實老子所謂『動善時』者，非聖人自己有何積極之動作而能隨時應變，乃聖人無爲無事，自己淵默不動，而一任人民之自作自息也。」

自「居善地」以下七言，皆喻水之靜虛不爭之德，幾似於道。正如王弼注云：「言水皆應於此道也。」

甲本：夫唯不静（争），故无尤。

乙本：夫唯不争，故无尤。

王本：夫唯不争，故無尤。

顧、傅、徽、邵、彭、孟頫諸本「尤」下有「矣」字，作「故無尤矣」。

帛書甲本作「夫唯不静，故无尤」，「静」字假爲「争」，當同乙本作「不争」。馬叙倫云：「『尤』爲『訧』省，説文曰：『訧，罪也。』」其實不必改字，「尤」字本來就有咎怨之義。如商代卜辭多言「亡尤」，即亡咎。再如論語憲問「不尤人」，即不怨人也。此言「故無尤」，河上公注：「水性如是，故天下無有怨尤水者也。」

道經校注

九（今本道經第九章）

甲本：植（持）而盈之，不〔若其已。揣[106]而〕兑（鋭）□之，〔不〕可長葆（保）之（也）。

乙本：植（持）而盈之，不若其已。掓（揣）而兑（鋭）之，不可長葆（保）也。

王本：持而盈之，不如其已。揣而梲之，不可長保。

景龍碑「如」字作「若」，「已」字作「以」，「梲」字作「鋭」，謂「持而盈之，不若其以。揣而鋭之，不可長保」；遂州本與之同，唯後一句「保」字作「寶」，謂「不可長寶」；司馬光本「持」字作「恃」，「梲」字作「鋭」，謂「恃而盈之，不若其已。揣而鋭之，不可長保」；傅奕本「揣」字作「敳」，此句謂「敳而梲之」；易玄、邢玄、景福、慶陽、磻溪、樓正、河上、顧、范、彭、徽、邵、蘇、吴、林等諸本「梲」字皆作「鋭」，此句謂「揣而鋭之」。

帛書甲、乙本「持」字作「揗」，當爲「持」字之别構。甲本殘損較甚，「不」字後缺「若其已，揣而」五字，又在「鋭」字後有衍文。帛書研究組注云：「乙本作『掓而允之』，通行本作『揣而鋭之』，河上公注：『揣，治也。』此處『之』上殘字缺左旁，右從[glyph]，疑是『鉛』字。『鉛』作動詞用，荀子中常見。如榮辱篇『鉛之重之』，注：『鉛與沿同，循也，撫循之。』『允』、『鉛』古音同，可通用。『鋭』則『鉛』字之誤。又此多出『□之』二字，當是筆誤。」細審帛書甲本，右側所從「[glyph]」恐非「鉛」字，乃「兑」字殘文。如甲本第五十六章「挫其鋭」之「鋭」字，假「閲」字爲之，其中聲符「兑」寫作「殳」；第七十五章「食稅」之「稅」字作「殺」。「兑」字上部帛書皆作「[glyph]」，與「鉛」字聲符「[glyph]」形近，但「口」之形體各異。甲本殘字「[glyph]」，即「兑」字的上部，因右邊的捺拉的很長，故在「[glyph]」下還留有捺的殘迹。因此帛書組認爲「多出『□之』二字」。其實「兑之」間只衍一字，也可能是廢字，因殘損不清，難以斷定。乙本「掓」字即「揣」别構，二字聲符一作「短」，一作「耑」，「短」與「耑」皆端紐元部字，讀音相同。「[glyph]」字也非「允」字，乃是「兑」字之誤寫，或因上部之「八」墨迹挩落，變「[glyph]」成「[glyph]」了。總之，帛書甲、乙本此句經文和今本是一致的，皆作「揣而鋭之」。「兑」字乃「鋭」之假字。

馬叙倫云：「淮南道應訓及後漢書折像傳注、申屠剛傳注、蔡邕傳注引並同此。申屠剛對策曰：『持滿之戒，老氏所慎。』則剛所見本亦作『持』，惟『盈』字作『滿』。」蔣錫昌云：「越語『持盈者與天』，史記楚世家『此持滿之術也』，詩鳧鷖序『能持盈守成』，皆『持盈』連言，蓋爲古人成語。『盈』之作『滿』，則以惠帝諱而改。老子欲與下句『揣而棁之』相對，故將『持盈』二字變作『持而盈之』也。說文：『持，握也。』鳧鷖序疏：『執而不釋謂之持。』是『持盈』猶執盈而不失也。王弼注：『持，謂不失德也。既不失其德，又盈之，勢必傾危。』以『持盈』二字分解，非是。河上注：『已，止也。』『持而盈之，不如其已』，言持盈不失，不如止而勿行也。下文『金玉滿堂……富貴而驕』，即此所謂『持而盈之』。」

孫詒讓云：「『⿰耑攴』即『揣』之或體，見集韻四紙。然『揣』當讀爲『捶』。說文：『揣，量也；一曰「捶之」。』蓋『揣』與『捶』聲轉字通也。」易順鼎云：「『棁』字當同河上本作『銳』。說文：『棁，木杖也。』『棁』既爲木杖，不得云『揣而棁之』。釋文雖據王本作『棁』，然云：『棁字，音菟奪反，又徒活反。』考玉篇手部：『捝，徒活、兔奪二切。說文云：「解也。」』木部『棁』字兩見，一之悅切，一朱悅切，並無菟奪、徒活兩音。則釋文『棁』字明係『捝』字之誤。……實則王本作『銳』，與古本作『捝』不同。注云：『既揣末令尖，又銳之令利，勢必摧衂。』是其證。文子微明篇、淮南道應訓作『銳』，並同。」

易氏之説甚是，王注既云「又鋭之令利」，足證王本原作「揣而鋭之」，當與第四章及第五十六章「挫其鋭」之「鋭」字誼同。今見王本作「揣而棁之」，顯爲後人所改。據上述古今各本勘校，此文當訂正爲：「持而盈之，不若其已。揣而鋭之，不可長保也。」

甲本：金玉盈室，莫之守也。貴富而驕（驕），自遺咎也。

乙本：金玉224上〔盈〕室，莫之能守也。貴富而驕，自遺咎也。

王本：金玉滿堂，莫之能守。富貴而驕，自遺其咎。

傅奕、范應元二本「堂」字作「室」，謂「金玉滿室」；易玄、邢玄、樓正、司馬等諸本「驕」字作「憍」，謂「富貴而憍」；樓古本又作「富貴而𢡟」。

帛書甲本作「金玉盈室，莫之守也」；乙本「盈」字殘損，下句作「莫之能守也」；今本多同王本作「金玉滿堂，莫之能守」。范應元云：「『室』字，嚴遵、楊孚、王弼同古本。」陳碧虛云：「嚴君平、王弼本作『金玉滿室』。」馬叙倫云：「各本及後漢書折像傳注引並作『堂』。『室』字是，『室』與『守』韻。」此經當從帛書甲本作「金玉盈室」；作「滿室」者，因避漢惠帝諱而改；因「盈」字改作「滿」，於是又改「滿室」爲「滿堂」。帛書甲、乙本「貴富而驕，自遺咎也」，今本多作「富貴而驕，自遺其咎」。經文雖稍有差異，而意義無別。河上公注：「大富當賑貧，貴當憐賤，而反驕恣，必被禍患也。」滿而不溢，高而不危，何能不溢不危？則法天道。四時運行，功成自退。

甲本：功述（遂）身芮（退），天〔之[107]道也〕。

乙本：功遂身退，天之道也。

王本：功遂身退，天之道。

景龍、易玄、慶陽、樓古、磻溪、孟頫、河上、顧、范、徽、彭、邵、司馬、蘇、吴、彭、林、焦等諸本皆作「功成名遂身退」；景福本與之同，唯最後有「也」字，作「天之道也」；傅奕本作「成名功遂身退」；邢玄、遂州二本作「名成功遂身退」。

帛書甲、乙本均作「功遂身退」，與王本同。馬叙倫云：「牟子理惑論引一同此，一同王弼本。漢書疏廣傳：『廣謂受曰：吾聞知足不辱，知止不殆，功遂身退，天之道。』蓋本此文，則疏所據本同王本。陸謂『遂』本又作『成』。論王注曰：『四時更運，功成則移。』是王本作『成』也。老子古本蓋作『功成身退，天之道』。」按禮記月令「百事乃遂」，鄭注：「遂，成也。」「功遂」猶「功成」，王弼注「功成則移」，乃釋所謂「功遂身退」之義，非引述經文也。義如第二章「功成而不居」。帛書甲、乙本同作「功遂身退」，足證王本不誤。其他如作「功成名遂身退」、「成名功遂身退」或「名成功遂身退」者，皆由後人妄改。

道經校注

十（今本道經第十章）

甲本：〔載營魄抱一，能毋離乎？摶氣致柔〕，能嬰兒乎？

乙本：載營袙（魄）抱一，能毋离（離）乎？槫（摶）224下氣至（致）柔，能嬰兒乎？

王本：載營魄抱一，能無離乎？專氣致柔，能嬰兒乎？

樓古、傅奕二本「抱」字作「裒」，末句「能」後有「如」字，作「載營魄裒一，能無離乎？專氣致柔，能如嬰兒乎」；景龍、易玄、敦煌英本、敦煌乙本、敦煌丙本、河上、遂州、林等諸本均無「乎」字，作「載營魄抱一，能無離？專氣致柔，能嬰兒」；河上本、景福碑「嬰」字又寫作「孆」；景福、磻溪、樓正、孟頫、顧、范、彭、徽、邵、司馬、蘇等諸本，末句「能」後有「如」字，同傅本作「能如嬰兒乎」。

帛書甲本殘損較甚，僅存「能嬰兒乎」四字；乙本保存完好，經文內容與王本基本一致。

元劉惟永道德真經集義（道藏詩一—染八）引褚伯秀云：「首『載』字諸解難通，蓋以前三字爲句，『抱一』屬下文，與後語不類，所以費解牽合。嘗深考其義，得之郭忠恕佩解集引開元詔語云：『朕欽承聖訓，覃思玄宗，頃改正道德經十章『載』字爲『哉』，仍屬上句。及乎議定，衆以爲然。遂錯綜真詮，因成注解。』此説明當可去千載之惑。蓋古本不分章，後人誤以失之。『道哉』句末字加次章之首，傳録又訛爲『載』耳。五十三章末『非道也哉』句法可證。」孫詒讓云：「案舊注並以『天之道』斷章，而讀『載營魄抱一』爲句，淮南子道應訓及群書治要三十九引『道』下並有『也』字，而章句亦同。楚辭遠遊云『載營魄而登霞兮』，王注云：『抱我靈魂而上升也。』屈子似即用老子語。然則自先秦西漢至今，釋此書者，咸無異讀。惟册府元龜載唐玄宗天寶五載詔云：『頃改道德經『載』字爲『哉』，仍隸屬上句，遂成注解。』郭忠恕佩觿則云：『老子上卷改『載』爲『哉』。』注亦引玄宗此詔。檢道經三十七章王本及玄宗注本，並止第十章有一『載』字，則玄宗所改爲『哉』者，即此『載』字。又改屬上章『天之道』爲句。今易州石刻玄宗道德經注仍作『載』讀，亦與舊同者。彼石立於開元二十年，蓋以後别有改定，故特宣示，石刻在前，尚沿舊義也。『載』、『哉』古字通，玄宗此讀，雖與古絶異，而審文校義，亦尚可通。天寶後定之注，世無傳帙，開元頒本雖石刻具存，而與天寶詔兩不相應。近代畢沅（考異）、錢大昕（潛研堂金石跋尾）、武億（授堂金石跋）、王昶（金石萃編）考録御注，咸莫能證覈。今用詔文推校石本，得其輾迹，聊復記之，以存異讀。」今諭之帛書，甲本此文殘損，乙本「天之道」下有「也」字，足證舊讀不誤。玄宗妄改經文，切不可信從。

劉師培云：「案素問調經論云：『取血於營。』淮南子俶真訓云：『夫人之事其神，而嬈其精營（句），慧然而有求於外，（高注營慧連讀，失之。）此皆失其神明，而離其宅也。』法言修身篇云：『熒魂曠枯，糟莩曠沈。』此之『營魄』，即素問、淮南所言『營』，法言所謂『熒魂』也。楚辭遠遊『載營魄而登遐兮』，王注：『抱我靈魂而上升也。』以『抱』訓『載』，以『靈魂』訓『營魄』，是爲漢人故訓。『載營魄』者，即安持其神。『載』、『抱』同義。至於此文『乎』字，當從河上本。景龍碑衍，下文諸『乎』字亦然。」朱謙之云：「劉説雖是，但以『靈魂』訓『營魄』，似有未至。『魄』形體也，與『魂』不同，故禮運有『體魄』，郊特牲有『形魄』。又『魂』爲陽爲氣，『魄』爲陰爲形。高誘注淮南説山訓曰：『魄，人陰神也；魂，人陽神也。』王逸注楚辭大招曰：『魂者，陽之精也；魄者，陰之形也。』此云『營魄』即『陰魄』。素問調經論『取血於營』，注：『營主血，陰氣也。』

又淮南精神訓『燭營指天』，知『營』者陰也，『營』訓爲陰，不訓爲靈。『載營魄抱一』，是以陰魄守陽魂也。『抱』如鷄抱卵；一者，氣也、魂也。『抱一』，則以血肉之軀，守氣而不使散洩，如是則形與靈合，魄與魂合，抱神以靜，故曰『能無離』？」朱氏謂「一」爲「魂」，似也未確。河上公注：「營魄，魂魄也。」王弼注：「『載』猶『處』也。」魂載魄，神歸舍，形神相依，抱一守道。虛靜無爲，不以物累身，不以欲害神。「能毋離乎」，謂其易知而難行也。「摶氣致柔，能嬰兒乎」，朱謙之云：「即管子內業之『摶氣』，所謂『摶氣如神，萬物備存。』」（尹注：『摶，謂結聚也。』）又曰：『此氣也，不可止以力。』『心靜氣理，道乃可止。』皆與『專氣致柔』說同。」集聚精氣以致柔和，能若嬰兒含德之厚，精和之至乎？此亦易知難行，故作此疑問。原本當有「乎」字，今本多挩誤。

甲本：脩（滌）除玄藍（鑒），能毋疵乎？〔愛民治國[108]，能毋以智乎〕？

乙本：脩（滌）除玄監（鑒），能毋有疵乎？愛民桰（治）國，能毋以知（智）乎？

王本：滌除玄覽，能無疵乎？愛民治國，能無知乎？

河上本無「乎」字，作「滌除玄覽，能無疵；愛民治國，能無知」；遂州本後一句「民」字作「人」，「能」字作「而」，謂「愛人治國，而無知」；敦煌丙本作「愛民治國，而無知」；易玄、敦煌英、林志堅三本作「愛民治國，能無爲」；景龍碑與之同，唯「民」字作「人」；邢玄、慶陽、樓古、磻溪、孟頫、樓正、顧、彭、徽、邵、司馬、蘇、吴、焦等諸本與王本同，唯後一句「知」字作「爲」，謂「愛民治國，能無爲乎」；傅、范二本亦與王本同，唯「知」上有「以」字，「愛民治國，能無以知乎」。

帛書乙本「脩除玄監」，甲本作「脩除玄藍」，今本均作「滌除玄覽」。「監」即古「鑒」字，商代甲骨文「監」字寫作「[illegible]」，作人向皿中水照面，實即「鑒」之本字。後因字義引申，「監」字別有它用，又在其中增一「金」符，而寫作「鑒」或「鑑」，從此分道揚鑣，別爲二字。甲本「藍」字在此亦讀爲「鑒」，借字耳。

「脩除玄鑒，能毋有疵乎」，「脩」字與今本「滌」字，古音相同，乃聲之轉也。「滌」字從「條」得音，「條」字與「脩」字之聲符皆爲「攸」。「脩」、「滌」義亦相通，禮記中庸「脩其祖廟」，鄭注：「脩，掃糞也。」「脩除」與「滌除」同義。「疵」字猶「瑕」，尚書大誥「知我國有疵」，馬注：「疵，瑕也。」通稱玉病爲『瑕』。此以「疵」言鑒之病，猶謂清洗心鑒，能使其無有瑕疵嗎？以喻爲道者，應虚静無爲，不得存有半點私欲。

帛書甲本後一句殘缺，乙本作「愛民栝國，能毋以知乎」；今本多同王本作「愛民治國，能無知乎」，或「愛民治國，能無爲乎」。「國」前一字均作「治」，與乙本不同；「能」

後二字又分爲「無知」與「無爲」兩説。帛書研究組將「栝」字讀作「活」，謂「愛民活國」，並加注云：「通行本作『治國』，經典釋文出『民治』，云：『河上本又作「活」。』帛書中『活』寫作『栝』，此『栝國』即『活國』，河上公舊本蓋與此同。」按「活國」甚不辭，古籍不見。李翹老子古注云：「『愛民治國』，河上本『治』作『活』，譌。」乙本中「栝」字，不應讀作「活」，應當讀作「治」，「栝國」即今本之「治國」，「栝」字與「治」乃聲之轉也。廣韻：「栝，他玷切。」讀音近似於「胎」，與「治」字通。「栝」字古音屬透紐談部，「治」字屬定紐之部，「透」、「定」古同爲舌頭，「之」、「談」旁對轉也，音同通假。如王本第四十一章「善貸且成」，敦煌戊本作「善始且成」；范應元本作「善貸且善成」，帛書乙本作「善始且善成」。于省吾云：「敦煌『貸』作『始』，乃聲之轉。」「貸」字假爲「始」，與此「栝」字假爲「治」同例。

易順鼎云：「『愛民治國，能無知』，當作『能無以智』，與下句『無知』不同。王注云：『治國無以智，猶棄智也。能無以智乎，則民不辟而國治之也。』是王本正作『能無以智』。以，用也；無用智，故曰『猶棄智』。六十五章：『故以智治國，國之賊；不以智治國，國之福。』正與此文互相證明。今王本作『無知』，實非其舊。釋文出『以知乎』三字，下注云：『音「智」，河上本又直作「智」。』此條幸在，可以破後人妄改之案，而見王注古本之真。」易説至確，帛書乙本即作「能毋以知乎」，「知」字當讀作「智」。今本「知」上挩「以」字，而有作「無爲」者，顯爲後人所改。

甲本：此段經文全部殘毁。

乙本：天門啓闔，能爲雌乎？明白四達225上，能毋以知乎？

王本：天門開闔，能無雌乎？明白四達，能無爲乎？

邢玄、景福、慶陽、磻溪、樓正、徽、邵、司馬、蘇、吳、彭諸本「無雌」二字作「爲雌」，「爲」字作「知」，謂「天門開闔，能爲雌乎？明白四達，能無知乎」；景龍、易玄二本與之同，唯無二「乎」字；敦煌乙本第一個「能」字作「而」，謂「天門開闔，而爲雌？明白四達，能無爲」；河上本作「天門開闔，能無雌？明白四達，能無知」；林、焦二本與之同，唯兩句句末皆有「乎」字；傅、范二本作「天門開闔，能爲雌乎？明白四達，能無以爲乎」；遂州本「能」字均作「而」，無二「乎」字，「天門」與「明白」兩句前後互倒，作「明白四達，而無爲？天門開闔，而無雌」；敦煌丙本與之同，唯「門」字作「地」，謂「天地開闔，而爲雌」；顧歡本作「明白四達，能無知乎？天門開闔，能無雌乎」，亦前後兩句互倒。

帛書甲本此段經文全部殘毁，乙本保存完好，同王本勘校有三處不同：一、乙本

「啓闔」，王本作「開闔」；二、乙本「爲雌」，王本作「無雌」；三、乙本「能毋以知乎」，王本作「能無爲乎」。按「啓」、「開」二字之别，係因避漢景帝劉啓之諱，而改「啓」爲「開」；然而後二處之不同，則確有正誤之分。

俞樾云：「按唐景龍碑作『愛民治國能無爲？天門開闔能爲雌？明白四達能無知』，其義並勝，當從之。『愛民治國能無爲』，即老子『無爲而治』之旨。『明白四達能無知』，即『知白守黑』之義也。王弼本誤倒之。河上公本兩句並作『無知』，則詞複矣。『天門開闔能無雌』，義不可通，蓋涉上下文諸句而誤。王弼注云：『言天門開闔，能爲雌乎，則物自賓而處自安矣。』是王弼本正作『能爲雌』也。河上公注云：『治身當如雌牝，安静柔弱。』是亦不作『無雌』，故知『無』字乃傳寫之誤。」俞説雖是，但仍有未盡其義者。「天門開闔，能爲雌？明白四達，能無知」兩句，景龍碑確較王本義勝。俞氏據以考證經文「無雌」當作「爲雌」，「無爲」當作「無知」，其説與帛書乙本相同。但謂「愛民治國能無爲」則不確，當如前述「愛民治國，能毋以智乎」。

河上公注：「治身，『天門』謂鼻孔，『開』謂喘息，『闔』謂呼吸也。」高亨云：「莊子天運篇『其心以爲不然者，天門弗開矣』，『天門』亦同此義。言心以爲不然，則耳目口鼻不爲用。禮記大學『心不在焉，視而不見，聽而不聞，食而不知其味』，即此意也。

耳目口鼻之開闔，常人競於聰明敏達，道家所忌，故欲爲雌，不欲爲雄。」按生物雄强雌柔，老子主張去强居柔，如第二十八章「知其雄，守其雌」。文子道德篇亦云「退讓守柔爲天下雌」，即此「爲雌」之義。

「明白四達，能毋以知乎」，「以」字在此作「用」解，猶言明白四達能不用知嗎？可見王弼本作「明白四達，能無爲乎」，確如俞樾所云有誤。「明白四達」需依「知」，與「無爲」義不相屬，當從乙本爲是。根據上述古今各本勘校，自前文「滌除玄鑒」至「明白四達」四句經文，當訂正爲：「滌除玄鑒，能毋有疵乎？愛民治國，能毋以智乎？天門啓闔，能爲雌乎？明白四達，能毋以知乎？」

甲本：生之畜之，生而弗〔有，長而弗宰也，是[109]謂玄〕德。

乙本：生之畜之，生而弗有，長而弗宰也，是胃（謂）玄德。

王本：生之畜之，生而不有，爲而不恃，長而不宰，是謂玄德。

世傳今本多同王本，作「生之畜之，生而不有，爲而不恃，長而不宰，是謂玄德」。帛書甲本有殘損，乙本保存完好，作「生之畜之，生而弗有，長而弗宰也，是謂玄德」，可據補甲本缺文。與今本勘校，乙本共四句，王本共五句，多出「爲而不恃」一句。類似之排列句，在老子書中還有三處。其一，第二章甲、乙本同作「萬物作而弗始，爲而弗恃，成功而弗居也」，王本作「萬物作焉而不辭，生而不有，爲而不恃，功成而弗居」。王本較帛書多衍「生而不有」一句，説見前文。其二，第五十一章帛書甲本（乙本殘）作「生而弗有也，爲而弗恃也，長而弗宰也，此之謂玄德」，王本作「生而不有，爲而不恃，長而不宰，是謂玄德」。王本與帛書經文基本相同，唯甲本在各句句末均有「也」字，稍異。其三，第七十七章帛書乙本（甲本殘）作「是以聖人爲而弗有，成功而弗居也。若此，其不欲見賢也」，王本作「是以聖人爲而不恃，功成而不處，其不欲見賢」。乙本「爲而弗有」，王本誤作「爲而不恃」，説見前文。通過以上勘校，則知老子經文中只有第二章與第五十一章有「爲而不恃」一句，今本其他章多爲後人增入。

道經校注

十一（今本道經第十一章）

甲本：卅（三十）（輻同一轂，當）其无，（有車）之用（也）。㷓（埏）埴爲器，當其无，有埴器（之用也）。

乙本：卅（三十）楅（輻）同一轂，當其无，有車225下之用也。㷓（埏）埴而爲器，當其无，有埴器之用也。

王本：三十輻共一轂，當其無，有車之用。埏埴以爲器，當其無，有器之用。

唐廣明元年泰州道德經幢、敦煌乙本、敦煌丙本「三十」二字均寫作「卅」。易玄、邢玄、樓古、敦煌乙、敦煌丙和范應元諸本「埏」字作「挻」，謂「挻埴以爲器」。

帛書甲本有殘損，乙本保存完好，首句作「卅楅同一轂」，「楅」字假爲「輻」；第四句作「㷓埴而爲器」，「㷓」字乃「埏」之别構。吴雲云：「卅，諸本作『三十』，是也。玉篇：『卅，先闔切，三十也。』」

錢坫車制考（皇清經解讀編卷二百十六）云：「考工記曰：『輪輻三十，象日月。』日三十日而與月會，輻數象之，老子亦云。又曰：『輻所湊，謂之轂。』老子曰：『三十輻共一轂，當其無有，車之用。』河上公説：『無有，謂空處故。』考工記注亦云：『利轉者，以無有爲用也。』説文解字：『轂，輻所湊也。』言轂外爲輻所湊，而中空虚受軸，以利轉爲用。」畢沅云：「本皆以『當其無』斷句。案考工記『利轉者，以無有爲用也』，是應以『有』字斷句。下並同。」按此段經文現有兩種斷句方法：其一，以「無」字斷句，讀作「當其無，有車之用」；其二，畢氏據考工記「以無有爲用」，謂此經當以「有」字斷句，讀作「當其無有，車之用」。老子以車轂、陶器、房屋爲喻，説明「無」和「有」兩個方面的作用，並特别强調「無」的作用。車轂除其轂身和滙集之三十根輻，轂之中是空虚無物的，故可以受軸而利轉，轂與輻皆爲有的方面，轂之中則爲無的方面。由於「無」可受軸利轉，才能有車之用，故竊以爲當以「無」字斷句爲是。蔣錫昌云：「考工記『無』、『有』用爲二名，『無』指車轂内外空間而言，『有』指車轂而言。有車轂而無空間，固不能利轉；有空間而無車轂，亦不能利轉。老子此『無』與考工記誼同；但『有』則爲『有無』之『有』，乃常語耳。畢氏誤讀考工記，以爲『無有』即同俗語所謂『没有』，而復據誤讀者來誤讀老子，非是。」

馬叙倫云：「説文無『埏』字，當依王本作『挻』，而借爲『摶』，耕、元之部古通也。」朱謙之云：「『埏』、『挻』義通，不必改字。説文：『挻，長也；從手從延。』字林：『挻，柔也；今字作「揉」。』朱駿聲曰：『凡柔和之物，引之使長，持之使短，可折可合，可方可圓，謂之「挻」。』王念孫曰：『挻，亦和也。』老子『挻埴以爲器』，河上公曰：『挻，和也；埴，土也；和土以爲飲食之器。』」……又荀子性惡篇：『陶人埏埴以爲器。』又云：『陶人埏埴而生瓦。』注：『埏，音羶，擊也；埴，黏土也。』又莊子馬蹄篇：『陶人曰：我善治埴。』崔云：『土也。』司馬云：『埴土可以爲陶器。』文誼均與老子同，當從之。」製作陶器，器壁與器底皆爲有，器腹中空無物，則可爲飲食之器也。

甲本：〔鑿户牖〕110，當其无，有〔室之〕用也。

乙本：鑿户牖，當其无，有室之用也。

王本：鑿户牖以爲室，當其無，有室之用。

世傳今本皆與王本相同。帛書甲本有殘損，乙本保存完好，首句只作「鑿户牖」，無「以爲室」三字，與今本稍異。

河上公云：「謂作屋室，户牖空虚，人得以出入觀視；室中空虚，人得以居處，是其用。」此與前述之車轂、埏埴寓義相同。造室則有頂壁與門窗，其中必有一定的空間，人們才能作爲居室之用。

甲本：故有之以爲利，无之以爲用。

乙本：故有之以爲利，无之以226上爲用。

王本：故有之以爲利，無之以爲用。

世傳今本多同王本，唯景龍、遂州、敦煌乙本、敦煌丙本句首無「故」字，作「有之以爲利，無之以爲用」。帛書甲、乙本均有「故」字，與王本經文全同。

王弼云：「木、埴、壁所以成三者，而皆以無爲用也。言無者，有之所以爲利，皆賴無以爲用也。」張松如云：「本章『有之以爲利，無之以爲用』，正說明了『弱者道之用』的道理。在這裏，老子借器物之『有』和『無』來說明其『利』和『用』。有與無相互發生，利和用相互顯著。……因爲老子是以利說有，以用說無，或者說是以有見利，以無見用。有與無，利與用，是相對的，不可拆開。淮南子說山訓：『鼻之所以息，耳之所以聽，終以其無用者爲用矣。物莫不因其所有，用其所無，以爲不信，視籟與竽。』足爲此章確箋。」

道經校注

十二（今本道經第十二章）

甲本：五色使人目明（盲），馳騁田臘（獵）使人（心發狂）111，難得之價（貨）使人之行方（妨），五味使人之口啪（爽），五音使人之耳聾。

乙本：五色使人目盲，馳騁田臘（獵）使人心發狂，難得之貨使人之行仿（妨），五味使人之口爽226下，五音使人之耳（聾）。

王本：五色令人目盲，五音令人耳聾，五味令人口爽，馳騁畋獵令人心發狂，難得之貨令人行妨。

世傳今本多同王本，唯景龍、景福、易玄、邢玄、慶陽、樓古、磻溪、孟頫、樓正、遂州、河上、顧、傅、范、彭、徽、邵、司馬、蘇、吴、林等諸本，第四句「畋」字作「田」，謂「馳騁田獵令人心發狂」。

帛書甲、乙本「使人」二字，今本均作「令人」；「田獵」二字王本等作「畋獵」。甲、乙本語序亦與今本不同，除第一句同作「五色使人目盲」之外，甲、乙本第二句「馳騁田獵使人心發狂」，相當於今本之第四句；甲、乙本第三句「難得之貨使人之行妨」，相當於今本之第五句；甲、乙本第四句「五味使人之口爽」，相當於今本之第三句；甲、乙本第五句「五音使人之耳聾」，相當於今本之第二句。

王弼云：「夫耳、目、口、心，皆順其性也。不以順性命，反以傷自然，故曰『盲』、『聾』、『爽』、『狂』也。」目以視色，耳以聽音，口以嘗味，皆本於性。如肆意縱欲，無所節制，必奪性傷本。故視而不見其色，聽而不聞其聲，嘗而不知其味。如莊子天地篇云：「五色亂目，使目不明；……五聲亂耳，使耳不聽；……五味濁口，使口厲爽。」易順鼎云：「楚詞招魂『厲而不爽』，王逸章句：『爽，敗也。』衆經音義卷二、卷十皆云：『爽，敗也。楚人羹敗曰「爽」。』」奚侗云：「古嘗以『爽』爲口病專名。如列子仲尼篇：『口將爽者，先辨淄澠。』莊子天地篇：『五味濁口，使口厲爽。』淮南子精神訓：『五味亂口，使口爽傷。』疑『爽』乃『喪』之借字，由喪亡誼，引申爲敗爲傷。」

王本「畋獵」二字，帛書甲、乙本均作「田臘」，「臘」字假借爲「獵」。敦煌乙本作「田獦」，丙本作「田獵」，「獦」、「獵」皆「獵」字之別體。「田」即古「畋」字，説文段注：「田，即『畋』字。」不僅古文獻多用「田」字爲「畋」。早在商代甲骨文中即如此，卜辭中

「畋獵」之「畋」字，皆寫作「田」。「心發狂」，指心性浮躁，輕率妄爲。「難得之貨使人行妨」，指奇異珍寶很容易誘引人們傷德敗行。如三章所云：「不貴難得之貨，使民不爲盜。」

經文五句「盲」、「狂」、「妨」、「爽」、「聾」諧韻。王念孫云：「『爽』字古讀若『霜』，正與『明』、『聰』、『揚』爲韻。故老子『五味令人口爽』，亦與『盲』、『聾』、『狂』、『妨』爲韻。而莊子天地篇『五色亂目，使目不明；五聲亂耳，使耳不聰；五味濁口，使口厲爽；趣舍滑心，使性飛揚』，即淮南所本也。」

甲本：是以聲（聖）人之治也，爲腹不〔爲目〕[112]，故去罷（彼）耳（取）此。

乙本：是以耶（聖）人之治也，爲腹而不爲目，故去彼而取此。

王本：是以聖人爲腹不爲目，故去彼取此。

世傳今本皆同王本，帛書甲、乙本首句「聖人」下均有「之治也」三字。乙本第二、第三句多二「而」字，作「爲腹而不爲目，故去彼而取此」。甲本以「罷」字假「彼」，「取」字誤寫作「耳」。

帛書甲、乙本經文「是以聖人之治也，爲腹而不爲目」，猶第三章所云「是以聖人之治也，虛其心，實其腹」，彼此意義相似。「腹」皆謂民之溫飽，如王弼注云：「爲腹者以物養己。」此之所謂「聖人」，係指善治之國君，故經文亦應與第三章一致，有「之治也」三字，當如帛書甲、乙本作「是以聖人之治也」爲是，今本似有挩漏。

蔣錫昌云：「按『腹』者，無知無欲，雖外有可欲之境而亦不可見。『目』者，可見外物，易受外境之誘惑而傷自然。故老子以『腹』代表一種簡單清静、無知無欲之生活，以『目』代表一種巧僞多欲，其結果竟至『目盲……耳聾……口爽……發狂……行妨』之生活。明乎此，則『爲腹』即爲無欲之生活，『不爲目』即不爲多欲之生活。『去彼取此』謂去目（多欲之生活）而取腹（無欲之生活）也。」

道經校注

十三（今本道經第十三章）

甲本：龍（寵）辱若驚，貴大梡（患）若身。苛（何）胃（謂）龍（寵）辱若驚？龍（寵）之爲下。

乙本：弄（寵）辱若驚，貴大患若身。何胃（謂）217上弄（寵）辱若驚？弄（寵）之爲下也。

王本：寵辱若驚，貴大患若身。何謂寵辱若驚？寵爲下。

易玄、敦煌丙、樓古、磻溪、樓正、遂州、顧、范、彭等諸本無第二「若驚」二字，作「何謂寵辱？寵爲下」；景龍、河上、吴、林諸本亦無第二「若驚」二字，又第三個「寵」字作「辱」，作「何謂寵辱？辱爲下」；景福碑及宋陳景元道德真經藏室纂微篇（道藏欲一—難二，難三—難七）作「何謂寵辱？寵爲下，辱爲上」；元李道純道德會元（道藏談三—談四）作「何謂寵辱若驚？寵爲下，辱爲上」。

帛書甲、乙本經文與王本相同，唯甲本「寵」字寫作「龍」，末句作「寵之爲下」；乙本「寵」字寫作「弄」，末句作「寵之爲下也」。

俞樾云：「河上本作『何謂寵辱？辱爲下』，注曰：『辱爲下賤。』疑兩本均有奪誤。當云：『何謂寵辱若驚？寵爲上，辱爲下。』河上公作注時，上句未奪，亦必有注，當與『辱爲下賤』對文成義，傳寫者失上句，遂並注失之。陳景元、李道純本均作『何謂寵辱若驚？寵爲上，辱爲下』，可據以訂諸本之誤。」勞健亦云：「『寵爲上，辱爲下』，景福本如此。傅、范與開元本、諸王本皆作『寵爲下』一句，景龍與河上作『辱爲下』一句。以景福本證之，知二者皆有闕文。道藏陳景元、李道純、寇才質諸本並如景福，亦作二句。」陳云：「『河上本作「寵爲上，辱爲下」，謂寵辱之見也；「爲上」、「爲下」，於經義完全，理無迂闊。知古河上本原不闕上句。』按『寵辱』，謂寵辱之見也；『爲上』、『爲下』，猶第六十一章『以其静爲下』、『大者宜爲下』，諸言爲下之見也。蓋謂以『爲上』爲『寵』，以『爲下』爲『辱』，則得之失之，皆有以動其心，其驚惟均也。若從闕文作『寵爲下』一句而解，如以受寵者爲下，故驚得如驚失，非其旨矣。」今同帛書甲、乙本勘校，同王本作「寵爲下」一句者，不闕亦不誤，老子原本如此。王弼注：「寵必有辱，榮必有患；寵、辱等，榮、患同也。爲下得寵辱榮患若驚，則不足以亂天下也。」「寵辱」相附相成，辱則生寵，受寵者必爲下殘者也。

蘇轍云：「古之達人，驚寵如驚辱，知寵之爲辱先也；貴身如貴大患，知身之爲患本也。是以遺寵而辱不及，忘身而患不至。所謂『寵辱』非兩物也。辱生於寵而世不悟，以寵爲上而以辱爲下者皆是也。若知辱生於寵，則寵固爲下矣。故古之達人得寵若驚，失寵若驚，未嘗安寵而驚辱也。」明釋德清老子道德經解云：「『寵爲下』，謂寵乃下賤之事也。譬如僻倖之人，君愛之以爲寵，雖巵酒臠肉必賜之。非此不見其爲寵。彼無寵者，則傲然而立。以此較之，雖寵實乃辱之甚也，豈非下耶？故曰『寵爲下』。」舊注據王本「寵爲下」釋之，切合經義。俞、勞二氏據誤本譌句強爲之解，從者甚多，遺患亦大，故不得不辨。今依帛書甲、乙本證之，王、傅、范、開元諸本作「寵爲下」者，乃存老子之舊；作「辱爲下」或「寵爲上，辱爲下」者，皆由後人增改，均當據以刊正。俞、勞之説皆不可信。

甲本：得之若驚，失〔之〕113若驚，是胃（謂）龍（寵）辱若驚。

乙本：得之若驚，失之若驚，是胃（謂）弄（寵）辱若驚。

王本：得之若驚，失之若驚，是謂寵辱若驚。

世傳今本多同王本，唯吳澄本無「是謂寵辱若驚」一句，朱謙之云：「林希逸亦無此六字。」

帛書甲、乙本經文與王本同，甲本「寵」字寫作「龍」，乙本「寵」字寫作「弄」，皆假字耳。

本章經文首句爲「寵辱若驚」，前文言「何謂寵辱」，此又言「得之若驚，失之若驚，是謂寵辱若驚」。這兩段經文皆爲老子對「寵辱若驚」自作的詮釋。河上公注云：「身寵亦驚，身辱亦驚。得寵榮驚者，處高位如臨深危也。失者，失寵處辱也。驚者，恐禍重來也。」身居虛静，無欲無私，既無寵辱，也無驚恐矣。

甲本：何胃（謂）貴大梡（患）若身？吾所以有大梡（患）者，爲吾有身也；及吾无身114，有何梡（患）？

乙本：何胃（謂）貴大患227下若身？吾所以有大患者，爲吾有身也；及吾無身，有何患？

王本：何謂貴大患若身？吾所以有大患者，爲吾有身；及吾無身，吾有何患！

遂州本「謂」字作「爲」，第一個「吾」字作「我」，謂「何爲貴大患若身？吾所以有大患者，爲我有身，及吾無身，吾有何患」，景龍、敦煌丙本無「者」字，第二、三兩個「吾」字作「我」，謂「何謂貴大患若身？吾所以有大患，爲我有身；及我無身，吾有何患」；敦煌乙本與之同，唯第二句有「者」字，作「吾所以有大患者」，稍異；景福碑最後一句末尾有「乎」字，作「及吾无身，吾有何患乎」；范應元本「及」字作「苟」，謂「苟吾无身，吾有何患」；傅奕本作「苟吾無身，吾有何患乎」。

帛書甲、乙本經文與王本基本相同，甲本「患」字寫作「梡」，同音假借。王本「爲吾有身」，甲、乙本作「爲吾有身也」；王本「吾有何患」，甲、乙本作「有何患」，稍有差異。又帛書甲、乙本「及吾无身」，與王本同，傅、范二本作「苟吾無身」。王引之經傳釋詞卷五云：「『及』猶『若』也。……老子曰：『吾所以有大患者，爲吾有身；及吾無身，吾有何患！』言若吾無身也。又曰：『取天下常以無事，及其有事，不足以取天下。』言若其有事也。『及』與『若』同義，故『及』可訓『若』，『若』亦可訓爲『及』。」朱謙之云：「今證之古本，知『及』與『若』同，與『苟』字亦可互用。」

「何謂貴大患若身」，此亦老子自對前文「貴大患若身」所設之疑問，「貴」字在此爲動詞，猶今言「重視」。義若何謂重視自身，猶如重視大患？經文「身」、「患」二字位置相倒。焦竑云：「『貴大患若身』，當云『貴身若大患』。倒而言之，古語類如此。」其説甚是。「吾所以有大患者，爲吾有身；及吾无身，有何患」，言身與患相鄰，身存而患隨，無身則無患，故防患當貴身。司馬光云：「有身斯有患也。然則既有此身，則當貴之、愛之，循自然之理，以應事物，不縱情欲，俾之無患可也。」范應元云：「輕身而不修身，則自取危亡也。是以君子安而不忘危，存而不忘亡，故終身無患也。」

甲本：故貴爲身於爲天下，若可以迈（託）天下矣；愛以身爲天下，女（如）可以寄天下。

乙本：故貴爲身於爲天下，若可以橐（託）天下228上〔矣〕；愛以身爲天下，女（如）可以寄天下矣。

王本：故貴以身爲天下，若可寄天下；愛以身爲天下，若可託天下。

世傳今本此段經文多有差異，兹將本書所據勘本異於王本者，分別録之於下：

景龍碑：故貴身於天下，若可託天下；愛以身爲天下者，若可寄天下。

景福碑：故貴以身爲天下者，則可以寄於天下；愛身以爲天下者，乃可以託於天下。

敦煌丙本：故貴以身於天下，若可託天下；愛以身爲天下，若可寄天下。

遂州本：故貴以身於天下者，可託天下；愛以身於天下者，可寄天下。

河上本：故貴以身爲天下者，則可寄於天下；愛以身爲天下者，乃可以託於天下。

顧歡本：故貴以身爲天下者，若可寄於天下矣；愛以身爲天下者，乃可託於天下矣。

傅奕、范應元二本：故貴以身爲天下者，則可以託天下矣；愛以身爲天下者，則可以寄天下矣。

司馬光本：故貴以身爲天下者，可以託天下矣；愛以身爲天下者，則可以寄天下矣。

吳澄本：故貴以身爲天下，則可以寄天下；愛以身爲天下，則可以託天下。

林志堅本：故貴以身爲天下者，則可以寄於天下；愛以身爲天下者，乃可以託於天下。

焦竑本：故貴以身爲天下者，可以寄天下；愛以身爲天下者，可以託天下。

帛書甲、乙本經文相同，而與今本皆有差異。甲、乙本同作「貴爲身」，「可以託天下」；「愛以身」，「可以寄天下」。今本中除傅、范等少數版本與之相近外，其他皆作「貴以身」，「寄天下」；「愛以身」，「託天下」。彼此經文相倒。陶邵學云：「王注：『無以易其身，故曰「貴」也；如此，乃可以託天下也。無物可以損其身，故曰「愛」也；如此，乃可以寄天下也。』是王本亦上句作『託』，下句作『寄』。」蔣錫昌云：「按陳碧虛云：『王弼本作「故貴以身爲天下者，則可以託天下矣；愛以身爲天下者，則可以寄天下矣」。』」陶氏據王注，謂王本上句作『託』，下句作『寄』，正與相合。是陳見王本，與傅、范二本同，蓋古本如此。」今從帛書甲、乙本勘校，足證老子原本當上句作「託」，下句作「寄」，今本與之相反者，皆誤。樓宇烈云：「莊子讓王：『夫天下至重也，而不以害其生，又況他物乎？惟無以天下爲者，可以託天下也。』又『託』字，陶鴻慶説當與下節注之『寄』字互易。按陶説非。此非注文竄易，而是今本老子竄易。據長沙馬王堆三號漢墓出土帛書老子甲、乙本，此節經文均作『可以託天下』，而下節經文則作『可以寄天下』，可證此注文不誤。」從莊子在宥、讓王、淮南子道原等古籍引述老子此語，皆「寄」字在上，「託」字在下，可見此一訛誤來源久矣，非帛書甲、乙本共同證之，此案難以訂正。

按此節經文今本多變易，舊注亦莫衷一是，議論紛紜。帛書甲、乙本經文完全相同，誼甚暢明，當從之。「故貴爲身於爲天下，若可以託天下矣」，「貴」字仍如前文作動詞，可釋作「重視」；「於」字介詞，用以表示重視自身與重視天下之不同。「貴爲身於爲天下」，猶言爲身貴於爲天下，乃動詞前置。即謂重視爲自身甚於重視爲天下，若此可以託天下矣。「愛以身爲天下」，此節經文與王本同。「愛」字爲動詞，亦置於句首，即謂以自身爲天下之最愛者，如王弼注：「無物以損其身，故曰『愛』也。」譯爲今語，則謂愛自身勝於愛任何物，勝於愛天下，如此，可以寄天下矣。莊子讓王篇：「道之真以治身，其緒餘以爲國家，其土苴以治天下。由此觀之，帝王之功，聖人之餘事也，非所以完身養生也。」此乃老子此章「故貴爲身於爲天下」與「愛以身爲天下」之最確切的釋義。

道經校注

十四（今本道經第十四章）

甲本：視之而弗115見，名之曰聲（微）。聽之而弗聞，名之曰希。捪之而弗得，名之曰夷。

乙本：視之而弗見，（名）之曰微。聽之而弗聞，命（名）之曰228下希。捪之而弗得，命（名）之曰夷。

王本：視之不見名曰夷，聽之不聞名曰希，搏之不得名曰微。

范應元本「夷」字作「幾」，謂「視之不見名曰幾」。吳澄、林志堅二本「搏」字作「摶」，謂「摶之不得名曰微」；遂州本「搏」字作「博」，謂「博之不得名曰微」。

帛書甲、乙本經文相同，唯甲本「名」字，乙本作「命」，稍異。乙本在「捪」字前衍一「聽」字，抄寫之誤，又似有删去之墨痕。據帛書甲、乙本與今本勘校，彼此有兩處差異，現分别加以討論：

一、帛書甲、乙本「視之而弗見，名之曰微」，世傳今本多同王本作「視之不見名曰夷」，唯范應元本作「視之不見名曰幾」。范應元云：「『幾』字，孫登、王弼同古本。傅奕云：『幾者，幽而無象也。』」馬叙倫云：「范『夷』作『幾』。范謂孫登、王弼同古本。傅奕云：『幾者，幽而無象也。』是王、傅二本並作『幾』。依義，作『幾』爲長。說文：『幾，微也；從𢆶，𢆶微也。』『幽』亦從𢆶從火（依甲文）。傅謂『幾者，幽而無象』，是其義矣。」「幾」、「微」義同，禮記學記「微而臧」，孔穎達疏謂「微」爲「幽隱」；檀弓「禮有微情者」，疏云：「微者，不見也。」幽隱無象，故曰「視之而弗見，名之曰微」。足證帛書甲、乙本保存了老子之舊；今本作「視之不見名曰夷」者誤。再如，第三句帛書甲、乙本「捪之而弗得，名之曰夷」，今本作「搏之不得名曰微」。顯然是今本將屬第一句之「微」字與屬第三句之「夷」字前後顛倒，張冠李戴。

二、帛書甲、乙本第三句「捪之而弗得，名之曰夷」，今本多同王本作「搏之而不得名曰微」，唯吴澄、林志堅本作「搏之不得名曰微」。這裏不僅誤「夷」字爲「微」，並且誤「捪」字爲「搏」。說文：「捪，撫也，一曰摹也。」「捪」字也可寫作「捪」，廣雅釋詁：「捪，循也。」易經乾鑿度、列子天瑞篇皆作「視之不見，聽之不聞，循之不得」；淮南子原道也作「視之不見其形，聽之不聞其聲，循之不得其身」。「循之不得」，即帛書甲、乙本「揞之而弗得」，猶言撫摸不着。廣雅釋詁：「夷，滅也。」「揞之而弗得」，正與「名之曰夷」義相合。足證今本不僅誤「揞」字爲「搏」，而且誤「夷」字爲「微」，而失原義遠矣。今本之訛誤，均當據帛書甲、乙本訂正。

甲本：三者不可至（致）計（詰），故圂（混）〔而爲一〕116。

乙本：三者不可至（致）計（詰），故緍（混）而爲一。

王本：此三者不可致詰，故混而爲一。

世傳今本多同王本，唯林志堅本「可」下有「以」字，作「此三者不可以致詰」；慶陽、磻溪、蘇轍諸本「故」下有「復」字，作「故復混而爲一」。

帛書甲本稍殘，乙本保存完好。二本經文相同，唯「混」字甲本寫作「圂」，乙本寫作「緍」。

馬叙倫云：「案『混』借爲『梱』，古書言『混沌』者，皆謂未分析。說文：『梱，完木未析也。』今通用『混』。」帛書研究組據馬說增注云：「按『圂』從束從囗，疑即說文部首之『櫜』字，在此讀爲『梱』，完木未析也。」乙本注：「緍，疑爲『緄』字，……在此讀爲『捆』。」按「緍」字從君得聲，「混」字從昆得聲，「君」、「昆」皆見紐文部字，古讀音相同，故甲本「圂」字與乙本「緍」字，均當從今本假爲「混」。帛書「計」字乃「詰」之借字。

經文當從今本作「三者不可致詰，故混而爲一」。

河上公注：「三者，謂『夷』、『希』、『微』也；不可致詰者，夫無色、無聲、無形，口不能言，書不能傳，當受之以靜，永之以神，不可詰問而得之也。混，合也。故合於三，名之而爲『一』。」蔣錫昌云：「泰初時期，天地未闢，既無聲色，亦無形質，此種境界不可致詰，亦不可思議。老子以爲此即最高之道，無以名之，姑名之曰『一』也。」

甲本：一者，其上不攸（皦），其下不忽（昧），尋尋呵不可名也，復歸於无物。

乙本：一者，其上不謬（皦），其下不忽（昧），尋尋呵不可命（名）229上也，復歸於无物。

王本：其上不皦，其下不昧，繩繩不可名，復歸於無物。

傅奕本句首有「一者」二字，作「一者，其上不皦，其下不昧」。景龍碑「皦」字作「曒」，第二個「其」字作「在」，謂「其上不曒，在下不昧」；磻溪、焦竑二本「皦」字亦作「曒」。景福、孟頫、傅奕、徽、邵、司馬、吳、彭、焦諸本「繩繩」下有「兮」字，作「繩繩兮不可名，復歸於無物」；遂州與想爾注本「昧」字作「忽」，「繩繩」二字作「蠅蠅」，謂「其上不皦，其下不忽，蠅蠅不可名，復歸於無物」。

帛書甲、乙本皆有「一者」一句，今本除傅奕本保存此句外，其他皆無。按：此乃承上文「混而爲一」而言，當有「一者」爲是，無則挩漏，應據甲、乙本補。帛書甲本「其上不攸，其下不忽」，乙本作「其上不謬，其下不忽」，今本多同王本作「其上不皦，其下不昧」。三者各不相同，當從孰是？許抗生、張松如皆據莊子天下篇「謬悠之説」一句，許謂「謬義爲勝，今從乙本」，張謂「疑當作『攸』，讀爲『悠』，意爲謬悠虛遠」。按天下篇云：「古之道術有於是者，莊周聞其風而悦之。以謬悠之説，荒唐之言，無端崖之辭。」「謬悠之説」，乃謂其説之虛妄，釋文謂：「若忘於情實者也。」則同本經文「其上不謬，其下不忽」不類。從字音分析，「攸」、「謬」、「皦」三音雖用字各異，而讀音相同。如「攸」字古屬喻紐幽部，「謬」字屬明紐幽部，「喻」、「明」二紐古相通轉。如喻紐「溢」字與明紐「謐」字通假，詩周頌維天之命「假以溢我」，説文卷三引作「誐以謐我」。段玉裁注：「謐，鉉本作『溢』，此用毛詩改竄也，廣韻引説文作『謐』。按毛詩『假以溢我』，傳曰『假嘉溢慎』，與『誐』、『謐』字異義同。許所偁蓋三家詩『誐』、『謐』皆本義，『假』、『溢』皆假借也。」又如説文「璊」字，先云「從玉㒼聲」，莫奔切，屬明紐；又云「璊或從允」，「允」余準切，屬喻紐。此皆「喻」、「明」二紐通轉之證。「攸」、「謬」古音相同，而「攸」、「皦」與「謬」、「皦」古音皆通。「謬」、「攸」皆幽部字，「皦」屬宵部，「宵」、「幽」旁轉。「謬」聲在明紐，「皦」在見紐，「明」、「見」二紐相通。如左傳莊公十年「曹劌請見」，史記魯世家、刺客列傳均作「曹沫」，「劌」屬見紐，「沫」在明紐。周禮考工記匠人「廟門容大扃七個」，説文鼎部引作「廟門容大鼏七箇」。「鼏」莫狄切，明紐字；「扃」古熒切，見紐字。皆「明」、「見」二紐通用之證。「攸」聲在喻紐，「皦」在見紐，「喻」、「見」二紐發音相近。如「貴」見紐字，加辵符讀作喻紐「遺」；「谷」見紐字，加水符讀作喻紐「浴」；反之，「異」喻紐字，加北符讀作見紐「冀」。以上參見黄焯古今聲類通轉表。下句「忽」、「昧」二字古音亦通，「忽」字從勿得聲，與「昧」字同爲明紐物部字，乃雙聲疊韻，音同互假。

通過以上分析，帛書甲本「其上不攸，其下不忽」，乙本「其上不謬，其下不忽」，今本「其上不皦，其下不昧」，三者用字雖異，而古讀音相同。「攸」、「謬」、「皦」通假，「忽」與「昧」通假。今本用本字，帛書用借字，當從今本。河上公釋「皦」字爲「光明」，釋「昧」字爲「闇冥」。蘇轍亦云：「物之有形者，皆麗於陰陽，故上皦下昧不可逃也。道雖在上而不皦，雖在下而不昧，不可以形數推也。」此言道者上不皦下不昧，超然自若，不可以物比，不可以言狀。從經義分析，古注不誤，當從之。

帛書甲、乙本「尋尋呵不可名也，復歸於無物」，乙本假「命」字爲「名」。今本「尋尋」二字作「繩繩」，傅奕及諸宋本「繩繩」下多有「兮」字，王弼本挩此字。「尋尋」、

「繩繩」同音，皆重言形況字，此當從今本作「繩繩」爲是。詩周南螽斯「宜爾子孫繩繩兮」，大雅抑「子孫繩繩」，毛傳、鄭箋皆據爾雅訓「戒」訓「慎」。河上公注：「繩繩者，動行無窮極也。」成玄英疏云：「繩繩，運動之貌也。言道運轉天地，陶鑄生靈，而視聽莫尋，故不可名也。復歸者，還源也。無物者，妙本也。夫應機降迹，即可見可聞；復本歸根，即無名無相；故言復歸於無物也。」

甲本：是胃（謂）无狀之狀，无物之〔象，是謂忽117恍〕。

乙本：是胃（謂）无狀之狀，无物之象，是胃（謂）沕（忽）望（恍）。

王本：是謂無狀之狀，無物之象，是謂惚恍。

敦煌丙本首句無「謂」字，作「是無狀之狀，無物之象」；遂州本亦無「謂」字，「象」字作「像」；「惚恍」二字作「忽怳」，謂「是無狀之狀，無物之像，是謂忽怳」。邢玄本最後二字亦作「忽怳」；景龍、易玄、景福、孟頫、河上諸本作「忽恍」；傅、范二本作「芴芒」；徽、邵、彭、林諸本作「恍惚」。司馬本「無物之象」句重，蘇轍、吳澄二本作「無象之象」。

帛書甲本稍殘，乙本保存完好，經文均與王本同；唯乙本「惚恍」作「沕望」，假借字也；王本作「惚恍」。蔣錫昌云：「强本嚴注：『無象之象，無所不象。』是嚴作『無象之象』。諸本或作『無象之象』，以與上句『無形之形』一律，不知老子自作『無物之象』。二十一章：『惚兮恍兮，其中有象。恍兮惚兮，其中有物。』『物』、『象』對言，即據此文『無物之象』而來，可證也。『無狀之狀，無物之象』，謂道若有若無，若可見，若不可見；其爲物也，無色無體，無聲無響，然可思索而得，意會而知。此思索而得之狀，意會而知之象，無以名之，名之曰『無狀之狀，無物之象』也。王注：「欲言無邪，而物由以成；欲言有邪，而不見其形。故曰『無狀之狀，無物之象』也。」「惚恍」則正言「恍惚」。二十一章「道之爲物，惟恍惟惚」，王弼注：「恍惚，無形不繫之歎。」此言「惚恍」，爲取與「狀」、「象」諧韻，故作「惚恍」，顛倒讀之。

甲本：〔隨而不見其後，迎〕而不見其首。

乙本：隨而不見其後，迎而不見229下其首。

王本：迎之不見其首，隨之不見其後。

景龍、易玄、邢玄、敦煌丙本均無兩個「之」字，作「迎不見其首，隨不見其後」；景福碑「迎之」句在「隨之」句下，作「隨之不見其後，迎之不見其首」，與帛書甲、乙本語序相同。

帛書甲、乙本與今本經義相同，唯「之」字甲、乙本均作「而」，且「隨而」句在「迎而」句之前，稍異。成玄英疏：「迎不見其首，明道非古無始也；隨不見其後，明道非今無終也。」言道既不知其始，亦不知其終，則無始無終；出現在天地之前，又「象帝之先」。

甲本：執今之道，以御今之有，以知古始，是胃（謂）〔道紀〕。

乙本：執今之道，以御今之有，以知古始，是胃（謂）道紀。

王本：執古之道，以御今之有，能知古始，是謂道紀。

景龍碑「御」字作「語」，「能」字作「以」，「紀」字作「己」，謂「執古之道，以語今之有，以知古始，是謂道己」；景福、敦煌丙、河上、林諸本「能」字均作「以」，謂「以知古始，是謂道紀」；顧歡本作「是謂道紀也」，最後有「也」字。

帛書甲、乙本均作「執今之道，以御今之有，以知古始，是謂道紀」，今本多同王本作「執古之道，以御今之有，以知古始，是謂道紀」。甲、乙本「執今之道」，今本皆作「執古之道」，「今」、「古」一字之差，則意義迥然有別。按托古御今是儒家的思想，法家重視現實，反對托古。史記商君列傳：「衛鞅曰：『治世不一道，便國不法古。』」荀子非相篇：「舍後王而道上古，譬之是猶舍己之君而事人之君也。故曰：『欲觀千歲，則數今日。』」太史公自序言及道家則云：「有法無法因時爲業，有度無度因物與合。故曰：

「聖人不朽，時變是守。』」從而足證經文當從帛書甲、乙本作「執今之道，以御今之有」爲是。「御」猶「治」，詩大雅思齊「以御于家邦」，鄭箋：「御，治也。」劉師培云：「『有』即『域』字之叚字也。『有』通作『或』，『或』即古『域』字。詩商頌烈祖『奄有九有』，毛傳：『九域，九州也。』又『正域彼四方』，毛傳：『域，有也。』國語楚語『共工氏之伯九有也』，韋注：『有，域也。』此文『有』字與『九有』之『有』同。『有』即『域』，『域』即二十五章『域中有四大』之『域』也。『御今之有』，猶言御今之天下國家也。」謂執今之道，治理今之天下國家。

「以知古始，是謂道紀」，奚侗云：「禮記樂記『中和之紀』，鄭玄注：『紀，總要之名也。』」蔣錫昌云：「『古』『能』、『而』通用，『以』、『而』亦通用，故諸本或假『以』爲『能』也。古始，泰初無名之始也。……顧本成疏：『古始，即無名之道也。』『能知古始，是謂道紀』，謂聖人能知泰初無名之道，是謂得道之總要也。」

道經校注

十五（今本道經第十五章）

甲本：〔古之118善爲道者，微妙玄達〕，深不可志（識）。夫唯不可志（識），故强爲之容。

乙本：古之善爲道者，微眇（妙）玄達，深不可志（識）。夫唯230上不可志（識），故强爲之容。

王本：古之善爲士者，微妙玄通，深不可識。夫唯不可識，故强爲之容。

傅奕、樓古二本「士」字作「道」，謂「古之善爲道者」。范應元本「識」字作「測」，謂「微妙玄通，深不可測。夫惟不可測，故强爲之容」；司馬本無第二個「可」字，作「夫唯不識，故强爲之容」；遂州本無「故」字，作「夫唯不可識，强爲之容」。

帛書甲本殘十字，乙本保存完好。與今本勘校，乙本「古之善爲道者」，今本除傅奕、樓古二本與之相同外，其他皆作「古之善爲士者」。乙本「微眇玄達」，今本皆作「微妙玄通」。甲、乙本並假「志」字爲「識」。

河上本今作「古之善爲士者」，注云：「謂得道之君也。」顯見原本「士」字當作「道」。馬敘倫云：「後漢書黨錮傳注引作『道』，依河上注，蓋河上亦作『道』字。范、易州、羅卷、臧疏、張之象並作『士』，成疏曰：『故援昔善修道之士以軌則聖人。』則成亦作『士』。論文『道』字爲是，今王本作『士』者，蓋六十八章之文。」朱謙之云：「依河上公注，『善爲士者』當作『善爲道者』。傅奕本『士』作『道』，即其證。畢沅曰：『道，河上公、王弼作「士」。』案：作『道』是也，高翿本亦作『道』。」今據帛書乙本論之，則爲馬、朱二氏之説得一確證，老子原作「善爲道者」，「士」字乃後人所改。

帛書乙本「微眇玄達」，今本作「微妙玄通」，「眇」、「妙」二字通用，「通」、「達」二字義同，此當從今本。蔣錫昌云：「史記老子列傳：『老子曰：……良賈深藏若虚，君子盛德，容貌若愚。』皆此文『微妙玄通，深不可識』之誼也。」

易順鼎云：「文選魏都賦張載注引老子曰：『古之士，微妙玄通，深不可識。夫唯不可識，故强爲之頌。』……作『頌』者古字，作『容』者今字。……『强爲之容』猶云『强爲之狀』。」此之謂善爲道者，將以成聖而盡神，容狀不可識，勉强言之，則如下文。

甲本：曰：與（豫）呵其若冬〔涉水。猶呵119其若〕畏四〔鄰。嚴呵〕其若客。

乙本：曰：與（豫）呵其若冬涉水。猶呵其若畏四哭（鄰）。嚴呵其若客。

王本：豫焉若冬涉川。猶兮若畏四鄰。儼兮其若容。

傅奕本句首有「曰」字，「焉」字作「兮」，謂「曰：豫兮若冬涉川」；景福、范、徽、邵、司馬、彭、林諸本與之同，唯句首無「曰」字；河上本「豫」字作「與」，謂「與兮若冬涉川」；景龍、易玄、邢玄、樓古、磻溪、樓正、敦煌丙、遂州、顧、蘇諸本無「焉」字，作「豫若冬涉川」。第二句景龍、邢玄、易玄、樓古、磻溪、樓正、遂州、顧、蘇、焦諸本無「兮」字，作「猶若畏四鄰」。第三句景福、孟頫、河上、司馬、吳、林諸本「容」字作「客」，謂「儼兮其若客」；景龍、邢玄、易玄、磻溪、樓正、顧、傅、焦諸本作「儼若客」；樓古、遂州、徽、邵、蘇、彭諸本作「儼若容」。

帛書甲、乙本句首均有「曰」字，世傳今本唯傅本有，其他皆無。按此乃承前文「强爲之容」而言，下述七排列句皆謂「善爲道者」之行表與儀態，爲「曰」之賓語。無「曰」字則無謂語，語意不明。今本誤挩，當據帛書甲、乙本補。甲、乙本「曰」下七句每句皆有「其」字，「其」在此爲「善爲道者」之代詞，乃是每一句中之主語。王本僅第三、五、六、七共四句中有「其」字，而第一、二、四共三句中有遺漏，本當一律。論之古籍，文子上仁篇引此文皆有「其」字，句型亦與帛書甲、乙本同，作「豫兮其若冬涉大川。猶兮其若畏四鄰」。文子「冬涉大川」，老子今本作「冬涉川」，甲、乙本同作「冬涉水」。「水」、「川」二字古文形近易混，「水」共名，「川」專名，義同。「儼兮其若容」，帛書「容」字作「客」，河上、傅奕及諸唐本亦多作「客」。作「客」是，「容」字係因形近而誤。

説文象部：「豫，象之大者。」犬部：「猶，玃屬。」段玉裁注：「曲禮曰：『使民決嫌疑，定猶豫。』正義云：『説文：「猶，玃屬」。「豫，象屬。」此二獸皆進退多疑，人多疑惑者似之，故謂之「猶豫」。』按古有以聲不以義者，如『猶豫』雙聲，亦作『猶與』，亦作『冘豫』，皆遲疑之貌。老子：『豫兮如冬涉川。猶兮若畏四鄰。』離騷：『心猶豫而狐疑。』以『猶豫』二字皃其狐疑耳。」王弼注：「冬之涉川，豫然若欲度，若不欲度，其情不可得見之貌也。」以喻「善爲道者」遇事遲疑審慎不敢妄爲。「猶呵其若畏四鄰」，河上公注：「其進退猶猶如拘制，若人犯法畏四鄰知之也。」王弼注：「四鄰合攻中央之主，猶然不知所趣向者也。上德之人，其端兆不可覩，意趣不可見，亦猶此也。」王弼以「鄰」爲鄰國，河上公以「鄰」爲鄰人，論之經義，似以王説義長。蔣錫昌云：「言聖人常畏四鄰侵入，故遲疑戒慎，柔弱自處，而不敢爲天下先也。」「嚴呵其若客」，「嚴」字今本「嚴」字作「儼」，吴澄云：「矜莊貌。」此乃端莊嚴謹之謂也。言其如作賓客，則舉止端莊，謙恭卑下，自慎自愛，不敢妄作。唯恐失禮不敬，招來非議。

甲本：涣呵其若淩（凌）澤（釋）。王□（敦）呵其若楃（樸）。

乙本：涣呵230下其若淩（凌）澤（釋）。沌（敦）呵其若樸。

王本：涣兮若冰之將釋。敦兮其若樸。

景龍、易玄、邢玄、樓古、磻溪、樓正、顧、傅、徽、彭、邵、蘇諸本，首句無「兮」與「之」二字，作「涣若冰將釋」；遂州本作「涣若冰將汋」；孟頫本無「之」字，作「涣兮若冰將釋」。景龍、易玄、顧歡三本，下句無「兮其」二字，作「敦若樸」；遂州本作「混若樸」。

帛書甲、乙本假「澤」字爲「釋」，作「其若淩釋」，今本作「若冰之將釋」或「若冰將釋」。按「若」前應有「其」字，「冰」、「淩」二字義同，此當從帛書甲、乙本作「其若淩釋」爲是。帛書甲本下句「呵」前一字殘，其左側僅存一「玉」字形符；乙本作「沌」；今本作「敦」。甲本此殘字亦必「敦」之同音假借字，此當從今本作「敦兮其若樸」。

劉師培云：「文子上仁篇作『涣兮其若冰之液』。疑老子古本作『液』，『將釋』二字係後人旁記之詞，校者用以代正文。」蔣錫昌云：「按説文：『釋，解也。』『液，水盡也。』『冰』可言解，而不可言水盡，誼固以『釋』爲長。然『釋』字古亦假『液』爲之。禮記月令『冰凍消釋』，釋文：『釋，本作「液」。』是其例也。文子作『液』者，假字；老子作『釋』者，乃本字也。劉說非是。此句與上句相對爲言，謂聖人外雖儼敬如客，而内則一團和氣，隨機舒散，無復凝滯，涣然如冰之隨消隨化，毫無跡象可見也。」「敦兮其若樸」，河上公注：『「敦」者質厚，「樸」者形未分，内守精神，外無文采也。』乃謂「善爲道者」，純厚的好像尚未加工雕琢的原木。

甲本：湷（混）〔呵其若濁。湴（曠）呵120其〕若浴（谷）。

乙本：湷（混）呵其若濁。湴（曠）呵其若浴（谷）。

王本：曠兮其若谷。混兮其若濁。

邢玄、磻溪、孟頫、樓正、河上、徽、范、彭、邵、司馬、蘇、吴諸本「混」字作「渾」，謂「渾兮其若濁」；林本作「渾兮其如濁」；顧歡本作「曠若谷，渾若濁」；遂州作「曠若谷，沌若濁」。景福碑「混兮」句在「曠兮」句之前，語序與帛書甲、乙本同，作「混兮其若濁，曠兮其若谷」；景龍碑語序也如此，但經文作「混若濁，曠若谷」。

帛書甲本殘損七字，乙本保存完好，惟王本「混兮」二字，乙本作「湷呵」，「曠兮」二字作「湴呵」，「谷」字作「浴」，皆同音假借字，經義無別，只是語序彼此顛倒。文子上仁篇「曠」字作「廣」，該句亦在「混兮」句下，與帛書甲、乙本及景龍、景福二碑語序相同，疑古本如此。河上公注：「『曠』者寬大，『谷』者空虛，不有德功名，無所不包也。『渾』者守樸真，『濁』者不照然也，與衆合同不自尊。」此以寬博融合喻「善爲道者」之寬大能容，和光同塵，不可得形名也。

自「曰」字以下七句，皆喻「善爲道者」之儀態。王弼云：「凡此諸『若』，皆言其容象不可得而形名也。」宋人蘇轍對此有一簡明解釋，如云：「戒而後動曰『豫』，其所欲爲，猶迫而後應，豫然若冬涉川，逡巡如不得已也。疑而不行曰『猶』，其所不欲，遲而難之，猶然如畏四鄰之見之也。若客無所不敬，未嘗惰也。若冰將釋，知萬物之出於妄，未嘗有所留也。若樸，人僞已盡，復其性也。若谷，虛而無所不受也。若濁，和其光，同其塵，不與物異也。」

甲本：濁而情（静）之余（徐）清，女（安）以重（動）之余（徐）生。
乙本：濁而静之徐清，女（安）以重（動）之徐生。
王本：孰能濁以静之徐清，孰能安以久動之徐生。

此二句經文今本多不同，兹將異於王本者録之於下：

景龍：孰能濁以静之徐清，安以動之徐生。

景福：孰能濁以靜之徐清，孰安以久動之徐生。

樓古、孟頫、徽、邵、吴、彭諸本：孰能濁以靜之徐清，孰能安以動之徐生。

司馬：孰能濁以靜之徐清，孰能安以久之徐生。

傅奕：孰能濁以澄靖之而徐清，孰能安以久動之而徐生。

范本：孰能濁以靖之而徐清，孰能安以久動之而徐生。

林本：孰能濁以久靜之徐清，孰能安以久動之徐生。

遂州：濁以靜之徐清，安以動之徐生。

顧歡：濁以靜之徐清，安以久動之徐生。

帛書甲、乙本無「孰能」二字，作「濁以靜之徐清，安以動之徐生」。今本經文有兩冠「孰能」者，也有一冠「孰能」者，參差不一。唯遂州、顧歡二本無此二字，尤以遂州本經文與帛書甲、乙本全同，顧歡本僅於下句多一「久」字。因今本經文内容參差，諸家注釋多不一致。王弼注有「夫晦以理物則得明」一語，本爲下文「濁以靜」與「安以動」二句作解，而易順鼎、馬叙倫二人據此，均謂經文蓋挩「孰能晦以理之徐明」一句。今據帛書甲、乙本論之，原文僅有「濁以靜」與「安以動」兩句，今本不誤，易、馬之説非。經文原爲陳述句，非疑問句，今本中「孰能」二字，無論出現一次或兩次，皆後人所增，非老子原有。「徐清」與「徐生」乃對語。「徐」有舒緩之義，説文謂之「安行也」。説文通訓定聲引春秋元命苞云：「徐之言舒也。」釋名釋州國：「徐，舒也。土氣舒緩也。」吴澄注云：「濁者，動之時也，繼之以静，則徐徐而清矣。安者，静之時也，静繼以動，則徐徐而生矣。」蘇轍亦云：「世俗之士，以物汩性，則濁而不復清；枯槁之士，以定滅性，則安而不復生。今知濁之亂性也，則静之；静之而徐自清矣。知滅性之非道也，則動之；動之而徐自生矣。」

甲本：葆（保）此道不欲盈，夫唯不欲〔盈，是以能敝而不〕121成。

乙本：葆（保）此道〔不〕231上欲盈，是以能襒（敝）而不成。

王本：保此道者不欲盈，夫唯不盈，故能蔽不新成。

遂州本作「夫唯不欲盈，能弊復成」；景龍碑作「夫唯不盈，能弊復成」；磻溪、孟頫二本「唯」字作「惟」，謂「夫惟不盈，故能弊不新成」；范、彭二本與之全同，唯「弊」字作「敝」，稍異。司馬本作「是以能弊復成」；傅奕本作「是以能敝而不成」；易玄、邢玄、景福、樓古、樓正、顧、蘇諸本「蔽」字作「弊」，謂「故能弊不新成」；徽、邵、吴、林、焦諸本「蔽」字作「敝」，謂「故能敝不新成」。

帛書甲本末句殘毁七字，乙本保存較好，僅殘損一字，經文彼此可互補。但是，乙本脱「夫唯不欲盈」一句，作「保此道不欲盈，是以能褩而不成」。馬叙倫云：「莊本淮南道應訓引『保』作『復』，汪本引同此。文子守弱篇引作『服』。倫謂『保』、『復』、『服』之幽三類通假也。」蔣錫昌認爲「保」、「復」、「服」雖可通假，但應從莊本引淮南作「復」。他説：「『復』與返還誼同，四十章『反者道之動』，『反』即『返』。『復此道者不欲盈』，猶言『返此道者不欲盈』也。」按「保」字有守、恃之義，「保此道」猶言「守此道」，蔣説亦非。俞樾云：「『蔽』乃『敝』之叚字；唐景龍碑作『弊』，亦『敝』之叚字；永樂大典正作『敝』。『不新成』三字，景龍碑作『復成』二字。然淮南子道應篇引老子曰：『服此道者不欲盈，故能弊而不新成。』則古本如此。但今本無『而』字，於文義似未足耳。」俞氏云「蔽」乃「敝」之假借字誠是，但是他據淮南道應，而謂此文爲「故能弊而不新成」則不確。帛書老子此文作「是以能敝而不成」，無「新」字；傅奕本經文與帛書同；景龍、遂州、司馬諸本雖誤作「能弊復成」，但也不作「新成」。足以説明老子原本即當如此，今本「新」字乃由後人妄增。按此節經文，帛書甲本字有殘損，乙本句亦有脱漏，世傳今本則多有衍誤。兹據上舉古今各本共同勘校，此文當訂正爲：「保此道不欲盈，夫唯不欲盈，是以能敝而不成。」

劉師培云：「『能弊』之『能』，義與『寧』同，言寧損弊而不欲清新廉成。」劉氏謂

「能」字讀作「寧」，甚爲精闢。王引之經傳釋詞云：「『能』與『寧』一聲之轉，而同訓爲『乃』，故詩『寧或滅之』，漢書谷永傳作『能或滅之』。」經文則謂：守此道不欲盈，正因爲不欲盈，故而寧敝壞而不圖成。如文子上仁篇所云「自虧缺不敢全也」。

道經校注

十六（今本道經第十六章）

甲本：至（致）虚極也，守情（静）表（篤）也，萬物旁（並）作，吾以觀其復也。

乙本：至（致）虚極也，守静督（篤）也，萬物旁（並）作，吾以觀其復也。

王本：致虚極，守静篤。萬物並作，吾以觀復。

景福、河上二本「致」字作「至」，謂「至虚極」；傅奕本「静」字作「靖」，謂「守靖篤」；景龍、景福、孟頫三本「篤」字作「萬」，謂「守静萬」。景龍、易玄、邢玄、景福、慶陽、樓古、磻溪、孟頫、樓正、遂州、敦煌英、河上、顧、傅、范、徽、邵、司馬、蘇、彭、吴、林諸本「觀」下有「其」字，作「吾以觀其復」。

帛書甲本「守情表也」，乙本作「守静督也」，今本皆作「守静篤」。古代「情」、「静」二字同音，「督」、「篤」二字亦同音，皆可互假，當從今本作「守静篤」。但是甲本「表」字與「篤」古音非類，顯爲誤字。帛書整理組認爲「『表』或是『裻』字之誤」。按

「裻」字或從衣毒聲，寫作「⿰衤毒」，「⿰衤毒」、「篤」二字同音，其說可信。帛書甲、乙本「吾以觀其復也」，今本多作「吾以觀其復」，唯王本奪「其」字。文子道原篇引作「吾以觀其復」，句末無「也」字；淮南道應篇作「吾以觀其復也」，與甲、乙本同。帛書甲、乙本在「極」、「篤」、「復」三字之後皆有「也」字。

「虛」者無欲，「静」者無爲，此乃道家最基本的修養。「極」與「篤」是指心靈修煉之最高狀態，即所謂極度和頂點。蘇轍云：「致虛不極，則『有』未亡也；守静不篤，則『動』未亡也。丘山雖去，而微塵未盡，未爲『極』與『篤』也。蓋致虛存虛，猶未離有；守静存静，猶陷於動；而況其他乎！不極不篤，而責虛静之用，難已。虛極静篤，以觀萬物之變，然後不爲變之所亂，知凡作之未有不復也。」「復」字指反復，即所謂循環。吴澄云：「復，反還也。物生，由静而動，故反還其初之静爲復。植物之生氣下藏，動物之定心内寂也。」蔣錫昌云：「爾雅釋言：『復，返也。』萬物自生至死，猶人行路之往而復來，比喻適當，此正老子用字之精。『萬物並作，吾以觀其復』，謂萬物競生，吾因觀其歸終之道也。」

甲本：天（夫）物雲雲，各復歸於其〔根〕。

乙本：天（夫）物[231下]祛祛，各復歸於其根。

王本：夫物蕓蕓，各復歸其根。

傅、范二本「夫」字作「凡」，「蕓蕓」二字作「䝧䝧」，無「復」字，謂「凡物䝧䝧，各歸其根」；景龍、遂州二本「蕓蕓」二字作「雲雲」，亦無「復」字，謂「夫物雲雲，各歸其根」；孟頫、顧、徽、邵、蘇、吴、彭、焦諸本皆無「復」字，作「夫物蕓蕓，各歸其根」。帛書甲、乙本「夫」字皆寫作「天」，筆誤也。甲本「雲雲」二字，乙本作「⿰礻云⿰礻云」，王本作「蕓蕓」，傅、范二本作「䝧䝧」。畢沅云：「莊子作『萬物云云，各復其根』。説文解字有『物數紛䝧』之言，是奕用正字。」馬叙倫云：「䝧，俞先生謂是俗字，是也。説文曰：『員，物數也。』當作『員員』。莊子作『云云』者，『云』、『員』同聲，故得通假。詩『聊樂我員』，釋文作『云』，是其證。」蔣錫昌云：「説文云：『員，物數也。』又云：『䝧，物數紛䝧亂也。』段注：『「紛䝧」謂多，多則亂也。』古假『芸』爲『䝧』。老子：『夫物芸芸，各歸其根。』是『員』、『䝧』二字不同，一指物數而言，一指物數之紛亂而言。『云』、『芸』皆『䝧』之假。傅、范二本作『䝧』，乃用正字。馬依俞説，以爲『䝧䝧』當作『員員』，不可從也。」朱謙之云：「云云，河上、王弼本作『芸芸』，傅、范本作『凡物䝧䝧』，莊子在宥篇、文選江淹雜擬詩注引與遂州碑本均作『云云』。案作『云云』是。『䝧』、『芸』二字亦通。」顧野王玉篇云部引老子：『凡物云云，復歸其根。』案『云』，不安静之辭也。呂氏春秋「雲氣西行，云云然冬夏不輟」，漢書「談説者云云」，並是也。又「䉙」，玉篇云：「音云，又音運，物數亂也。」説文：「物數紛䉙亂也。」義亦可通。一説「云云」是「䉙䉙」之省，奕用正字。又「芸」，河上公注：「芸芸者，華葉盛。」彭耜集注釋文曰：「『芸芸』喻萬物也，以茂盛爲動，以凋衰爲静；『云云』者喻人事也，以逐欲爲動，以息念爲静；義同。蓋經有『根』字，故作『芸芸』。」按「云云」、「芸芸」、「䉙䉙」，帛書乙本又作「袪袪」，皆重言形況字，所表達的意義相同，很難確定孰爲正字，孰爲假借。段玉裁云「古有以聲不以義者」，此即其中一例。「夫物雲雲，各復歸其根」，這是在「致虚極，守静篤」的前提下，從「萬物並作」中觀察到宇宙間循環往復之自然規律，從而體會到作爲一定運動形態之物，雖紛然雜陳，但最終仍然是無一不復歸於其根，即復歸於創造宇宙本體的道。

甲本：〔歸根曰静〕122，静，是胃（謂）復命。復命常也，知常明也；不知常，帀（妄），帀（妄）作，兇。

乙本：曰静，静，是胃（謂）復命。復命常也，知常明也；不知常，芒（妄），芒（妄）作，凶。

王本：歸根曰静，是謂復命。復命曰常，知常曰明；不知常，妄作，凶。

景龍、易玄、邢玄、慶陽、樓古、磻溪、孟頫、樓正、遂州、徽、范、邵、司馬、蘇、彭、吴、林、焦諸本「是謂復命」皆作「静曰復命」；彭本「知常曰明」作「知常，明」；景龍本「妄作」作「忘作」；河上本作「萎作」。

帛書甲本首句殘損，乙本作「曰静」，今本皆作「歸根曰静」。按此節經文乃承前文「夫物云云，各復歸於其根」而言，故綴連前文「歸根」二字，曰「歸根曰静」。甲本四字皆殘，乙本僅作「曰静」，無「歸根」二字，顯爲抄寫時捝漏，當據今本補正。又如此節經文每句皆作連綴重語，今本則將「静」、「妄」等連綴重語删去，雖然用字從簡，則經義不若帛書甲、乙本詳實。從經文内容分析，殊覺删之不當。今據古今各本勘校，此文當作：「歸根曰静，静，是謂復命。復命常也，知常明也；不知常，妄，妄作，凶。」

「復命常也」之「常」字，非常短之「常」也。韓非子解老篇云：「夫物之一存一亡，乍死乍生，初盛而後衰者，不可謂常。唯夫與天地之剖判也俱生，至天地之消散也不死不衰者謂『常』。而『常』者，無攸易，無定理。無定理，而在於常（『而』字原誤作『非』，見陶鴻慶讀諸子札記），是以不可道也。聖人觀其玄虚，用其周行，强字之曰『道』，然而可論。」王弼注：「『常』之爲物，不偏不彰，無皦昧之狀，温涼之象，故曰『知常曰明』也。」德經第五十五章：「知和曰常，知常曰明。」「和」指陰陽相交，對立面的統一；「常」謂事物運動之永恒規律，與本章所言義同，皆以常爲道，如今言之自然法則。知此道者，可謂明也，不知此道者，盲目行事，故謂凶也。

甲本：知常容，容乃公，公乃王，王乃天，天乃道，〔道乃久〕123。沕（没）身不怠（殆）。

乙本：知常容，容乃公，公乃王，〔王232上乃〕天，天乃道，道乃〔久〕。没身不殆。

王本：知常容，容乃公，公乃王，王乃天，天乃道，道乃久。没身不殆。

世傳今本此段經文多與王本相同，唯景龍碑「乃」字作「能」，謂「知常容，容能公，公能王，王能天，天能道，道能久」；遂州碑與之同，唯「王」字作「生」，謂「公能生，生能天」。邢玄、傅、范三本最後一句「没」字作「殁」，謂「殁身不殆」。

帛書甲本「道乃久」三字殘，乙本「久」字與「没身不殆」字跡不清。帛書研究組注云：「通行本作『道乃久』，此脱『久』字。又此下『没身不殆』四字損壞，帛書原件上尚可辨。」

「知常容，容乃公」，河上公謂「容」字爲「無所不包容也」，王弼謂「無所不包通」。蔣錫昌釋「容」字爲「法」。如云：「廣雅：『容，法也。』訓『容』爲『法』者，乃以『容』爲『鎔』。説文：『鎔，冶器法也。』故『法』者謂法象，即模範也。」又云：「『公乃王，王乃天』，『公』、『王』、『天』三字皆作實字。二十五章『故道大，天大，地大，王亦大』，與此文例相似，可證。此文『公』、『王』，即四十二章之『王公』。或先言『公』，或先言『王』，其爲實字則一也。」「此謂知常之人便可爲人模範，爲人模範者便可爲公，爲公者便可爲王；王與天合，天與道合，道則亘古恒在，其用不窮也。」蔣氏之説雖辨，但是他設計的「爲人模範者便可爲公，爲公者便可爲王」，此種三級遞遷制度，於先秦歷史無徵，故難苟同。勞健云：「『知常容，容乃公』，以『容』、『公』二字爲韻。『天乃道，道乃久』，以『道』、『久』二字爲韻。獨『公乃王，王乃天』二句韻相遠。『王』字義本可疑，王弼注此二句云：『蕩然公平，則乃至於無所不周普也；無所不周普，則乃至於同乎天也。』『周普』顯非釋『王』字。道藏龍興碑本作『公能生，生能天』，『生』字更不可通。按莊子天地篇云：『執道者德全，德全者形全，形全者神全，神全者聖人之道也。』此二句『王』字蓋即『全』字之譌。『公乃全，全乃天』，『全』、『天』二字爲韻。王弼注云『周普』是也。又呂覽本生篇『天子之動也，以全天爲故者也』，高注：『全，猶順也。』可補王注未盡之義。今本『王』字、碑本『生』字，當並是『全』之壞字；『生』字尤形近於『全』，可爲蜕變之驗也。」勞氏認爲「公乃王，王乃天」之「王」字，是「全」的壞字；王注「蕩然公平，則乃至於無所不周普也」，也非對「王」字的詮釋，而是對「全」字的注解。今從帛書甲、乙本觀察，兩本同作「公乃王，王乃天」，並無「全」字的痕跡，足見勞氏之説只是一種推測，並無可靠的依據。可是有人根據此説，已將經文「王」字改作「全」。細審帛書經文，同今本完全一致，古注也甚貼切，無須改换經文，經義十分明暢。經云：「知常容，容乃公，公乃王，王乃天，天乃道，道乃久。」王弼注：「無所不包通也。無所不包通，則乃至於蕩然公平也。蕩然公平，則乃至於無所不周普也。無所不周普，則乃至於同乎天也。與天合德，體道大通，則乃至於窮極虚無也。窮極虚無，得道之常，則乃至於不有極也。」王釋「容」字爲「無所不包」，釋「公」字爲「蕩然公平」，釋「王」字爲「無所不周普」。「周普」二字亦作「周溥」，猶今言「普遍」。説文：「王，天下所歸往也。」「無所不周普」與「天下所歸往」，文異而義同，皆爲對「王」字之詮釋。書周洪範：「無偏無黨，王道蕩蕩。無黨無偏，王道平平。」此可爲「公乃王」之最好注脚。蘇轍云：「無所不容，則彼我之情盡，尚誰私乎。無所不公，則天下將往而歸之矣。無所不懷，雖天何以加之。」則對「容」、「公」、「王」之解釋甚是。最後一句「没身不殆」，是從前文「容」、「公」、「王」、「天」、「道」、「久」六句中生發出來的結語。王注云：「無之爲物，水火不能害，金石不能殘。用之於心，則虎兕無所投其爪角，兵戈無所容其鋒刃，何危殆之有乎！」此之謂與天合德，得道之常，無殃無咎，何危之有！

道經校注

十七（今本道經第十七章）

甲本：太上，下知有之。其次，親譽之。其次，畏之。其下，母（侮）之。

乙本：太上，下知又（有）〔之。其次〕，親譽之。其次，畏之。其下，母（侮）之。

王本：太上，下知有之。其次，親而譽之。其次，畏之。其次，侮之。

吴澄本「下」字作「不」，「而」字作「之」，「侮」前無「其次」二字，謂「太上，不知有之。其次，親之譽之。其次，畏之侮之」；焦竑本「下」字亦作「不」，「而」字作「之」，謂「太上，不知有之。其次，親之譽之。其次，畏之。其次，侮之」；景福、敦煌英、河上、顧歡、司馬諸本作「其次，親之譽之」；傅奕本作「其次，親之。其次，譽之」；易玄、邢玄、慶陽、樓古、磻溪、孟頫、樓正、遂州、徽、范、彭、邵、蘇、林諸本，作「其次，親之譽之。其次，畏之侮之」；景龍碑作「其次，親之豫之。其次，畏之侮之」。

帛書甲、乙本經文與王弼本基本一致，稍異者有二處：一是王本第二句「其次，親而譽之」，帛書作「其次，親譽之」；另一是王本第四句「其次，侮之」，帛書作「其下，侮之」。

吴本首句作「太上，不知有之」；吴澄云：「『太上』猶言『最上』。『最上』謂大道之世，相忘於無爲。」胡適云：「日本本『知』上有『不』字。」馬叙倫云：「韓非引此而説之曰：『此言太上之下，民無説也，則安取懷惠之民。』則韓意謂太上之下，民知有之而無説也。亦作『下知』，作『智』者非故書矣。諭義則作『不知』爲長。本書『上無爲而民自化』，『民之飢以其上食税之多也』，皆以『民』與『上』對文，無作『下』者，可證也。」朱謙之云：「禮記曲禮『太上貴德，其次務施報』，鄭注：『太上，帝皇之世，其民施而不惟報。』老子所云正指太古至治之極，以道在宥天下，而未嘗治之，民相忘於無爲，不知有其上也。『下知有之』，紀昀曰：『下，永樂大典作「不」，吴澄本亦作「不」。』今按焦竑老子翼從吴本。又王注舊刻附孫鑛考正云：『今本「下」作「不」。』作『不』義亦長。」如今所見除吴本外，諸如元鄧錡道德真經三解、明太祖御注道德真經、焦竑老子翼、周如砥道德經解集義、清潘静觀道德經妙門約等，皆作「太上，不知有之」。故而有些學者信從此説，甚至有人已將經文中之「下」字改作「不」，讀作「太上，不知有之」。今從帛書甲、乙本觀察，同作「太上，下知有之」。證之古籍，韓非子難三篇引此文作「太上，下智有之」，「智」乃「知」之借字。文子自然篇作「故太上，下知而有之」。足證老子原文如此，元明諸本作「太上，不知有之」者，乃由後人竄改。蔣錫昌云：「『太上』者，古有此語，乃最上或最好之誼。魏策：『故爲王計：太上，伐秦；其次，賓秦；其次，堅約而詳講與國，無相離也。』謂最好，伐秦也。襄二十四年傳：『太上，有立德；其次，有立功；其次，有立言。』謂最上，有立德者也……皆其證也。此文『太上』，亦謂最好，係就世道升降之程度而言，猶謂最好之世也。王注：『太上，謂大人也，大人在上，故曰「太上」。』河上注：『太上，謂太古無名之君也。』自此二注出，後世解老者，即皆以『太上』爲君，沿誤至今，莫能是正，而老子之誼晦矣。『下』者，在下之人民，即韓非『此言太上之下民無說也』句中之『下民』也。馬氏以『下』爲讀，將『下民』二字分開，實爲誤讀。『之』爲君之代名詞，下三『之』字並同。『太上，下知有之』，謂最好之世，下民僅知有一君之名目而已。意謂過此以外，即無所知也。蓋老子之意，以爲至德之世，無事無爲，清静自化。君民之間，除僅相知以外，毫不發生其他關係。古代所謂『帝力何有於我』，八十章所謂『民至老死不相來』，皆指此種境界而言，此即老子『聖人之治』也。」按老子將治世分作四個等級，如帛書甲、乙本所言「太上」、「其次」、「其次」、「其下」。

「太上」最好；「其次」第二；第二個「其次」即再其次，屬第三；最壞是「其下」。猶今言最上、其次、再次、最下。今本自「太上」以降，連言三個「其次」，似有誤文。今從帛書甲、乙本得證，當作「太上」、「其次」、「其次」、「其下」。「太上」以降，人君以仁義治世，下民得以親譽之，即第十八章云「大道廢，有仁義」，故言「其次」也。再降，仁義不足以爲治，則繼之以刑罰，下民畏之，此之謂再次也。又降，刑罰不足以爲治，加之以詐僞，下民侮之，此之謂最下也。

甲本：信不足，案有不信。

乙本：信不足，安[232下]有不信。

王本：信不足焉，有不信焉。

景龍、易玄、邢玄、慶陽、樓古、磻溪、樓正、遂州、敦煌英、顧、司馬、蘇、焦諸本皆無「焉」字，作「信不足，有不信」；吴澄本作「故信不足，有不信」；傅、徽、邵、彭、孟頫諸本作「故信不足焉，有不信」；景福碑作「信不足焉，有不信」；范、林二本作「故信不足焉，有不信焉」；河上本無「有不信焉」一句。

帛書甲本作「信不足，案有不信」，乙本作「信不足，安有不信」；王本作「信不足焉，有不信焉」，或將二「焉」字均屬下讀，作「信不足，焉有不信焉」。其他今本有二個

「焉」字者，有一個「焉」字者，亦有無「焉」字者，多不同。河上公注：「君信不足於下，下則應之以不信而欺君也。」可見河上本原有「有不信」一句，後人抄寫挩漏。王弼注：「夫御體失性，則疾病生；輔物失真，則疵釁作；信不足焉，則有不信，此自然之道也。」經作「信不足，焉有不信焉」讀者，依馬叙倫之說也。馬氏則據王念孫之說。王念孫云：「王弼本第十七章『信不足焉，有不信焉』，河上公本無下『焉』字者是也。『信不足』爲句，『焉有不信』爲句。焉，於是也。言信不足，於是有不信也。吕氏春秋季春篇注曰：『焉，猶於是也。』聘禮記曰：『及享，發氣焉盈容。』言發氣於是盈容也。……河上公注云：『君信不足於下，下則應之以不信而欺其君也。』『則』正解『焉』字之義。祭法曰：『壇墠有禱焉祭之，無禱乃止。』言壇墠有禱則祭之也。……後人不曉『焉』字之義，而讀『信不足焉』爲一句，故又加『焉』字於下句之末，以與上句相對，而不知其謬也。」馬氏於是謂王注「信不足焉，則有不信」，是王弼「不明『焉』字之義，故增『則』字解之」。按今本「焉」字，帛書甲本作「案」，乙本作「安」。「焉」、「案」、「安」三字皆如今語中之連詞「於是」或「則」，意義相同。王引之經傳釋詞卷二：「安，猶於是也，乃也，則也。『安』或作『案』，或作『焉』，其義一也。」

甲本：〔猶呵〕124，其貴言也。成功遂事，而百省（姓）胃（謂）我自然。

乙本：猶呵，其貴言也。成功遂事，而百姓胃（謂）我自然。

王本：悠兮，其貴言。功成事遂，百姓皆謂我自然。

景龍碑首句「悠」字作「由」，無「兮」字，謂「由其貴言」；易玄、樓正、敦煌英、顧、司馬、蘇諸本作「猶其貴言」；遂州本作「其猶貴言」；邢玄、慶陽、磻溪、河上、徽、范、邵、吳、彭、林、焦諸本作「猶兮，其貴言」；傅、范二本作「猶兮，其貴言哉」。後一句，景龍碑「功成」二字作「成功」，無「皆」字，謂「成功事遂，百姓謂我自然」；景福作「成功事遂，百姓皆謂我自然」；傅、范、徽、邵、司馬、彭、林諸本作「百姓皆曰我自然」；易玄、邢玄、慶陽、樓古、磻溪、樓正、遂州、顧、司馬、蘇諸本作「百姓謂我自然」。

帛書甲本首句殘二字，乙本作「猶呵，其貴言也」。今本「猶」字或作「由」，或作「悠」。朱謙之云：「『由』與『猶』同。荀子富國篇『由將不足以勉也』，注：『與「猶」同。』楚辭『尚由由而進之』，注：『猶豫也。』老子十五章『猶兮若畏四鄰』，與此『由其貴言』之『由』字誼同，並有思悠悠貌。故作『悠』字義亦通。」後一句，甲、乙本「成功遂事，而百姓謂我自然」，今本「成功」或作「功成」，多作「功成事遂，百姓皆謂我自然」。

王弼注：「自然，其端兆不可得而見也，其意趣不可得而覩也。無物可以易其言，言必有應，故曰『悠兮其貴言』也。居無爲之事，行不言之教，不以形立物，故功成事遂，而百姓不知其所以然也。」吴澄云：「貴，寶重也。寶重其言，不肯輕易出口。蓋聖人不言無爲，俾民陰受其賜，得以各安其生。」蔣錫昌云：「老子所謂『自然』，皆指『自成』而言。『自成』亦即三十六章及五十七章『自化』之意。『功成事遂，百姓皆謂我自然』，謂人民功成事遂，百姓皆謂吾儕自成，此即古時所謂『帝力何有於我』也。」「本章自首『其次』至『焉有不信』，言世道逐步下降之現象。自『悠兮』以下，言世道未衰以前之現象。二者相對，所以明聖人無爲之可貴，首句所謂『太上，下知有之』也。」

道經校注

十八（今本道經第十八章）

甲本：故大道廢，案有仁義。知（智）快（慧）出，案有大125僞。

乙本：故大道廢，安有仁義。知（智）慧出，安有〔大僞〕233上。

王本：大道廢，有仁義。慧智出，有大僞。

傅奕本兩個「有」字上皆有「焉」字，「慧智」二字作「智慧」，謂「大道廢，焉有仁義。智慧出，焉有大僞」；范應元本「義」、「僞」二字下有「焉」字，「慧智」二字作「知惠」，謂「大道廢，有仁義焉。知惠出，有大僞焉」；景龍碑「廢」字作「癈」，「仁」字作「人」，「慧智」二字作「智惠」，謂「大道癈，有人義。智惠出，有大僞」；景福、孟頫、河上三本亦作「智惠出」；邢玄、樓古、磻溪、樓正、遂州、顧、彭、徽、邵、蘇、吴、林、焦諸本作「智慧出」；司馬本作「知慧出」。

帛書甲本「故大道廢，案有仁義。智慧出，案有大僞」，乙本「案」字作「安」，傅本作「焉」。「安」、「案」、「焉」三字用法和意義與前章「信不足，安有不信」完全相同，皆作「於是」解。范本將「焉」字移至句末，世傳本多同王本將「焉」字删去，皆誤，均應據帛書甲、乙本訂正。

甲本：六親不和，案有畜（孝）兹（慈）。邦家閲（昏）亂，案有貞臣。

乙本：六親不和，安又（有）孝兹（慈）。國家閲（昏）亂，安有貞臣。

王本：六親不和，有孝慈。國家昏亂，有忠臣。

范應元本句末均有「焉」字，「忠」字作「貞」，謂「六親不和，有孝慈焉。國家昏亂，有貞臣焉」；吴澄本「慈」字作「子」，謂「六親不和，有孝子」；傅奕本「忠」字作「貞」，謂「國家昏亂，有貞臣」。

帛書甲、乙本經文相同，「昏」字均作「閲」；唯甲本「案」字，乙本作「安」，用法和意義亦如前述。今本多同王本，皆有捝漏，當據甲、乙本補正。又甲、乙本均作「貞臣」，今本多同王本作「忠臣」，「忠」、「貞」二字皆竭誠之意，在此通用。

王弼注：「甚美之名，生於大惡，所謂美惡同門。六親，父子、兄弟、夫婦也。若六親自和，國家自治，則孝慈、忠臣不知其所在矣。魚相忘於江湖之道，則相濡之德生也。」蘇轍云：「六親方和，孰非孝慈。國家方治，孰非忠臣。堯非不孝也，而獨稱舜，無瞽叟也。伊尹、周公非不忠也，而獨稱龍逢、比干，無桀、紂也。涸澤之魚，相呴以沫，相濡以溼，不如相忘於江湖。此之謂仁義、大僞、忠臣、孝慈之興，皆由道廢、德衰、國亂、親亡之所致也。」

道經校注

十九（今本道經第十九章）

甲本：絶聲（聖）棄知（智），民利百負（倍）。絶仁棄義，民126復畜（孝）茲（慈）。絶巧棄利，盜賊无有。

乙本：絶耶（聖）棄知（智），而民利百倍。絶仁棄義，而民233下復孝茲（慈）。絶巧棄利，盜賊无有。

王本：絶聖棄智，民利百倍。絶仁棄義，民復孝慈。絶巧棄利，盜賊無有。

遂州本「智」字作「知」，「民」字作「人」，謂「絶聖棄知，人利百倍」；易玄、傅、范三本「智」字亦作「知」，謂「絶聖棄知」；景龍碑「仁」字作「民」，謂「絶民棄義」；吴澄本「絶聖」一句在「絶仁」一句之下。

帛書甲、乙本與今本經文内容基本相同，唯乙本多出兩個虚詞「而」字，稍異。但今本「聖」字甲本寫作「聲」，乙本寫作「耶」；「智」字甲、乙本均作「知」；「倍」字甲本作

「負」；「孝」字甲本作「畜」；「慈」字甲、乙本並作「玆」。皆同音假借字，今本所用爲本字。

「聖智」、「仁義」、「巧利」，皆人之憧憬競逐而不可盡得者也，老子力主於「絶」者何也？吕吉甫云：「聖人知天下之亂始於迷本而失性，惟無名之樸爲可以鎮之。『絶聖棄智，絶仁棄義，絶巧棄利』，乃所以復吾無名之樸而鎮之也。夫『絶聖棄智』，『絶仁棄義』，則不以美與善累其心矣。『絶巧棄利』，則不以惡與不善累其心矣。内不以累其心，而外不以遺其迹，則民利百倍，『民復孝慈，盗賊無有』，固其理也。蓋『絶聖棄智』，『絶仁棄義』，不尚賢之盡也；絶而棄之，則非特不尚而已。『絶巧棄利』，不貴難得之貨之盡也；絶而棄之，則非特不貴而已。人之生也，萬物皆備於我矣，則有至足之富。能絶聖棄智而復其初，則其利百倍矣。『民復孝慈』，則六親皆和，而不知有孝慈矣。『盗賊無有』，則國家明治，而不知有忠臣矣。不尚賢，使民不争；『民利百倍』，『民復孝慈』，則非特不争而已。不貴難得之貨，使民不爲盗；『盗賊無有』，則非特不爲盗而已。」

甲本：此三言也，以爲文未足，故令之有所屬。
乙本：此三言也，以爲文未足，故令之有所屬。

王本：此三者，以爲文不足，故令有所屬。

景龍、景福二本無「以」字，作「此三者，爲文不足」；遂州本作「此三者，言爲文不足」；司馬本作「此三者，以爲文而未足」；傅奕本作「此三者，以爲文而未足也」；范應元本作「三者，以爲文不足也」。

帛書甲、乙本經文相同，與今本之主要差别是：首句「此三言也」，今本多作「此三者」，或謂「三者」。所謂「三言」，係指前述之「聖智」、「仁義」、「巧利」而言。雖説「三言」、「三者」誼同，但從文義分析，當從帛書甲、乙本作「三言」更爲準確。吕吉甫云：「聖智也，仁義也，巧利也，此三者以爲文而非質，不足而非全，故絶而棄之，令有所屬。見素抱樸，少私寡欲，乃其所屬也。」于省吾謂「爲」字通「僞」，如云：「書堯典『平秩南僞』，史記五帝紀作『南爲』。禮記月令『毋或作爲淫巧』，注：『今月令「作爲」爲「詐僞」。』『文』讀荀子儒效『取是而文之也』之『文』，文飾也。『此三者』謂『聖智』、『仁義』、『巧利』。『以僞文不足』，言以僞詐文飾其所不足也。下言『故令有所屬，見素抱樸，少私寡欲』，是皆不以僞詐文飾爲事，絶之於彼，而屬之於此，此老子本義也。」

甲本：見素抱〔樸127，少私而寡欲〕。

乙本：見素抱樸，少私而寡欲。

王本：見素抱樸，少私寡欲。

易玄本「樸」字作「撲」，謂「見素抱撲」；孟頫本作「見素抱樸」。磻溪本「私」字作「思」，謂「少思寡欲」。

帛書甲本有殘損，乙本保存完好，經文與王本同，只多一虚詞「而」字。劉師培云：「案『私』字當作『思』。韓非子解老篇曰：『凡德者以無爲集，以無欲成，以不思安，以不用固。』『思』、『欲』並言。又文選謝靈運鄰里相送方山詩李注引老子曰『少思寡欲』，此古本作『思』之證。韓非子之『不思』，即釋此『少思』也。」諭之帛書，甲本殘缺，乙本此字也殘剩半字。但將其殘迹與第七章諸『私』字比較，亦足證乙本原作「少私」無疑。劉氏以韓非解老子德經第三十八章文，證此「少私」二字爲「少思」，不足爲據，其説非是。蔣錫昌云：「莊子山木篇：『其民愚而樸，少私而寡欲。』其言本此，可證老子自作『私』，不作『思』。若李注作『思』，則爲『私』之誤。文選嵇叔夜幽憤詩及謝靈運田南樹園激流植援詩兩注引並作『少私寡欲』，可證。至韓非所言，與此章『少私』之誼無關。」

絲未染色者爲「素」，木未雕琢成器者爲「樸」，皆指物之本質和本性。老子以此爲喻，教人少私寡欲，以復其本。吕吉甫云：「『見素』則知其無所與雜而文，『抱樸』則知其不散而非不足。素而不雜，樸而不散，則復乎性。外物不能惑而少私寡欲矣。少私寡欲而後可以語絶學之至道也。」

甲本：四字全部殘毁。

乙本：絶學234上无憂。

王本：絶學無憂。

帛書甲本全部殘毁，乙本保存完好，經文與今本相同。按此句經文，世傳今本皆在第二十章之首。經學者考證，多認爲當屬第十九章之末。帛書甲、乙本皆不分章，此文上承「少私寡欲」，下接「唯與訶，其相去幾何」，中間無明顯章界。古籍章次，多爲漢人劃分，如秦之蒼頡、爰歷、博學三書，原不分章，漢閭里書師將其并爲一書，斷六十字爲一章，分作五十五章，即其例。今據帛書甲、乙本論之，今本章次非老子之意，亦必漢人所爲，並不完全可信。馬叙倫云：「『絶學無憂』一句，當在上章。」蔣錫昌云：「此句自文誼求之，應屬上章，乃『絶聖棄智，絶仁棄義，絶巧棄利』一段文字之總結也。晁公武郡齋讀書志謂唐張君相三十家老子注以『絶學無憂』一句附『絶聖棄知』章末，以

『唯之與阿』别爲一章，與諸本不同，當從之。後歸有光、姚鼐亦以此章屬上章，是也。」

高亨云：「亨桉馬説是也。請列三説以明之：『絶學無憂』與『見素抱樸，少私寡欲』句法相同，若置在下章，爲一孤立無依之句，其説一也。『足』、『屬』、『樸』、『欲』、『憂』爲韻，若置下章，於韻不諧，其説二也。『見素抱樸，少私寡欲，絶學無憂』文意一貫，若置在下章，則與文意遠不相關，其説三也。老子分章多有乖戾，決非原書之舊。」綜觀前人之研究，其説甚是。從經文内容分析，依今本將其斷爲第二十章之首，不若斷爲第十九章之末貼切。

蔣錫昌云：「按四十八章『爲學日益，爲道日損』，河上注：『學，謂政教禮樂之學也。「日益」者，情欲文飾，日以益多。「道」謂自然之道也。「日損」者，情欲文飾，日以消損。』此『學』與彼『學』誼同，即河上所謂『政教禮樂之學』，如『聖』、『智』、『仁』、『義』、『巧』、『利』是也。莊子田子方：『始吾以聖知之言、仁義之行爲至矣；吾聞子方之師，吾形解而不欲動，口鉗而不欲言。吾所學者，直土梗耳。』莊子所謂『學』，亦指『聖知』、『仁義』而言，與老子同，可資參證。蓋『爲學』與『爲道』，立於相反之地位；『爲學』即不能『爲道』，『爲道』即不能『爲學』。唯『絶學』而後可以『爲道』，唯『爲道』而後天下安樂，故曰『絶學無憂』也。」

道經校注

二十（今本道經第二十章）

甲本：唯與訶，其相去幾何？美與惡，其相去何若？人之〔所畏〕，亦不128〔可以不畏人〕。

乙本：唯與呵，其相去幾何？美與亞（惡），其相去何若？人之所畏，亦不可以不畏人。

王本：唯之與阿，相去幾何？善之與惡，相去若何？人之所畏，不可不畏。

傅奕、遂州二本「善」字作「美」，「若何」二字作「何若」，謂「美之與惡，相去何若」；景龍、易玄、邢玄、景福、慶陽、樓古、磻溪、孟頫、樓正、河上、顧、范、徽、邵、司馬、蘇、吳、彭、林諸本作「善之與惡，相去何若」。

帛書甲本稍有殘損，乙本保存完好，同王本勘校，彼此有三處差異。第一，甲本「唯與訶」，乙本作「唯與呵」，今本多同王本作「唯之與阿」；唯潘靜觀道德經妙門約作「唯之與訶」，與甲、乙本基本相同。劉師培云：「『阿』當作『訶』，説文：『訶，大言而怒也。』廣雅釋詁：『訶，怒也。』『訶』俗作『呵』，漢書食貨志『結而弗呵乎』，顔注：『責怒也。』蓋『唯』爲應聲，『訶』爲責怒之詞。人心之怒，必起於所否，故老子因叶下文『何』韻，以『訶』代『否』。『唯之與阿』，猶言從之與違也。」諭之帛書，今本「阿」字甲本作「訶」，乙本作「呵」。古文「言」、「口」二形符通用，故「訶」、「呵」同字。此爲劉説得一確證，『阿』字當爲「訶」之借字。第二，帛書「美與惡，其相去何若」，今本多同王本作「善之與惡，相去若何」；唯傅奕、遂州二本作「美之與惡，相去何若」，與帛書甲、乙本基本相同。易順鼎云：「王本作『美之與惡，相去何若』，正與傅奕本同。王注：『唯阿美惡，相去何若。』是其證也。今本作『若何』，非王本之舊。」蔣錫昌云：「顧本成疏：『順心爲美，逆心爲惡。』是成作『美』、『惡』對言。傅本『善』字作『美』，應從之。此文『阿』、『何』、『惡』、『若』爲韻。諸本『若何』作『何若』，亦應從之。」易氏據王注作『美之與惡，相去何若』，是也。」易、蔣二氏之説至確，甲、乙本均作「美與惡，相去何若」。今本「美」字作「善」，因形近而誤。第三，帛書乙本「人之所畏，亦不可以不畏人」，甲本有殘損，僅存「人之」與「亦不」共四字；今本皆作「人之所畏，不可不畏」，經文則與帛書大相徑庭。今本所言乃謂人所懼怕的，不可不懼怕；帛書所言則謂人所懼怕者，被懼怕者亦懼怕人。今本所言是正順式，帛書所言乃正反式。劉殿爵云：「今本的意思是：别人所畏懼的，自己也不可不畏懼。而帛書本的意思是：爲人所畏懼的——就是人君——亦應該畏懼怕他的人。兩者意義很不同，前者是一般的道理，後者則是對君人者所説有關治術的道理。」劉説誠是。帛書與今本經義大不相同，其中必有一誤。諭之經義，前文云：「唯與呵，其相去幾何？美與惡，其相去何若？」「唯」與「呵」、「美」與「惡」皆正反相成，與帛書此文語例一律，足證誤在今本。此之謂爲國君者，不以無爲爲化，專賴威刑，民不堪威，反抗斯起，如七十四章云：「若民恒且不畏死，奈何以殺懼之也。」因民之反，爲君者或爲民殺，或爲民亡，史皆有徵，故老子云：「人之所畏，亦不可以不畏人。」

甲本：〔朢呵，其未央哉〕！衆人巸（熙）巸（熙），若鄉（饗）於大牢，而春登臺。

乙本：朢呵，其未央234下才（哉）！衆人巸（熙）巸（熙），若鄉（饗）於大牢，而春登臺。

王本：荒兮，其未央哉！衆人熙熙，如享大牢，如春登臺。

遂州本首句「荒」字作「莽」，無「兮」、「哉」二字，謂「莽其未央」；易玄作「荒其未央」；傅奕本首句無「哉」字，後一句「如」字作「若」，謂「荒兮，其未央！衆人熙熙，若享太牢，若春登臺」；景龍碑首句「荒」字作「忙」，「忙」下空一字，無「兮」、「哉」二字，後一句「如」字亦作「若」，謂「忙□其未央！衆人熙熙，若享太牢，若春登臺」；司馬、邵、范、吴、林、孟頫諸本最後一句作「如登春臺」。

帛書甲本首句六字殘損，乙本保存完好，作「朢呵，其未央哉」。「朢」字王本作「荒」，他本有作「忙」或「莽」者。王弼注：「歎與俗相反之遠也。」河上公注：「或言世俗人荒亂，欲進學爲文，未央止也。」後人本王弼、河上公之説，或訓「荒」字爲廣，或訓「荒」字爲亂。如蔣錫昌釋此文爲「廣大微妙而遠無涯際也」；張松如譯作「混亂呵，一切全無邊無際呀」；高亨獨創新意，訓「荒」字爲駹，譯作「奔走啊，沒有終了」。因「荒」非本字，故各家訓釋皆未切經義。帛書作「朢呵，其未央哉」，「朢」字乃「望」之古體，今「望」行而「朢」廢。古「望」、「荒」、「忙」三字音同，可互爲假用，在此「望」爲本字。釋名釋姿容：「望，茫也，遠視茫茫也。」在此爲廣、遠之義。廣雅釋詁：「央，盡也。」經文「其未央哉」，歎其無涯際也。此以「望呵，無涯際」，以起下文「衆人熙熙，如饗大牢，而春登臺」。左傳襄公二十九年「廣哉熙熙乎」，杜注：「熙熙，和樂聲。」「大牢」，今本作「太牢」，義同，乃饗禮之最上者。周時宴饗之禮分五等級，計九鼎、七鼎、五鼎、三鼎和一鼎，大牢級别最高，用九鼎。「而春登臺」，今本「而」字作「如」，王引之經傳釋詞云：「『而』猶『如』也。」俞樾云：「按『如春登臺』與十五章『若冬涉川』一律。河上公本作『如登春臺』，非是。然其注曰：『春陰陽交通，萬物感動，登臺觀之意志淫淫然。』是亦未嘗以『春臺』連文。其所據本亦必作『春登臺』，今傳寫誤倒耳。」帛書甲、乙本均作「春登臺」，俞説至確。此之謂世俗之人縱情恣欲，其樂而無度。熙熙攘攘，如饗大牢盛宴，又如春日登臺，貪歡覓樂。

甲本：我泊焉未佻（兆），若（嬰兒129未咳）。纍呵，如（无所歸）。

乙本：我博（泊）焉未垗（兆），若嬰兒未咳。纍呵，似无所歸。

王本：我獨泊兮，其未兆，如嬰兒之未孩。儽儽兮，若無所歸。

景龍碑首句「泊」字作「魄」，「如」字作「若」，無「獨」、「兮」、「其」、「之」四字，作「我魄未兆，若嬰兒未孩」；遂州本作「我魄未兆，若嬰兒之未孩」；傅奕本作「我獨魄兮，其未兆，若嬰兒之未咳」；邢玄、樓古、磻溪、樓正、河上、司馬、林、焦諸本「泊」字作「怕」，謂「我獨怕兮，其未兆，如嬰兒之未孩」；景福、范本作「我獨怕兮，其未兆，如嬰兒之未咳」；徽、蘇、彭三本作「我獨怕兮，其未兆，若嬰兒之未孩」；顧歡作「我獨怕兮，未兆，若嬰兒之未孩」。後一句，景福碑「儽儽」二字作「乘乘」，謂「乘乘兮，其若無所歸」；邢玄、磻溪、樓古、樓正、河上、敦煌英、徽、邵、司馬、蘇、彭、吴、林、焦諸本作「乘乘兮，若無所歸」；顧歡、遂州二本「儽儽」二字作「魁」，無「兮」、「若」二字，作「魁無所歸」；傅奕作「儡儡兮，其不足以無所歸」；范應元作「儽儽兮，其若不足似無所歸」。

帛書甲本「泊焉」，乙本作「博焉」，今本作「泊兮」、「魄兮」或「怕兮」。帛書「未咳」，今本「未咳」、「未孩」間作。帛書「纍呵」，今本作「儽儽兮」、「乘乘兮」，還有僅作一單字「魁」者。

王弼注：「言我廓然無形之可名，無兆之可舉，如嬰兒之未能孩也。」易順鼎云：「釋文出『廓』字，云河上本作『泊』。據此，則王本作『廓』可知。注云『言我廓然無形之可名』，是其證也。文選子虛賦、養生論注兩引作『怕』，皆河上本。今王本作『泊』，蓋後人據河上本改之。幸未改注文，猶可考見耳。」諭之帛書甲、乙本，足證今見王本首句「我獨泊兮，其未兆」基本不誤。易氏據釋文出「廓」字，因謂王本「泊」字當作「廓」，不確。帛書甲本作「我泊焉未兆」，與王本近似；乙本作「博」，乃「泊」之借字。「泊」、「怕」二字義同通用，皆謂恬静無爲。如漢書司馬相如傳「泊乎無爲」，文選子虛賦作「怕乎無爲」，即其證。帛書甲、乙本「纍呵」，猶言「纍纍」，乃失志疲憊之狀。禮記玉藻：「喪容纍纍」，注：「纍纍，羸憊貌也。」史記孔子世家：「纍纍若喪家之狗。」今本作「儽儽」，義同。説文：「咳，小兒笑也，從口亥聲。」又云：「孩，古文『咳』，從子。」經文則謂聖人恬静無爲，無跡無舉，若不知咳笑之嬰兒；而心身倦怠，若行無所歸。蘇轍云：「人各溺於所好，其美如享太牢，其樂如春登臺，嚣然從之，而不知其非。唯聖人深究其妄，遇之泊然不動，如嬰兒之未能孩也。乘萬物之理而不自私，故若無所歸。」

甲本：〔衆人〕皆有餘，我獨遺（匱）。我禺（愚）人之心也，惷惷（沌沌）呵。

乙本：衆人皆又（有）余（餘），我愚人之心235上也，湷湷（沌沌）呵。

王本：衆人皆有餘，而我獨若遺。我愚人之心也哉，沌沌兮。

景龍、易玄、遂州、傅、顧、徽、邵、吴、彭諸本無「而」字，作「我獨若遺」。後一句范應元本「我」下有「獨」字，作「我獨愚人之心也哉」；景龍、易玄、遂州三本無「也」、「哉」、「兮」三字，「沌」字作「純」，謂「我愚人之心，純純」；顧歡本作「我愚人之心，純純兮」；磻溪、樓古、樓正、徽、彭、邵、司馬、蘇、林諸本亦作「純純兮」；邢玄、敦煌英二本無「兮」字，作「純純」。

帛書甲本首句「衆人」二字殘損，乙本挩「我獨遺」三字，彼此可互據互補。與今本勘校，經文基本一致，唯各本所用虛詞稍異。

王弼釋「衆人皆有餘，而我獨若遺」云：「衆人無不有懷有志，盈溢胸心，故曰『皆有餘』也。我獨廓然無爲無欲，若遺失之也。」奚侗云：「『遺』借作『匱』，不足之意。禮記祭義『而窮老不遺』，釋文：『遺，本作「匱」。』是其證。」奚氏之説甚是。于省吾亦謂：「『遺』應讀作『匱』，二字均諧『貴』聲，音近字通……廣雅釋詁：『匱，加也。』王念孫謂『匱』當作『遺』，以『遺』有『加』義，『匱』無『加』義也。禮記樂記『其財匱』，釋文：『匱，乏也。』『衆人皆有餘，而我獨若匱』，匱乏與有餘爲對文。自來解者，皆讀『遺』如字，不得不以遺失爲言矣。」帛書甲本「惷惷呵」，乙本作「湷湷呵」，今本作「沌沌兮」或「純純兮」。「惷惷」、「湷湷」、「沌沌」、「純純」皆形況字。馬叙倫云：「案『沌』、『純』、『忳』並借爲『惇』，説文曰：『惇，厚也。』『惲，重厚也。』『惲惇』今通作『渾沌』。此三字當在『若嬰兒之未咳』上，所以形容嬰兒渾沌未分，不知咳笑，與『儡儡兮』對文。」因馬氏之説，遂有學者即將此句經文移至「若嬰兒之未咳」之前。今譣之帛書甲、乙本，「沌沌呵」三字均在「我愚人之心也」之後，與世傳今本同，非如馬説。蔣錫昌云：「『沌沌兮』三字連上文『我愚人之心也哉』爲句，與四十九章『聖人在天下歙歙焉』句法一律。『我愚人之心也哉』，謂聖人居心無識無求，一若愚人也。『沌沌兮』，所以形容聖人渾沌無知也。」

甲本：鬻（俗）〔人昭昭130，我獨若〕閒（昏）呵。鬻（俗）人蔡（察）蔡（察），我獨閟（悶）閟（悶）呵。

乙本：鬻（俗）人昭昭，我獨若閟（昏）呵。鬻（俗）人察察，我獨閩閩呵。

王本：俗人昭昭，我獨昏昏。俗人察察，我獨悶悶。

傅奕本「人」下有「皆」字，第一個「昏」字作「若」，「察」字作「詧」，「悶」字作「閔」，閔上有「若」字，謂「俗人皆昭昭，我獨若昏。俗人皆詧詧，我獨若閔閔」；范本與之同，唯「詧」字作「察」，稍異；河上本「俗」字作「衆」，第一個「昏」字作「若」，謂「衆人昭昭，我獨若昏」；景龍、易玄、慶陽、樓古、磻溪、樓上、敦煌英、顧、徽、邵、司馬、蘇、彭、林諸本亦作「我獨若昏」。景福碑末句作「我獨如昏」。

帛書甲本首句殘損六字，「昏」字寫作「閒」，「俗」字寫作「鬻」，「察」字作「蔡」，「悶」字作「閟」。乙本保存完好，「俗」字也寫作「鬻」，「昏」字作「閟」，「悶」字作「閩」。經義與王本同。

「俗人昭昭」，王弼注：「耀其光也。」釋德清云：「謂智巧現於外也。」蔣錫昌云：「『昭昭』即自見之義。二十二章『不自見，故明』，七十二章『是以聖人自知不自見』，並與此文互明。『俗人皆昭昭』，謂普通之人君皆耀光以自見也。」「我獨若昏呵」，奚侗云：「『昏昏』，諸本作『若昏』，句法不協，兹從王本。莊子在宥篇：『至道之極，昏昏默默。』」按浙江書局王弼本作「昏昏」，道藏王弼本作「若昏」，景龍、易玄、敦煌英等唐本多作「若昏」。顧本成疏「故若昏也」，是成亦作「若昏」。諭之帛書甲、乙本，均作「若昏」，足證老子原作「若昏」，今本作「昏昏」者，乃後爲取句法相協而改。此乃謂聖人無識無爲，其狀若昏也。「俗人察察」，王弼注：「分别别析也。」釋德清云：「『察察』，即俗謂分星擘兩，絲毫不饒人之意。」此之謂疾厲嚴苛，寡恩無情。若第五十八章「其政察察」，乃立刑名，明賞罰，以檢姦僞。「我獨悶悶」，傅、范作「我獨若閔閔」。馬叙倫云：「『閔閔』是，借爲『紊紊』。」説文：「『紊，亂也。』古書多以『察察』、『紊紊』對言。楚辭卜居『身之察察，物之汶汶』，『汶』亦『紊』之借字。」按「悶悶」、「閔閔」、「閩閩」乃至「紊紊」、「汶汶」，皆重言形況字，音同字異，意義相同，不必强爲分别也。王弼注：「無所欲爲，悶悶昏昏，若無所識。」在此乃形容無智無欲、昏噩惇樸之狀。若第五十八章「其政悶悶」，若無形、無名、無事、無政可舉。既無所欲，亦無所識。

甲本：忽呵，其若〔海〕。望（恍）呵，其若无所止。

乙本：沕（忽）呵，其若海。望（恍）呵，若无所止。

王本：澹兮，其若海。飂兮，若無止。

景福碑作「忽兮，其若海。漂兮，若無所止」；河上與林二本作「忽兮，若海。漂兮，若無所止」；顧歡本作「忽若海。飄若無所止」；易玄、慶陽、磻溪、樓正、敦煌英諸本作「忽若海。寂兮，似無所止」；司馬本作「忽兮，其若晦。飄兮，似無所止」；焦竑本作「忽兮，若晦。寂兮，似無所止」；蘇轍本作「忽若晦。寂若無所止」；遂州本作「忽若晦，寂無所止」；傅奕本作「淡兮，其若海。飄兮，似無所止」；景龍碑作「淡若海，漂无所止」；范應元本作「澹兮，若海。飄兮，若無止」；吴澄本作「漂兮，其若海。飂兮，若無所止」；樓古、孟頫、徽、邵、彭諸本首句與王弼同，後一句作「飂兮，似無所止」。

帛書甲本作「忽呵，其若海。朢呵，其若无所止」，乙本與之相同，唯「忽」字作「沕」，後「若」前無「其」字，稍異。世傳今本此句經文甚爲雜亂，無論用字或句型，彼此都各有差異；諸家注釋也各持一説，互相抵牾，讀者亦難以判斷是非。如王弼釋「澹兮，其若海」爲「情不可覩」；釋「飂兮，若無止」爲「無所繫縶」。河上公釋「忽兮，若海」爲「我獨忽忽如江海之流，莫知所窮極也」；釋「漂兮，若無所止」爲「我獨漂漂若飛若揚無所止也，志意在神域也。」强本成疏釋「忽若晦」爲「聖智實明而忽忽如闇」；釋「寂無所止」爲「雖復同塵而恒自凝寂，又不住此寂，故無所止也」。馬叙倫據楚辭、文選等古籍，考定此文作「寂兮，若海。寥兮，似無所止」。謂：「所以形容道之空盡周徧，即莊子天下篇稱老子之説所謂無藏也故有餘者也。」諸如種種注釋，各爲一説，甚難適從。而且，因今本此文多誤，有學者疑其非屬本章，謂爲錯簡。如馬叙倫謂其爲二十五章文，嚴靈峰謂其爲十五章文。今論之帛書甲、乙本，此句經文同屬本章，絶非錯簡。依甲本則作「忽呵，其若海。朢呵，其若无所止」。帛書研究組讀「朢」字爲「恍」，甚是。王本第二十一章「惚兮恍兮」，帛書甲、乙本「恍」字均寫作「朢」。蔣錫昌云：「『惚恍』或作『忽恍』，或作『芴芒』，或作『惚怳』，雙聲叠字，皆可通用。蓋雙聲叠字，以聲爲主，苟聲相近，即可通假。『恍惚』亦即『仿佛』，説文：『仿，仿佛，相似視不諟也。』」「忽兮」、「恍兮」，皆形容幽遠無形，狀不可審諟。此乃承上文「俗人昭昭，我獨若昏。俗人察察，我獨悶悶」而言，故云忽呵，其若海，恍呵，隨其蕩漾若無所止。此乃形容聖人無爲無欲，恬静無著之怡然自得之神態。

甲本：〔衆人皆有以，我獨頑〕131以悝（俚）。我欲獨異於人，而貴食母。

乙本：衆人皆235下有以，我獨閲（頑）以鄙。吾欲獨異於人，而貴食母。

王本：衆人皆有以，而我獨頑似鄙。我獨異於人，而貴食母。

景龍碑首句「以」字作「已」，無「而」字，謂「衆人皆有已，我獨頑似鄙」；司馬本無「有」與「而」二字，作「衆人皆以，我獨頑似鄙」；樓古、磻溪、樓正、孟頫、顧、范、蘇、焦諸本皆無「而」字，作「我獨頑似鄙」；邵、徽、彭三本作「而我獨頑且鄙」；傅奕本作「而我獨頑且圖」；遂州本作「我獨頑以鄙」。後一句，傅奕本「我」字作「吾」，「獨」下有「欲」字，作「吾獨欲異於人」；遂州本作「我欲異於人」；易玄、邢玄、磻溪、孟頫、樓正、范、徽、邵、彭諸本作「而貴求食於母」；蘇轍本作「兒貴食母」。

帛書甲本首句殘，僅存「以悝」二字；乙本保存完好，作「我獨頑以鄙」。甲本「悝」字假爲「俚」，「以俚」二字與「以鄙」義同。後一句甲、乙本同作「我欲獨異於人」，較王本多一「欲」字，則與傅奕、遂州二本相近似。

王本「衆人皆有以」，注云：「以，用也。皆欲有所施用也。」「而我獨頑似鄙」，注云：「無所欲爲，悶悶昏昏，若無所識，故曰『頑且鄙』也。」可見王本原作「頑且鄙」，不是「頑似鄙」。廣雅釋詁：「頑，愚也。」文選張衡東京賦李善注：「鄙，固陋不惠。」愚蠢無知曰「頑」，固陋不惠曰「鄙」，「頑」、「鄙」並列，其間不該是副詞或動詞，應該是連詞。世傳今本作「頑似鄙」者，中間「似」字顯然有誤。傅奕本作「頑且圖」，邵、徽、彭三宋本作「頑且鄙」；唯遂州本作「頑以鄙」，與帛書甲、乙本同。「以」字在此爲連詞，「頑以鄙」猶言「頑與鄙」或「頑而鄙」。俞樾云：「按『似』當讀爲『以』，古『以』、『似』

通用。……『而我獨頑以鄙』六字爲句。『頑以鄙』猶言『頑而鄙』。」俞説至確。傅本作「頑且鄙」，則因「以」字寫作「㠯」，與「且」形近而誤。帛書本作「頑以鄙」，當爲老子故文。

王本「我獨異於人，而貴食母」，注云：「『食母』，生之本也。人皆棄生民之本，貴末飾之華，故曰『我獨欲異於人』。」足證王本此文原亦有「欲」字，今本挩漏。據帛書甲、乙本勘校，「欲」字應在「獨」字之前，讀作「我欲獨異於人」。從文意分析，似較王注引「我獨欲異於人」貼切，當從。勞健云：「『食』音嗣，養也。『母』謂本也。知養其本，乃可以絶役智外求諸末學，而無憂也。」河上注：「『食，用也；母，道也。』王注：『食母，生之本也。』與玄宗之『求食於母』，皆讀如飲食之『食』，並失其義。吴澄以『食母』爲乳母，如禮記内則之文，讀『食』爲飼，是矣；而以『母』爲人之稱，亦非也。老子書凡言『本』者常用『母』字，以取叶韻。第五十二章『既得其母，以知其子；既知其子，以守其母』，明指本末而言。他如第一章『萬物之母』，第二十五章『可以爲天地母』，第五十九章『有國之母』，義皆如『本』。『貴食母』與『復守其母』，同是崇本之旨，『食母』、『守母』，乃所以爲道，不可謂『母』即道也。」

道經校注

二十一（今本道經第二十一章）

甲本：孔德之容，唯道是從。

乙本：孔德之容，唯道是從。

王本：孔德之容，惟道是從。

世傳今本多同王本，唯景龍碑「德」字作「得」，「惟」字作「唯」，謂「孔得之容，唯道是從」。

帛書甲、乙本此節經文與世傳今本多相同，僅其中「惟道是從」，甲、乙本均作「唯道是從」，稍異。

河上公注：「孔，大也。有大德之人，無所不容，能受垢濁處謙卑也。唯，獨也。大德之人，不隨世俗所行，獨從於道也。」王弼釋「孔」爲「空」，謂：「惟以空爲德，然後乃能動作從道。」按此二釋各有所得，又皆未全盡經義。高亨集二家之長，則云：「案河上注曰：『孔，大也。』是『孔德』猶云『大德』矣。『容』當借爲『搈』，動也。説文曰：『搈，動搈也。』『動搈』叠韻連語，古或以『動容』爲之。孟子盡心篇曰：『動容周旋中禮者，盛德之至也。』楚辭九章曰：『悲秋風之動容兮。』即其證。單言『搈』亦有動義。廣雅釋詁曰：『搈，動也。』古亦或以『容』字爲之。禮記月令曰：『有不戒其容止者。』鄭注曰：『容止，謂動静也。』莊子天下篇曰：『語心之容，命之曰心之行；心之容，謂心之動也。』即其證。然則『容』可爲『搈』明矣。『孔德之容，惟道是從』，言大德者之動惟從乎道也。王注曰『動作從道』，正以『動』釋『容』。河上注曰『無所不容』，釋爲包容之容，失之。」其實不必改作「搈」，「容」本有「動」義，古「容」、「動」二字音義皆通。

甲本：道之物，唯朢（恍）唯忽。〔忽呵恍〕132呵，中有象呵。朢（恍）呵忽呵，中有物呵。

乙本：道之物，唯朢（恍）唯沕（忽）。沕（忽）呵朢（恍）呵，中又（有）象呵236上。朢（恍）呵沕（忽）呵，中有物呵。

王本：道之爲物，惟恍惟惚。惚兮恍兮，其中有象。恍兮惚兮，其中有物。

邢玄本首句「爲」字作「於」，謂「道之於物」；景龍碑、易玄本作「唯恍唯忽」；慶陽、遂州、顧、焦諸本作「惟怳惟惚」；傅、范二本作「惟芒惟芴」。後二句，景龍碑作

「忽恍中有象，恍忽中有物」；遂州本作「怳惚中有物，怳惚中有像」；易玄、孟頫二本作「忽兮恍，其中有象。恍兮忽，其中有物」；邵、司馬、蘇三本與之同，唯「忽」字作「惚」，稍異；樓古、磻溪、樓正三本亦與之同，唯「忽」字亦作「惚」，且「恍」字作「怳」；河上本作「忽兮怳兮，其中有像。怳兮忽兮，其中有物」；焦竑本與之同，唯「忽」字作「惚」，稍異；彭本作「惚兮恍兮，中有象兮。恍兮惚兮，中有物兮」；徽宗御解本作「惚兮恍兮，中有象焉。恍兮惚兮，中有物兮」；傅奕本作「芴兮芒兮，其中有象。芒兮芴兮，其中有物」；范應元本作「芴兮芒兮，中有象兮，芒兮芴兮，中有物兮」；吴澄本與王弼本同，唯「有物」一句在「有象」一句之前，獨異他本。

帛書甲、乙本經文相同，但同世傳今本皆有差異。如首句甲、乙本作「道之物」，王本作「道之爲物」，邢玄本作「道之於物」，各異。後二句「中有象呵」、「中有物呵」與范、彭二本句型相似。

「道之物，唯恍唯忽」，世傳今本多同王本作「道之爲物，惟恍惟惚」。按「道之爲物」與「道之物」，經義有别。句中「之」字在此有兩解。一、訓「之」字爲「是」。經傳釋詞：「之，是也。故爾雅曰：『之子者，是子也。』」二、訓「之」字爲「出」。説文云：「之，出也。」朱駿聲云：「指事，與『生』同意。」假「之」爲「是」，可將「道之物」釋作「道是物」，與今本「道之爲物」義近，任繼愈將其譯作「道這個東西」。釋「之」爲「生」，則「道之物」猶言「道生物」。過去哲學界對老子哲學究竟屬於唯心論或唯物論進行過多次討論，此句經文即是兩派争論的焦點之一。當時帛書老子尚未出土，兩派俱依今本「道之爲物」進行辯論。主張老子哲學爲唯心論者認爲，「道之爲物」就是「道創造萬物」。主張老子哲學爲唯物論者不同意這種解釋，如馮友蘭云：「甲方有人認爲老子書二十一章講的是道生萬物的程序：『道之爲物，惟恍惟惚。惚兮恍兮，其中有象。恍兮惚兮，其中有物。』依莊子的解釋，道是『非物』，可是它在『恍惚』之中就生出物來了。如果老子書説『道之生物，惟恍惟惚』，這種解釋就對了。可是老子書明是説『道之爲物』，不是説『道之生物』。」我們不想參加辯論，只是通過帛書老子甲、乙本之勘校，澄清老子書中經文之是非，正確瞭解老子本義。從帛書老子甲、乙本考察，此文不作「道之爲物」，而作「道之物」，其中「爲」字似爲後人增入。從老子書中所言「萬物得一以生」，「道生之，德畜之，物形之，器成之」諸文分析，此文訓「之」字爲「生」，似較訓爲「是」更合本義。

俞樾云：「按『惚兮恍兮』二句當在『恍兮惚兮』二句之下。蓋承上『惟恍惟惚』之文，故先言『恍兮惚兮，其中有物』，與上『道之爲物，惟恍惟惚』四句爲韻；下文『惚兮恍兮，其中有象』，乃始變韻也。王弼注曰：『萬物以始以成，而不知其所以然，故曰：恍兮惚兮，惚兮恍兮，其中有象也。』注文當是全舉經文，而奪『其中有物』四字。然據此可知王氏所見本經文猶未倒也。」道藏河上與吴澄本皆作「恍兮惚兮，其中有物。惚兮恍兮，其中有像（河上本「恍」字作「怳」）」。與俞説合。但諭之帛書甲、乙本，經文語序皆與王弼諸本相同，足證世傳今本不誤，俞氏變韻之説不確。王弼注：「以無形始物，不繫成物，萬物以始以成，而不知其所以然。故曰『恍兮惚兮，（其中有物）（依俞樾説補）。惚兮恍兮，其中有象也』。」樓宇烈云：「此處所講『有物』、『有象』，均爲『恍惚』之物象，亦即所謂『無狀之狀，無物之象』。十四章王弼注：『欲言無邪，而物由以成。欲言有邪，而不見其形。故曰「無狀之狀，無物之象」也。』」

甲本：灣（幽）呵嗚（冥）呵，中有請（情）吔。其請（情）甚真，其中〔有信〕133。

乙本：幼（窈）呵冥呵，其中有請（情）呵。其請（情）甚真，其中有信。

王本：窈兮冥兮，其中有精。其精甚真，其中有信。

景龍、顧歡、遂州三本作「窈冥中有精」；遂州碑無「其精甚真」一句；易玄、慶陽、樓古、敦煌英、司馬諸本作「窈兮冥，其中有精」；磻溪、樓正二本作「杳兮冥，其中有精」；傅奕本作「幽兮冥兮，其中有精」；范應元本作「幽兮冥兮，中有精兮」；徽宗御解本與之同，唯「幽」字作「窈」，稍異；彭耜本作「窈兮冥兮，中有精兮」。

帛書甲本「中有請吔」，乙本作「其中有請呵」，世傳今本多同王本作「其中有精」。從本節經文分析，下文既言「其中有信」，上文似當作「其中有情」，前後句型一律。可見帛書甲本前句奪「其」字，乙本不奪。但甲本句後衍「吔」字，乙本衍「呵」字。朱謙之云：「案『窈』、『幽』、『杳』三字音近，可通用。」「窈冥」或「幽冥」皆形況字，乃形容情狀之深遠而幽隱。

王本「其中有精」，馮逸據莊子大宗師「夫道，有情有信」，謂老子此文「精」字當讀作「情」，「有精」即「有情」，其説甚是。帛書甲、乙本「精」字均作「請」，按「請」、「情」、「精」三字皆從「青」得聲，音同互假。從經義分析，與其依舊讀假「請」、「情」二字爲「精」，不若假「請」、「精」爲「情」義勝。再如，「請」字亦可讀「情」，古「請」、「情」同源字。古文「言」與「心」二形符可任作，從「言」之字亦可從「心」，反之亦如是。如「德」字從「心」，亦可從「言」作「⿰彳⿱直言」；「警」字從「言」，亦可從「心」作「憼」；「訓」字從「言」，亦可從「心」作「㤈」等等，字例甚多。再如，詩經大雅大明「天難忱思」之「忱」字，韓詩作「訦」，讀作「天難訦思」；説文言部「誖，從言孛聲」，又謂「或從心」作「悖」；「𧦅，或從言朔。愬，或從朔心」。就以「請」、「情」二字爲例，荀子成相篇「聽之經，明其請」，楊倞注：「『請』當爲『情』。」史記禮書「情文俱盡」，徐廣曰：「古『情』字或假借作『請』，諸子中多有此比。」以上諸例皆可説明，讀「請」字爲「精」，莫若讀「請」字爲「情」更爲貼切。「情」字在此訓「真」或「實」。周禮地官司市鄭注「知物之情僞」，賈公彦疏釋曰：「情則真也。」戰國策秦策「請謁事情」，高誘注：「情，實也。」後漢書西域傳：「莫不備寫情形，審求根實。」韓非子解老篇：「所謂處其厚不處薄者，行情實而去禮貌也。」所謂「情形」、「情實」，即真情、真實也。再如王弼釋「其中有精」，謂爲「以定其真」。可見王弼即讀「精」爲「情」，尚可作此解釋。「窈呵冥呵，其中有情」，乃承上文「其中有象」、「其中有物」而言。謂雖窈冥深遠似不可見，但其中則存實不虚。「其情甚真，其中有信」，此乃進而闡述其中之實不僅存在，而且甚真，並以其自身之運動規律可供信驗。後人不知「精」字當假爲「情」，皆讀爲本字，則釋作「精神」、「精力」、「精靈」、「精氣」，或謂「最微小的原質」等等。諸説雖辯，但皆與老子本義相違，均不可信。

甲本：自今及古，其名不去，以順衆仪（父）。吾何以知衆仪（父）之然，以此。

乙本：自今及古，其名不去236下，以順衆父。吾何以知衆父之然也，以此。

王本：自古及今，其名不去，以閲衆甫。吾何以知衆甫之狀哉，以此。

傅、范二本「自古及今」均作「自今及古」，「吾何以知衆甫之狀哉」均作「吾奚以知衆父之然哉」；遂州本「以閲衆甫」作「以閲終甫」，又同易玄、邢玄、樓古、磻溪、孟頫、樓正、河上、顧、彭、徽、邵、司馬、蘇、吴、林、焦諸本「狀」字作「然」，謂「吾何以知衆甫之然哉」；景福碑作「吾何以知衆父然哉」；景龍碑作「吾何以知衆甫之然」。

帛書甲、乙本同作「自今及古」，與傅、范二本同；世傳今本多同王本作「自古及今」，彼此相違。甲、乙本「以順衆父」，今本多作「以閲衆甫」。甲、乙本「吾何以知衆父之然也」，王本作「吾何以知衆甫之狀哉」，亦各有差異。

范應元云：「『自今及古』，嚴遵、王弼同古本。」馬叙倫云：「各本作『自古及今』，非是。『古』、『去』、『甫』韻。」馬説誠是，帛書甲、乙本正作「自今及古」。再如，宋道德真經集注引王弼注：「故曰『自今及古，其名不去』也。」則與范應元所見王本相合，足證今本作「自古及今」者，乃由後人所改。蔣錫昌云：「按此『其』字爲上文『道』之代名詞。『名』非空名，乃指其所以名之爲道之功用而言。『道名不去』猶言道之功用不絶，四十五章所謂『其用不窮』也。『自今及古，其名不去』，言道雖無形，然今古一切，莫不由之而成，故道之一名，可謂常在不去也。」

帛書甲、乙本「以順衆父」，世傳今本多同王本作「以閲衆甫」，遂州本作「以閲終甫」。釋名釋言語：「順，循也，循其理也。」易經説卦：「昔者聖人之作易也，將以順性命之理。」「以閱衆甫」之「閱」字，漢書文帝紀「閱天之義理多矣」，顏師古注引如淳曰：「閱，猶更歷也。」可見因「順」、「閱」義近，故互用之。但是，老子爲何有此差異，二者孰爲本字，實難判斷。王弼注：「衆甫，物之始也，以無名閱萬物始也。」勞健據遂州本「以閱終甫」，謂「古『衆』字通作『終』，則知『衆甫』即『終始』之義。」俞樾云：「謹按『甫』與『父』通，『衆甫』者，『衆父』也。四十二章『我將以爲教父』，河上公注曰：『父，始也。』而此注亦曰：『甫，始也。』然者『衆甫』即『衆父』矣。」俞説誠是，「甫」、「父」二字皆可訓「始」，「衆」字不必假爲「終」，「終甫」仍應讀作「衆甫」。「衆甫」猶言衆物之甫，即萬物之始也。第一章王弼注：「言道以無形無名始成萬物，萬物以始以成而不知所以然。」亦如本章前文所注：「以無形始物，不繫成物，萬物以始以成，而不知其所以然。」「以順衆父」，繼前文則謂以常存之道循歷萬物之始也。

帛書甲、乙本「吾何以知衆父之然也，以此」，甲本奪「也」字，今本多作「然哉」，王本作「狀哉」。案老子原本當作「然」字，不作「狀」字，因「狀」字與「然」形近而誤。王弼注：「此，上之所云也。」茲謂吾何以知萬物之始於無哉，以「自今及古，其名不去」之道而知之也。

道經校注

二十二（今本道經第二十四章）

甲本：炊（企）者不立，自視（是）不章（彰），〔自〕134見者不明，自伐者无功，自矜者不長。

乙本：炊（企）者不立，自視（是）者不章（彰），自見者不明，自伐者无功，自矜者不長237上。

王本：企者不立，跨者不行。自見者不明，自是者不彰，自伐者無功，自矜者不長。

景龍碑「立」字作「久」，「跨」字作「夸」，無後面四個「者」字，謂「企者不久，夸者不行。自見不明，自是不彰，自伐無功，自矜不長」；邢玄、慶陽、磻溪、孟頫、樓正、河上、顧、范、彭、徽、邵、司馬、蘇、林、焦諸本「企」字作「跂」，謂「跂者不立」；易玄本首句與之同，又後面三句無「者」字，作「自是不彰，自伐無功，自矜不長」；景福碑作「跨者不行」，跂者不立」，與他本語序互倒；遂州本作「喘者不久，跨者不行。自見不明，自是不彰，自饒無功，自矜不長」。

帛書甲、乙本經文相同，甲本第二句奪一「者」字，抄寫之誤。與今本勘校，甲、乙本首句僅有「炊者不立」四字，王本作「企者不立，跨者不行」，共八字，分兩句成對文。世傳本多同王本，唯邢玄、顧、范三本作「跂者不立」，景龍碑作「企者不久」，想爾注本與遂州本作「喘者不久」。諸本其下皆有「跨者不行」一句，成對文。均與甲、乙本不同。又甲、乙本「自是」句在「自見」句前，語序與王本互倒。

帛書研究組云：「『炊』疑讀爲『吹』，古導引術之一動作。」又謂：「通行本此句下有『跨者不行』一句，按文例當有，甲、乙本似誤脱。」按今本兩句文雜不一，説明曾經展轉傳抄，已生僞誤。帛書甲、乙二本同作「炊者不立」一句，似非偶然。帛書組讀「炊」字爲「吹」，謂爲「古導引術之一動作」，言無實據，亦不足信。愚以爲帛書「炊者不立」，當從今本讀作「企者不立」。「炊」字古爲昌紐歌部，「企」字屬溪紐支部，聲紐相通，「支」、「歌」爲旁對轉，故「炊」、「企」二字古音同通假。商代甲骨文「企」字寫作「□」，慧琳音義引説文謂「舉踵而望也」。今説文作「舉踵也」。段玉裁注：「從人止，取人延竦之意。」「企」字與「跂」同義，皆指蹺起脚跟延身遠眺。蹺脚而立必不穩，故曰

「企者不立」。河上公釋「不立」爲「不可久立」，隨後因襲此注而有「企者不久」、「喘者不久」繼踵而出，皆非老子之文。再如，今本「企者不立」下有「跨者不行」一句，兩句相對成偶，顯然出自六朝人之手，取用駢體對偶之文體，帛書組不察，則謂甲、乙本「脱誤」，實難苟同。誠然，老子確有對文，但多屬古諺，一般以排列句居多。例如此文「企者不立，自是者不彰，自見者不明……」，則與第二十三章「希言自然，飄風不終朝，驟雨不終日」句型一律。皆先用四字獨句開始，隨繼之五字排列句，並非句句成對文。今從帛書甲、乙本所見，「跨者不行」四字恐非老子舊文，無疑爲後人增入。「企者不立」似爲古諺，老子引以爲喻，從而説明：自以爲是者反而不彰，自逞己見者反而不明，自我炫耀者反而無功，自我尊大者反而不得敬重等等之輕躁行爲，皆反自然。恰同第二十二章「不自是故彰，不自見故明，不自伐故有功，不自矜故能長」語義相合。

甲本：其在道，曰粽（餘）食贅行，物或惡之，故有欲（裕）者〔弗〕[135]居。

乙本：其在道也，曰粽（餘）食贅行，物或亞（惡）之，故有欲（裕）者弗居。

王本：其在道也，曰餘食贅行，物或惡之，故有道者不處。

景龍碑首句無「也」字，第三句「或」下有「有」字，作「其在道，曰餘食贅行，物或有惡之，故有道不處」；顧、焦二本首句亦作「其在道」；樓古、磻溪、孟頫、樓正、敦煌英、范、司馬、蘇、林諸本作「其於道也」；景福碑作「於其道也，日餘食贅行」；易玄、慶陽二本作「其於道也，日餘食餟行」；潘静觀道德經妙門約作「其在道也，曰餘食贅形」；遂州作「其在道，曰餘食餟行，物有惡之，故有道不處」；河上、吴澄二本作「其於道也，曰餘食贅行，物或惡之，故有道者不處也」；傅、徽、彭三本末句亦作「故有道者不處也」。

帛書甲、乙本經文相同，只是甲本首句「道」下無「也」字，稍異。與今本勘校，唯經文末句帛書甲、乙本作「故有欲者弗居」，今本皆作「故有道者不處」。

「餘食贅行」是一句古成語，老子用它以喻上述「自是」、「自見」、「自伐」、「自矜」等輕躁行爲，謂此矜伐之人，以有道者看來，如若「餘食贅行」。由於它是一句貶義成語，故下文云「物或惡之，故有道者不居」。至於「餘食贅行」四字之原義，早已佚亡，難以確切説明。河上公注：「贅，貪也。」釋「餘食贅行」爲「斂餘禄食爲貪行」。王弼注：「其唯於道而論之，若郤至之行。盛饌之餘也，本雖美，更可薉也。本雖有功而自伐之，故更爲肬贅也。」後人多從王説，如唐李約道德真經新注云：「如食之殘，如形之剩肉也。」宋林希逸道德真經口義云：「食之餘棄，形之贅疣，人必惡之。」明焦竑老子翼云：「贅，疣贅也。『行』當作『形』，古字通也。『食餘』人必惡之，『形贅』人必醜之。」

易順鼎云：「『行』疑通作『形』。『贅形』即王注所云『肬贅』。『肬贅』可言『形』，不可言『行』也。列子湯問篇『太形王屋二山』，張湛注：『形，當作「行」。』是古書『行』、『形』固有通用者。」「肬贅」亦稱「贅肬」，楚辭九章惜誦「反離群而贅肬」，洪興祖注：「贅肬，瘤腫也。」依王弼注謂「贅」爲「肬贅」，爲「瘤腫」，故遭人厭，而盛饌之餘何厭之有？何以惡若瘤腫？因舊注難究，故劉師培更「食」字爲「德」，謂「餘食」當爲「餘德」。高亨更「行」字爲「衣」，謂「贅行」爲「贅衣」，更難令人置信，皆徒勞也。愚以爲「餘食贅行」目前只可理解爲一貶義成語，但是爲了幫助理解經義，姑且也可以王弼之説説之，至於其來源和確切含義，暫闕如也。

今本「故有道者不處」，帛書甲、乙本同作「故有欲者不居」。「有道者」與「有欲者」意義相悖，帛書研究組云：「居，儲蓄。此言惡物爲人所棄，雖有貪欲之人亦不貯積。」許抗生云：「疑『欲』字爲誤，『有欲者弗居』與老子無爲思想不合。」謂「欲」爲「貪欲」雖誤，然疑「欲」爲誤字亦非。從經文分析，此當從今本作「有道者」爲是。按「欲」字在此當假爲「裕」，方言卷三：「裕，道也。東齊曰『裕』，或曰『猷』。」廣雅卷四：「裕，道也。」王引之經義述聞卷四云：「周書康誥『遠乃猷裕』，即遠乃道也。君奭曰『告君乃猷裕』，與此同。」準此諸例，足證甲、乙本「欲」字當讀作「裕」，「故有裕者不居」，猶今本所言「故有道者不處」也。此乃謂有道者不自處其穢也。

本章經文王弼、河上公、傅奕、范應元等諸刻本，以及景龍、景福等諸碑本，均列爲道經之第二十四章。帛書甲、乙本雖不分章，但其位置則在第二十一章之後，當爲第二十二章。因今本錯簡，故按帛書甲、乙本編次，將今本第二十四章移此。

道經校注

二十三（今本道經第二十二章）

甲本：曲則金（全），枉則定（正），洼則盈，敝則新，少則得，多則惑。

乙本：曲則全，汪（枉）則正，洼則盈，襒（敝）則新，少則得237下，多則惑。

王本：曲則全，枉則直，窪則盈，敝則新，少則得，多則惑。

景龍碑「直」字作「正」，「敝」字作「弊」，「惑」字作「或」，謂「枉則正」，「弊則新」，「多則或」；遂州本作「枉則正」，「弊則新」；蘇轍本作「弊則新」，「多則惑矣」；傅、范二本作「枉則正」；易玄、邢玄、景福、慶陽、樓古、孟頫、河上、顧、徽、邵、司馬、彭、林諸本「敝」字均作「弊」，謂「弊則新」。

帛書甲、乙本經文相同，只是在使用同音假借字方面稍有差異。如甲本「全」字誤作「金」，「正」字寫作「定」；乙本「枉」字寫作「汪」，「敝」字寫作「襒」。世傳今本經文用字亦有差異，如王本「枉則直」，傅、范、景龍諸本作「枉則正」；「敝則新」，景龍、易玄、河上諸本作「弊則新」。

朱謙之云：「『曲則全』，即莊子天下篇所述『老聃之道，人皆求福，己獨曲全』也。書洪範『木曰曲直』，此亦以木爲喻。曲者，莊子逍遥遊所謂『卷曲而不中規矩』，人間世所謂『拳曲而不可以爲棟梁』也。蓋『直木先伐，甘井先竭』，『吾行却曲，無傷我足』，此即『曲則全』之義。『枉則正』，『枉』，説文：『衺曲也，從木㞷聲。』廣雅釋詁一：『桂，詘也。』即詰詘之義，實爲屈。『正』，諸本作『直』，『枉』、『直』對文，『枉則直』者，大直若屈也。論語：『舉直錯諸枉。』淮南本經訓：『矯枉以爲直。』碑文作『正』，『正』亦『直』也。鬼谷子磨篇：『正者，直也。』廣雅釋詁一：『直，正也。』易文言傳：『直，其正也。』『直』、『正』可互訓。」蔣錫昌云：「莊子天下篇述老子之道曰：『人皆求福，己獨曲全。曰「苟免於咎」。』是『曲』者，即『苟免於咎』之誼。蓋唯能『苟免於咎』，方能全身而遠禍也。『曲則全』一語，爲古之遺訓，而老子述之。閲下文『古之所謂曲則全者，豈虚言哉』可知。『枉則正，窪則盈，蔽則新』三語，均文異誼同，皆承『曲則全』而言。『全』、『正』、『盈』、『新』爲韻。」「按四十四章：『名與身孰親？身與貨孰多？得與亡孰病？是故甚愛必大費，多藏必厚亡。知足不辱，知止不殆，可以長久。』是『少』即『知足』、『知止』之誼，『得』即『長久』之誼，『多』即『甚愛』、『多藏』之誼，『惑』即『大費』、『厚亡』之誼。而『少則得』又爲上文『曲則全』一誼之重複，『多則惑』乃『少則得』一誼之相反。」

甲本：是以聲（聖）人執一，以爲天下牧。

乙本：是以耶（聖）人執一，以爲天下牧。

王本：是以聖人抱一，爲天下式。

世傳今本多同王本，唯傅奕本無「是以」二字，而在「一」下有「以」字，作「聖人抱一以爲天下式」。

帛書甲、乙本經文相同，均作「是以聖人執一，以爲天下牧」；世傳今本多作「是以聖人抱一，爲天下式」，或作「聖人抱一以爲天下式」。則與帛書甲、乙本有所不同。

帛書甲、乙本「聖人執一」，今本皆作「聖人抱一」；甲、乙本「爲天下牧」，今本皆作「爲天下式」。王弼注：「一，少之極也。『式』猶『則』也。」河上公注：「抱，守法式也。聖人守一乃知萬事，故能爲天下法式也。」「執」與「抱」雖皆有「守」、「持」之義，但彼此也有原則區分，「執一」不同於「抱一」。老子所謂「執一」即「執道」，也即掌握對立統一之辯證法則。文子符言篇云：「老子曰：『執一無爲，因天地與之變化。』」先秦法家也主張「執一」，如管子心術篇：「君子執一而不失，能君萬物。」內業篇：「化不易氣，變不易智，惟執一之君子能爲此乎！」荀子堯問篇「執一無失」，「執一如天地」。韓非子揚權篇：「故聖人執一以静，使名自命，令事自定。」儒家反對執一，主張執中。論語堯曰：「天之曆數在而躬，允執其中。」孟子盡心篇：「執中無權，猶執一也。所惡執一者，爲其賊道也。」「抱一」猶「合一」。老子第十章「載營魄抱一」，指精神與身軀合爲一體。賈誼新書道術篇「言行抱一謂之真」，指言與行一致。作爲哲學概念，「抱一」與「執一」是不同的。從而可見，老子原本作「聖人執一」，不是「聖人抱一」。帛書甲、乙本保存了原文和原義，今本則有訛誤，而且此一誤傳來源很久，早在南北朝期間即已造成，如今有帛書出土，才得見廬山面目。帛書甲、乙本「爲天下牧」，今本作「爲天下式」。王弼訓「式」字爲「則」，即法則；河上公釋爲「法式」。雖經義亦通，但不若帛書本釋「牧」字爲「治」義長。荀子成相篇「請牧基」，楊倞注：「牧，治也。」「是以聖人執一，以爲天下牧」，猶言聖人執一而爲天下治。即吕覽有度篇所云：「執一而萬物治，而使人不能執一者，物感之也。」

甲本：不〔自〕[136]視（是）故明（彰），不自見故章（明），不自伐故有功，弗矜故能長。

乙本：不自視（是）故章（彰），不自見也故明，不自伐故有功，弗矜故能長。

王本：不自見故明，不自是故彰，不自伐故有功，不自矜故長。

世傳今本多同王本，唯遂州本「不自是故彰」一句在「不自見故明」之前，與帛書甲、乙本語次相同；蘇轍本第三句無「有」字，作「不自伐故功」。

帛書甲、乙本經文相同，而甲本第一句「彰」字與第二句「明」字彼此誤倒，乙本第二句「見」字下衍一「也」字。與王本勘校，經義相同，唯第一句與第二句彼此互倒。此乃承前章「自是者不彰，自見者不明，自伐者無功，自矜者不長」四句而言，故此謂「不自是故彰，不自見故明，不自伐故有功，弗矜故能長」。上下各四句，每句皆對語。但是，今本將本文列爲第二十二章，將前文列爲第二十四章，不僅彼此間隔，而且前後顛倒，顯然是因錯簡而致，今根據帛書甲、乙本經文次序予以更正。

甲本：夫唯不爭，故莫能與之爭。古〔之137所謂曲全者，豈〕語才（哉）！誠金（全）歸之。

乙本：夫唯不238上爭，故莫能與之爭。古之所胃（謂）曲全者，幾（豈）語才（哉）！誠全歸之。

王本：夫唯不爭，故天下莫能與之爭。古之所謂曲則全者，豈虛言哉！誠全而歸之。

遂州本無「天下」與「之」三字，「言哉」二字作「語」，「誠」字作「成」，其上有「故」字，謂「夫唯不争，故莫能與争。古之所謂曲則全者，豈虚語？故成全而歸之」；景龍碑後二句作「古之所謂曲則全，豈虚語？故成全而歸之」；傅奕本作「豈虚言也哉！誠全而歸之」；顧歡、孟頫二本末句作「故誠全而歸之」。

帛書甲本經文殘損七字，兹據乙本補；彼此經文基本一致。與今本勘校，除用同音假借字外，經義基本相同。淮南子原道訓：「以其無争於萬物也，故莫敢與之争。」即本老子此文。王念孫云：「案『莫敢』本作『莫能』，此後人依文子道原篇改之也，唯不與萬物争，故莫能與之争，所謂『柔弱勝剛彊』也。若云『莫敢』則非其旨矣。下文曰：『功大礦堅，莫能與之争。』老子曰：『夫唯不争，故天下莫能與之争。』又曰：『以其不争，故天下莫能與之争。』皆其證也。」王説誠是，帛書老子甲、乙本此句皆作「故莫能與之争」，不作「莫敢」。但無「天下」二字，與王氏所引有所不同。論之北京圖書館藏敦煌寫本殘卷，唐李榮老子道德經注、遂州龍興碑亦無「天下」二字，皆與帛書甲、乙本相同。可見老子原文當如此。今本作「故天下莫能與之争」者，爲後人依第六十六章文而贅增「天下」二字。

莊子天下篇「人皆求福，己獨曲全，曰『苟免於咎』。」孫子九地篇：「善爲道者，以曲爲全。」皆本「曲全」之説。老子云「古之所謂『曲則全』者」，可見「曲全」之説非始於老子，乃是當時流傳之古諺。帛書甲、乙本「幾語哉」，今本作「豈虚語」或「豈虚言哉」。「豈」字與「幾」乃雙聲疊韻，可互爲假用。如荀子榮辱篇：「幾直夫芻豢稻粱之縣糟糠爾哉！」楊倞注：「幾，讀爲『豈』。」史記黥布傳：「人相我當刑而王，幾是乎？」徐廣曰：「幾，一作『豈』。」皆其證。在此「幾」字當假爲「豈」，「豈語哉」猶言「豈只一句話」。今本增「虚」字，作「豈虚言哉」，如言「豈只一句空話」。「豈只一句話」與「豈只一句空話」，並無差異，故「虚」字有無不傷本義。愚以爲帛書甲、乙本作「豈語哉」爲老子舊文，今本「虚」字乃爲後人增添。

「誠全歸之」，則謂苟行曲實得全，復歸自然也。老子所謂「歸」者，皆謂復原或恢復。如第二十八章「復歸於嬰兒」，「復歸於無極」，「復歸於樸」。馬叙倫疑「此三句似注文」，蓋謂此爲注文誤入於經者。其實「歸」與「復歸」皆老子習用常語，兹校證於帛書，今本不誤，馬説非是。

本章原爲王弼、河上公等今本道經之第二十二章，據帛書甲、乙本勘校，今本錯簡，原二十四章當爲第二十二章，本章則爲第二十三章，依甲、乙本編次，故移於此。

道經校注

二十四（今本道經第二十三章）

甲本：希言自然，飄風不冬（終）朝，暴雨不冬（終）日。

乙本：希言自然，𩗗（飄）風不冬（終）朝，暴雨不238下冬（終）日。

王本：希言自然，故飄風不終朝，驟雨不終日。

傅奕本「希」字作「稀」，「終」字作「崇」，謂「稀言自然，故飄風不崇朝，驟雨不崇日」；景龍、易玄、邢玄、景福、慶陽、樓古、磻溪、孟頫、樓正、敦煌英、遂州、河上、顧歡、司馬、吴、林、焦諸本均無「故」字，作「飄風不終朝」；蘇轍本作「飄風不終朝，暴雨不終日」；范應元本作「暴雨不崇日」。

帛書甲、乙本經文相同，與王本勘校，「飄」前亦無「故」字，「驟雨」二字作「暴雨」。從經義分析，無「故」字者是；「驟雨」、「暴雨」誼同，當從帛書。奚侗云：「『希言』順乎自然，與第五章『多言數窮』相反。然以文例求之，必有偶語，上下或有脱簡。」馬叙倫亦謂「此句上下有脱文」。奚、馬二氏疑爲偶語，謂其上下有脱文者，無非是根據與其相鄰的今本第二十四章「企者不立，跨者不行」之文例，故而産生此疑。豈知今本第二十四章經文原也只有「企者不立」一句，「跨者不行」四字是由後人所增，老子原文並非偶語，句型文例均與本章一律。説見前文，奚、馬脱文之説非是。

河上公注：「『希言』者是愛言也，愛言者自然之道。『飄風』，疾風也；『驟雨』，暴雨也。言疾風不能長，暴雨不能久也。」蔣錫昌云：「按老子『言』字多指聲教法令而言。如二章『行不言之教』，五章『多言數窮』，十七章『悠兮其貴言』，均是。『希言』與『不言』、『貴言』同誼，而與『多言』相反。『多言』者，多聲教法令之治；『希言』者，少聲教法令之治。故一即有爲，一即無爲也。『自然』即自成之誼。『希言自然』，謂聖人應行無爲之治，而任百姓自成也。」

甲本：孰爲此，天地[138]〔而弗能久，又况於人乎〕！

乙本：孰爲此，天地而弗能久，有（又）兄（况）於人乎！

王本：孰爲此者？天地。天地尚不能久，而况於人乎！

景龍碑無「者」字，「尚」字作「上」，最後無「乎」字，謂「孰爲此？天地。天地上不能久，而況於人」；遂州本與之同，唯「上」字仍同王本作「尚」；易玄幢亦無「者」

字，作「孰爲此」；傅、顧二本作「孰爲此者，天地也」；邵若愚本末句作「而況人乎」。

帛書甲本殘損九字，乙本保存完好，可據補甲本缺文。與世傳今本相互勘校，彼此經文差異有二。一、「天地」二字今本重複兩次，甲、乙本僅出現一次。二、甲、乙本「孰爲此」，今本多作「孰爲此者」。如王本：「孰爲此者？天地。天地尚不能久，而況於人乎？」乃作問答句。如云「孰爲此者？天地」，問誰是使「飄風不終朝，暴雨不終日」者，答曰「天地」。謂天地是其爲之者。果真如此，豈不與第一章「無名萬物之始」相抵牾。第一章王弼注：「凡有皆始於無，故未形無名之時，則爲萬物之始。及其有形有名之時，則長之、育之、亭之、毒之，爲其母也。」萬物既始於道，飄風暴雨亦必因道而生。但是，此言「天地」，豈不違反「萬物得一以生」之旨？顯非老子之意。帛書甲、乙作：「孰爲此，天地而弗能久，又況於人乎！」是一陳述句，猶言孰使飄風暴雨如此，天地尚不能常久，又何況於人！不僅文暢義顯，而且符合「萬物作焉而不辭，生而不有，爲而不恃」之道義。由此可見，今本中之「者」與「天地」三字，皆爲後人妄增，非老子舊文，當從帛書甲、乙本爲是。

139
甲本：故從事而道者同於道，德者同於德，者（失）者同於失。同〔於德者〕，道亦德之。同於〔失〕者，道亦失之。

乙本：故從事而道者同於道，德者同於德，失者同於失。同於德239上者，道亦德之。同於失者，道亦失之。

王本：故從事於道者，道者同於道，德者同於德，失者同於失。同於道者，道亦樂得之；同於德者，德亦樂得之；同於失者，失亦樂得之。信不足焉，有不信焉。

景龍碑作「故從事而道者，道德之；同於德者，德德之；同於失者，道失之」；遂州本作「故從事而道者，道得之；同於德者，德得之；同於失者，道失之」；顧歡本作「故從事於道者，道者同於道，道得之。同於德者，德亦得之。失者同於失。同於道者，道亦樂得之；同於德者，德亦樂得之；同於失者，失亦樂失之」；司馬本作「故從事於道者同於道，德者同於德，失者同於失。同於道者，道亦得之；同於德者，德亦得之；同於失者，失亦失之」；傅奕本作「故從事於道者，道者同於道。從事於得者，得者同於得。從事於失者，失者同於失。於道者道亦得之，於得者得亦得之，於失者失亦得之」；易玄、邢玄、慶陽、樓古、磻溪、樓正、孟頫、敦煌英、范、彭、徽、邵、蘇、吳等諸本同作「故從事於道者，道者同於道，德者同於德，失者同於失。同於道者，道亦得之；同於德者，德亦得之；同於失者，失亦失之」；景福碑同王本，唯首句作「故從事於道」，無「者」字；河上本亦同王本，唯末句作「同於失者，失亦樂失之」，稍異。

帛書甲本「失者同於失」一句，第一個「失」字誤寫作「者」，抄寫之誤。經文與乙本相同，均作「故從事而道者同於道，德者同於德，失者同於失。同於德者，道亦德之。同於失者，道亦失之」。「德」、「得」二字古通用，在此「德」字皆假爲「得」。易順鼎云：「按『德者同於德』兩『德』字皆當作『得』，與下『失者同於失』相對。」今本此文從上舉所見，多紛異失真。俞樾云：「按下『道者』二字衍文也，本作『從事於道者同於道』，其下『德者』、『失者』蒙上『從事』之文而省，猶云『從事於道者同於道，從事於德者同於德，從事於失者同於失』也。淮南子道應篇引老子曰『從事於道者同於道』，可證古本不疊『道者』二字。王弼注曰：『故從事於道者，以無爲爲居，不言爲教，緜緜若存，而物得其真，於道同體，故曰「同於道」。』是王氏所據本正作『故從事於道者同於道』。」今與帛書甲、乙本勘校，進一步證明俞説誠是，用王弼此注釋帛書，經注正相契合。按：此節經文豈只僅衍「道者」二字，下文更甚。帛書甲、乙本「同於德者，道亦德之。同於失者，道亦失之」，王本衍作「同於道者，道亦樂得之；同於德者，德亦樂得之；同於失者，失亦樂得之」。易順鼎云：「王冰四氣調神大論篇注引此並無『樂』字。」論之帛書，王本何祇並衍「樂」字，「同於道者，道亦樂得之」整句皆衍，而且又將末句

「同於失者，道亦失之」誤作「同於失者，失亦樂得之」。王弼注：「言隨其所行，故同而應之。」樓宇烈王弼集校釋云：「此節注文意爲，道隨物所行而應之。因此節經文已誤，故注文難解。今據長沙馬王堆三號漢墓出土帛書老子甲、乙本，此節經文均作『同於德者，道亦德之，同於失者，道亦失之』。王注之義正同此。」

世傳今本多同王本，衍「信不足焉，有不信焉」。景龍、邢玄、慶陽、樓古、磻溪、樓正、敦煌英、顧、范、徽、邵、司馬、遂州、蘇、彭、焦諸本無「焉」字，衍作「信不足，有不信」。奚侗云：「二句與上文不相應，已見第十七章，此重出。」馬叙倫云：「此二句疑一本有十七章錯簡在此，校者不敢删，因複記之，成今文矣。」帛書甲、乙本均無此二句，足證奚、馬二氏之説至確，當據以删去。

本章原爲王弼、河上公等今本之第二十三章，據帛書甲、乙本勘校，今本錯簡，原二十二章當爲第二十三章，本章則爲第二十四章，依甲、乙本編次，故移於此。

道經校注

二十五（今本道經第二十五章）

甲本：有物昆（混）成，先天地生。繡（寂）呵繆（寥）呵，獨立〔而不改〕140，可以爲天地母。

乙本：有物昆（混）成，先天地生。蕭（寂）呵漻（寥）呵，獨立而不玹（改），可239下以爲天地母。

王本：有物混成，先天地生。寂兮寥兮，獨立不改，周行而不殆，可以爲天下母。

景龍碑「寥」字作「漠」，無「兮」與「而」二字，作「寂漠，獨立不改，周行不殆，可以爲天下母」；遂州本與之同，唯末句無「以」字，作「可爲天下母」；傅奕本作「寂兮寞兮，獨立而不改，周行而不殆，可以爲天下母」；范本與之同，唯末句作「可以爲天地母」；司馬本作「寂兮寥兮，獨立而不改，周行而不殆，可以爲天地母」；易玄、景福、慶陽、孟頫、樓正、敦煌英、河上、彭、徽、邵、蘇、吴、林、焦諸本與之同，唯「天地母」三字作「天下母」，稍異。

帛書甲、乙本經文相同，與王本勘校，有兩處重大差異。一、世傳今本皆同王本有「周行而不殆」一句，與「獨立不改」互成對文；帛書甲、乙本僅有「獨立而不改」一句。二、帛書甲、乙本同作「可以爲天地母」，世傳今本除范應元、司馬光二本與帛書相同外，其他皆同王本作「可以爲天下母」。

第一，帛書甲、乙本「獨立而不改」一句，今本作「獨立而不改，周行而不殆」，對文成偶。類似的問題，如前文帛書甲、乙本「企者不立」一句，今本作「企者不立，跨者不行」，對文成偶。今本二十三章「希言自然」一句，奚侗、馬叙倫據此故疑原亦爲對語，今有脱漏。帛書甲、乙本「企者不立」、「希言自然」、「獨立而不改」皆爲獨句，而今本多爲騈體偶文。如果問，帛書甲、乙本爲何同將此諸文下句脱掉，如此巧合一致，甚難思議。其實不難理解。騈體偶文，乃六朝盛行文體。諭之帛書足以説明，類似這種偶體對文，非老子原有，皆六朝人增入。

第二，范應元云：「『天地』字古本如此，一作『天下母』，宜從古本。」馬叙倫云：「范説是也。上謂『先天地生』，則此自當作『爲天地母』。成疏曰：『間化陰陽，安立天地。』則成亦作『天地』。」蔣錫昌云：「道德真經集注引王弼注『故可以爲天地母也』，是古王本『下』作『地』，當據改正。今本經注並作『下』，蓋皆經後人所改也。」今譣之帛書甲、乙本，進而證明老子原作「可以爲天地母」，非爲「天下母」，今本多誤。

「有物混成，先天地生。寂呵寥呵，獨立而不改，可以爲天地母」，謂之「有物」，則視之不見，聽之不聞，循之不得，故不可知亦不可名，謂之「混成」，既不知其所生，更不知其所由生。「先天地生」者，則不見其始，也不可能見其終也。所言道也。蔣錫昌云：「質言之，『道』即『物』，『物』即『道』也。道之成也，混然不可得而知，故曰『混成』。『有物混成，先天地生』，言有道混成，先天地而生也。」「寂兮寥兮，獨立不改」，王弼注：「『寂寥』，無形體也。無物匹之，故曰『獨立』也。返化終始，不失其常，故曰『不改』也。」按道之屬性，無聲無形，永恒不易。嚴復云：「不生滅，無增減，萬物皆對待，而此獨立；萬物皆遷流，而此不改。」第一章「無名，萬物之始」，説明無名之道不僅「先天地生」，而且是天地由其所生，故道爲天地之根源。

甲本：吾未知其名，字之曰道。吾强爲之名曰大，大曰筮（逝），筮（逝）曰〔遠，遠曰返〕。

乙本：吾未知其名也，字之曰道。吾强爲之名曰大，大曰筮（逝），筮（逝）

曰遠，遠曰反（返）。

王本：吾不知其名，字之曰道，强爲之名曰大，大曰逝，逝曰遠，遠曰反。

樓古本「字」上有「强」字，作「强字之曰道」；范本作「故强字之曰道」；傅本與之同，唯末句「反」字作「返」；景龍碑第三句作「吾强爲之名曰大」，末句「反」字亦作「返」；司馬本作「强名之曰大」；易玄、磻溪、孟頫、樓正、顧、邵、遂州等諸本「反」字均作「返」，謂「遠曰返」。

帛書甲本殘損四字，乙本保存完好，可據補甲本缺文。乙本較甲本多一虚詞「也」字，其餘全同。與今本勘校，經文基本一致，經義無别。

奚侗云：「『曰』訓『于』，此見詩園有桃『子曰何其』鄭箋。『逝』，王注：『行也。』既『大』矣，于是周流不息；既『逝』矣，于是無遠弗届；既『遠』矣，于是復反其根。」蔣錫昌云：「『逝』者，指道之進行而言，即宇宙歷史自然之演進也。『遠』者，謂宇宙歷史演進愈久，則民智愈進，奸僞愈多，故去真亦愈遠也。『反』爲『返』之假，謂聖人處此去真愈遠之時，應自有爲返至無爲，自複雜返至簡單，自巧智返至愚樸，自多欲返至寡欲，自文明返至鄙野也。『大曰逝，逝曰遠，遠曰反』，謂道既大而無所不包矣，於是成爲世界而刻刻演進；世界既刻刻演進矣，於是民智愈進，去真愈遠；人民既去真愈遠矣，聖人當以無爲爲化，而有以返之也。四十章『反者道之動』，與此互相發明，可合觀之。」

甲本：〔道大〕141，天大，地大，王亦大。國中有四大，而王居一焉。

乙本：道大，天大，地大，王亦大240上。國中有四大，而王居一焉。

王本：故道大，天大，地大，王亦大。域中有四大，而王居其一焉。

景龍碑無「故」、「亦」、「其」、「焉」四字，「居」字作「處」，謂「道大，天大，地大，王大。域中有四大，而王處一」；傅本作「道大，天大，地大，人亦大。域中有四大，王處其一尊」；范本作「道大，天大，地大，人亦大。域中有四大，而人居其一焉」；遂州本作「故道大，天大，地大，王大。域中四大，而王居一」；徽、邵、彭三本末句作「而王處一焉」；蘇本作「而王居一焉」。

帛書甲本殘損二字，經文與乙本相同。與今本勘校，甲、乙本「國」字，今本多同王本作「域」；或個別虛詞稍別，彼此經義基本一致。唯傅、范二本「王」字作「人」。范應元云：「『人』字，傅奕同古本，河上公本作『王』。觀河上公之意，以爲王者人中之尊，固有尊君之義。然按後文『人法地』，則古本文義相貫。況人爲萬物之最靈，與天地並立而爲三才，身任斯道，則人實亦大矣。」陳柱云：「説文大部『大』下云：『天大，地大，人亦大焉，象人形。』是許君所見作『人亦大』也。段玉裁注云：『老子：「道大，天大，地大，人亦大。……人法地，地法天，天法道。」』則段氏疑亦作『人亦大』也，不然應中言今本作『王亦大』矣。今據正。人爲萬物之靈，爲天演中最進化之物，故曰『人亦大』。」今論之帛書甲、乙本，均作「王亦大」，與王弼、河上公及其他今本多同。范應元、陳柱所謂「人亦大」者，非老子原文。

説文戈部：「域，邦也。」口部：「國，邦也。」「國」字與「域」同音同義，乃異體同源，故「國中」、「域中」無别也。王弼注：「天地之性人爲貴，而『王』是人之主也，雖不職大，亦復爲大。與三匹，故曰『王亦大』也。『四大』，『道』、『天』、『地』、『王』也。凡物有稱有名，則非其極也。言道則有所由，有所由然後謂之爲道，然則道是稱中之大也。不若無稱之大也。無稱不可得而名，故曰『域』也。『道』、『天』、『地』、『王』皆在乎無稱之内，故曰『域中有四大』者也。」蔣錫昌云：「按『道』先天地生，其爲物也，不可致詰。老子謂『道』與『天』、『地』、『王』同在『域中』，然則此『域中』之範圍，尤非後人所可致詰。故王弼注：『無稱，不可得而名，曰「域」也。「道」、「天」、「地」、「王」皆在乎無稱之内，故曰「域中有四大」者也。』今人陳柱以爲『域』當作宇宙解，其誼太狹，恐非老子本誼也。『域中有四大，而王處其一焉』，謂『域中』有可名爲大者四，而王處其一也。此言所以明聖王得道體之一，故當貴而行之也。」

甲本：人法地，地法〔天，天法道，道法自然〕。

乙本：人法地，地法天，天法道，道法自然。

王本：人法地，地法天，天法道，道法自然。

世傳今本多同王本，唯金寇才質道德真經四子古道集解（道藏過一——過十）首句「人」字作「王」，謂「王法地」。

帛書甲本殘損較甚，僅存五字；乙本保存完好，經文與今本相同，可據補甲本缺文。

王弼注：「法，謂法則也。人不違地，乃得全安，法地也。地不違天，乃得全載，法天也。天不違道，乃得全覆，法道也。道不違自然，乃得其性，法自然也。法自然者，在方而法方，在圓而法圓，於自然無所違也。自然者，無稱之言，窮極之辭也。用智不及無知，而形魄不及精象，精象不及無形，有儀不及無儀，故轉相法也。道法自然，天故資焉。天法於道，地故則焉。地法於天，人故象焉。王所以爲主，其主之者一也。」唐李約道德真約新注（道藏能一——能四）標點此經與傳統讀法不同，將其讀作「王法地地，法天天，法道道，法自然」。李注云：「『道大，天大，地大，王亦大』，是謂『域中四大』。蓋王者『法地』、『法天』、『法道』之三自然而理天下也。天下得之而安，故謂之『德』。

凡言人屬者耳，其義云『法地地』，如地之無私載。『法天天』，如天之無私覆。『法道道』，如道之無私生成而已。如君君、臣臣、父父、子子之例也。後之學者謬妄相傳，皆云『人法地，地法天，天法道，道法自然』。則域中有五大非四大矣。豈王者只得『法地』，而不得『法天』、『法道』乎？天地無心，而亦可轉相法乎？又況『地法天，天法道，道法自然』，是道爲天地之父，自然之子，支離決裂，義理疏遠矣。」李説雖辨，而歷代學者多棄之不用，或謂「乃小兒牙牙學語」，單詞重疊，非老子之文。雖説不詞，但確爲古之一説，況且如今尚有信從者。按「人法地，地法天，天法道」，所言非謂「王者只得『法地』而不得『法天』、『法道』」，而謂人、地、天皆法於道也。若此句法如四十二章「道生一，一生二，二生三，三生萬物」。此雖謂「三生萬物」，不言而喻，生萬物者當爲「道」，絶不會理解爲生萬物者「三」耳。

道經校注

二十六（今本道經第二十六章）

甲本：〔重〕142爲巠（輕）根，清（靜）爲趮（躁）君，是以君子衆（終）日行，不蘺（離）其甾（輜）重。

乙本：重爲輕根，靜爲趮（躁）君，是以君240下子冬（終）日行，不遠其甾（輜）重。

王本：重爲輕根，靜爲躁君，是以聖人終日行，不離輜重。

傅奕本「靜」字作「靖」，「聖人」二字作「君子」，「離」下有「其」字，謂「重爲輕根，靖爲躁君，是以君子終日行，不離其輜重」；景龍、易玄、樓古、磻溪、孟頫、樓正、敦煌英、范、彭、徽、邵、司馬、蘇、吳、林等諸本「聖人」二字均作「君子」，謂「是以君子終日行，不離輜重」；遂州本作「是以君子行，終日不離輜重」。

帛書甲本僅殘損一字，乙本完好無損。甲本假借字較乙本多，而且使用字詞也有差異。如甲本「不離其輜重」，乙本作「不遠其輜重」，「遠」、「離」二字義同，故彼此經義無別。帛書甲、乙本與王本勘校，其中主要差異是帛書「君子」二字王本作「聖人」。但是，景龍、易玄諸碑本，敦煌寫本，傅、范古本，司馬、蘇轍等宋本皆作「君子」，韓非子喻老篇引此文亦作「君子」。今由帛書甲、乙本證之，作「君子」者是，「聖人」乃是由後人妄改。

喻老篇云：「制在己曰『重』，不離位曰『静』。重則能使輕，静則能使躁。故曰『重爲輕根，静爲躁君』。故曰『君子終日行，不離輜重』也。」王弼注：「凡物，輕不能載重，小不能鎮大。不行者使行，不動者制動。是以重必爲輕根，静必爲躁君也。以重爲本，故不離。」朱謙之云：「方日升韻會小補引：説文：『輜，軿車前、衣車後，從車甾聲。』徐曰：『所謂庫車。』字林：『載衣物車，前後皆蔽。』左傳宣十二年正義引説文云：『輜，一名軿，前後蔽也。』後輿服志注：『軿車有衣蔽無後轅者，謂之輜。』釋名：『輜，屏也；有邸曰輜，無邸曰軿。』又光武紀注：『釋名：「輜，厠也。」謂軍糧什物雜厠載之，以其累重，故稱輜重。』又前韓安國傳『擊輜重』，師古曰：『輜，謂衣車；重，謂載重物車。故行者之資，總曰輜重。』（卷二）方氏所考甚明，蓋輜重爲載物之車，前後有蔽；載物有重，故謂『輜重』。古者吉行乘乘車，師行乘兵車，皆有輜重車在後，此喻君子終日行，皆當以重爲本，而不可輕舉妄動也。」

甲本：唯（雖）有環（營）官（觀），燕處（則超）[143]若。

乙本：雖有環（營）官（觀），燕處則昭（超）若。

王本：雖有榮觀，燕處超然。

世傳今本多同王本，唯傅、范二古本「燕」字作「宴」，謂「雖有榮觀，宴處超然」。帛書甲本「雖」字寫作「唯」，「燕處」下殘損二字；乙本保存完好，彼此經文基本相同。與今本勘校有兩處差異：如今本「榮觀」二字，甲、乙本皆作「環官」；今本「超然」二字，甲、乙本皆作「昭若」。

今本「雖有榮觀，燕處超然」，范應元注：「觀，一作『館』。」傅、范二本「燕」字又作「宴」。關於此句經文，過去有多種解釋，蓋見仁見智，衆說紛紜。兹擇其主要者略舉如下：

一、河上公注：「『榮觀』謂宫闕，燕處后妃所居也。『超然』，遠避而不處也。」

二、吴澄云：「雖有榮華之境，可以遊觀。」蔣錫昌承之曰：「此言道中雖有榮華之境，可供遊觀，然彼仍安隨輜重之旁，超然物外，而不爲所動也。」

三、勞健引宋女道士曹沖之解云：「游觀、榮觀，無所繫著。」蘇轍云：「『榮觀』雖樂，而必燕處，重静之不可失。」焦竑云：「榮觀，紛華之觀也。公羊傳曰：『常事曰「視」，非常曰「觀」。』處，上聲；『燕處』猶燕居，超然高出而無繫者也。」

四、馬叙倫云：「『榮觀』是『營衛』之借，此承上行言。史記五帝本紀曰：『遷徙往來無常處，以師兵爲營衛。』説文：『營，帀居也。』『衛，宿衛也，從韋帀行。』尋『行』，甲文作『卝』；『衛』，甲文作『[illegible]』。蓋會四方守衛之義，『營』、『衛』其義一也。『榮』、『營』並從熒省聲，得通假。『觀』借爲『衛』者，『脂』、『歌』聲近，『歌』、『元』對轉也。」高亨云：「『營』、『榮』通用，『營』者周垣也；『觀』當讀『垣』；謂『營觀』即『營垣』。説文曰：『垣，牆也。』所居之處繞以營垣，與行乘輜重有衣之車以自衛。『雖』當爲『唯』。……『超然』者，高脱無累之義。言唯有營垣乃能安居無所危懼也。」

五、謂「榮觀」爲榮華瞻觀。顔氏家訓名實篇：「立名者，脩身慎行，懼榮觀之不顯，非所以讓名也。」想爾注：「天子王公也，雖有榮觀，爲人所尊，務當重清静，奉行道誡也。」

六、帛書研究組云：「『環官』通行本作『榮觀』，范應元注：『觀，一作館。』説文：『館，客舍。』周禮遺人：『五十里有市，市有候館。』注：『樓可以觀望者也。』蒼頡篇：『闤，市門也。』疑『環官』讀爲『闤館』，『闤』與『館』乃旅行必經之處，極躁之地。」

由上所舉，可見過去注説之繁，尤其是帛書老子出土之後，今本「榮觀」甲、乙本均作「環官」，帛書研究組謂爲「闤館」，使問題更加複雜。「榮觀」、「環官」究竟有何關係？哪個爲是？均未得到確切解決。

按：「榮觀」又作「榮館」，帛書作「環官」。此三者用字雖不同，詞義完全一致，同指一種事物。正如馬叙倫云：「『榮』、『營』通假。」「榮」、「營」二字均從熒省，古音屬喻紐耕部字，「環」在匣紐元部，「營」、「環」二字音同通用。如韓非子五蠹篇「自環者謂之私」，説文引作「自營爲私」，即其證。「營」在此爲動詞，有營築、營建之義。「觀」、「館」、「官」三字古皆爲雙聲叠韻，在此通作「觀」。「雖有營觀，燕處超然」，「營觀」與「燕處」互成對語，係指兩種不同規格的居處。釋名釋宫室：「觀，觀也，於上觀望也。」左傳哀公元年「宫室不觀」，杜注：「觀，臺榭也。」「觀」爲樓臺亭榭之總稱，「營觀」則謂營建之樓臺亭榭。漢書蔡義傳「願賜清閒之燕」，顔師古注：「燕，安息也。」「燕處」亦作「宴處」，猶「燕居」。禮記仲尼燕居注云：「退朝而處曰『燕居』。」甲、乙本「昭若」當從今本作「超然」，「昭」、「超」二字同音，「若」、「然」二字義同。王引之經傳釋詞卷七：「『若』猶『然』也。易乾九三曰：『夕惕若厲。』離六五曰：『出涕沱若，戚嗟若。』……詩氓曰『其葉沃若』，皇皇者華曰『六轡沃若』，並與『然』同義。」經文猶謂：

雖有營建之樓臺亭榭以供享用，彼乃超然物外，樂於燕居，安閒靜處，仍承前文「君子終日行，不離其輜重」之旨。

甲本：若何萬乘之王，而以身巠（輕）於天下？巠（輕）則失本，趮（躁）則失君。

乙本：若何萬乘之王，而以身輕於天下？輕則失本，趮（躁）則失241上君。

王本：奈何萬乘之主，而以身輕天下？輕則失本，躁則失君。

景龍碑「奈」字作「如」，無「而」字，「本」字作「臣」，謂「如何萬乘之主以身輕天下？輕則失臣，躁則失君」；景福碑作「奈何萬乘之主，而以身輕於天下？輕則失臣，躁則失君」；徽、邵、彭三本作「如何萬乘之主，而以身輕天下？輕則失臣，躁則失君」；傅、范二本首句作「如之何萬乘之主，而以身輕天下」；易玄、邢玄、慶陽、樓古、磻溪、孟頫、樓正、敦煌英、河上、顧、司馬、蘇、林諸本後二句作「輕則失臣，躁則失君」；吴、焦二本作「輕則失根，躁則失君」。

帛書甲、乙本經文相同，與今本勘校，有兩處差異。一、甲、乙本「萬乘之王」，今本皆作「萬乘之主」。二、甲、乙本「輕則失本」，今本除同王本作「輕則失本」外，還有作「輕則失臣」或「輕則失根」之異。

一、帛書甲、乙本「萬乘之王」，今本皆作「萬乘之主」，「王」與「主」二字涵義不同。但是，此當從甲、乙本作「王」字爲是，今本作「主」字者，乃由後人誤改。茲舉三證如下：其一、戰國時代文字，「王」字多寫作「𤣩」，字形頗像「主」，此可參見古璽文編與拙著古陶文字徵。因「王」與「主」二字古體相似，故後人抄寫有誤。其二、「萬乘」指萬輛軍車，是戰國時代對諸侯大國軍事實力的稱謂，如孟子梁惠王章句：「萬乘之國弒其君者，必千乘之家。」墨子非攻：「今萬乘之國。」銀雀山漢簡孫臏兵法八陣：「夫安萬乘國，廣萬乘王。」當時擁有萬乘兵車之大國皆相繼稱王。此言「萬乘之王」，即孫臏所言「萬乘王」也。其三、老子稱諸侯爲「侯王」或「王」。如第三十二章「侯王若能守之，萬物將自賓」；三十七章「侯王若能守，萬物將自化」；三十九章「侯王得一以爲天下正」；二十五章「道大，天大，地大，王亦大。域中有四大，王居其一焉」；七十八章「受國之不祥，是謂天下之王」。「侯王」與「王」誼同，皆指萬乘之國的國君，從而足證今本所謂「萬乘之主」者，實因「主」、「王」二字形近而誤，此當從帛書甲、乙本作「萬乘之王」。

二、俞樾云：「按河上公本作『輕則失臣』。注云：『王者輕淫，則失其臣。』竊謂兩本均誤。永樂大典作『輕則失根』，當從之。蓋此章首云『重爲輕根，靜爲躁君』，故終之曰：『輕則失根，重則失君。』言不重則無根，不静則無君也。……至河上公作『失臣』，殆因下句『失君』之文而臆改耳。」馬叙倫亦謂：「『輕』、『躁』義非絶異，『君』、『臣』不得對舉。今作『臣』者，後人據誤本老子改之耳。老子本作『根』，傳寫脱譌成『木』，後人改爲『本』以就義。亦有作『艮』者，後人以形近改爲『臣』，以就下句之『君』字。其實以『根』韻『君』，下二句申上二句之義耳。」劉師培云：「案韓非子喻老篇曰：『邦者，人君之輜重也。主父生傳其邦，此離其輜重者也。故雖有代、雲中之樂超然，已無趙矣。主父萬乘之主，而以身輕於天下，無勢之謂輕，離位之謂躁，是以生幽而死。故曰「輕則失臣，躁則失君」。主父之謂也。』據韓非子此文，則老子古本當作『臣』。河上本所據蓋不誤也。後人據上文『重爲輕根，静爲躁君』二語，疑此『根』、『君』對文，遂改『臣』爲『根』。『本』爲旁注之字，刊王本者據以入正文。俞轉以作『根』爲是，非也。」按俞樾、馬叙倫皆主「輕則失根，躁則失君」，劉師培謂爲「輕則失臣，躁則失君」。三氏之説雖辨，但皆有不周之處。如劉氏據韓非子喻老篇所云趙武靈王生傳王位於太子何之事作「失臣」之證，誤甚。韓非以「主父生傳其邦」爲喻，則稱「輕則失臣，躁則失君，主父之謂也」。豈不知此乃以法釋道，甚違道家之旨。老子主張「功遂身退天之道」，主父所爲正合此旨，韓非將其喻爲「輕則失臣，躁則失君」，不僅違背老子清静無爲思想，並與本章「雖有營觀，燕處超然」相抵牾。尤其是改「本」字爲「臣」，謂「輕則失臣，躁則失君」。上言「臣」，下言「君」，君臣倒置，違反常理，故韓非之説不足據也。俞、馬二氏「失根」之説，前言「根」，後又言「根」，義順而言重。帛書甲、乙本與王本俱言「輕則失本，躁則失君」。「本」乃承前文「根」字而言，不僅詞順音諧，而且誼勝。

「若何萬乘之王，而以身輕於天下？輕則失本，躁則失君」，老子以懷疑之詞疾時王「以身輕於天下」。「以身輕於天下」，「於」猶「爲」也，説見經傳釋詞卷一，即輕以身爲天下。則同第十三章「貴以身爲天下」、「愛以身爲天下」之反誼。王弼注：「無物可以易其身，故曰『貴』也。無物可以損其身，故曰『愛』也。」此可以謂無物可以賤其身，故曰「輕」也。即以身爲天下最輕最賤。萬乘之王以身爲天下最輕最賤，則縱欲自殘，身不能治。身者人之本也，傷身失本，身且不保，焉能寄重託民。萬乘之王縱欲自輕，急功好事，必親離勢危，喪國亡身。

道經校注

二十七（今本道經第二十七章）

甲本：善行者无勶（轍）迹，〔善〕[144]言者无瑕適（謫）。

乙本：善行者无達（轍）迹，善言者无瑕適（謫）。

王本：善行無轍迹，善言無瑕讁。

景龍碑與王本同，唯「瑕」字作「瘕」，稍異；景福、司馬、范三本「行」、「言」下均有「者」字，「讁」字作「謫」，謂「善行者無轍迹，善言者無瑕謫」；傅奕本作「善行者無徹迹，善言者無瑕謫」；磻溪、孟頫、樓正、顧、徽、蘇、彭、焦諸本末句均作「善言無瑕謫」。

帛書甲本「善言」之「善」字殘損，乙本保存完好，唯「轍迹」二字作「達迹」，彼此稍異。同今本勘校，主要差異爲：帛書甲、乙本「善行」、「善言」之下皆有「者」字，下文「善數」、「善閉」、「善結」之下亦如是，每句皆有「者」字。世傳今本中，唯傅奕、范應元二本與景福碑等每句有「者」字，與帛書甲、乙本同，其他諸本多同王本，五句皆無「者」字。從經文内容分析，有則是，無則脱。諭之古籍，淮南子道應訓引下文「善閉」、「善結」之下皆有「者」字，足證老子原本如此，今本多脱誤，均當據帛書甲、乙本補正。

帛書甲本「徹迹」二字，乙本作「達迹」，世傳今本多同王本作「轍迹」。按甲本「徹」字、乙本「達」字，皆「轍」字之假。「轍」、「達」二字古同爲定紐月部，「徹」字在透紐月部，古讀音皆相同通假。爾雅釋訓「不徹不道也」，注：「徹，亦道也。」郝懿行義疏云：「『徹』者，通也，達也。『通』、『達』皆道路之名，故曰『徹亦道也』。『徹』之言『轍』，有軌轍可循。釋文：『徹，直列反。』則讀如『轍』。」蔣錫昌云：「『徹』爲『轍』之借字，説文：『轍，迹也。』蓋『徹』爲車跡，『跡』爲馬跡。車跡者，車輪輾地所留之跡；馬跡者，馬足奔馳所留之跡。二跡雖同，而其所以爲跡則異。御覽車部五轍引左傳：『昔穆王欲肆其心，周行天下，時莫不有車轍馬跡焉。』『車轍馬跡』即此文『徹跡』。莊子胠篋篇：『足跡接乎諸侯之境，車軌結乎千里之外。』『足跡』亦指馬跡而言，『車軌』亦指車跡而言，並其證也。『善行無徹跡』，言善行之人無車徹馬跡。以譬人君治國，不貴有形之作爲，而貴無形之因仍也。」

畢沅云：「開元石刻『謫』作『讁』，俗。」奚侗云：「行不言之教，故無瑕謫。瑕，過也。見詩狼跋『德音不瑕』毛傳。讁，責也。見小爾雅廣言。」善言之所謂言，則言出於不言。如第二章聖人「行不言之教」，則民「自化」、「自正」、「自富」、「自樸」，故無過可責矣。

甲本：善數者不以檮（籌）䇿（策）。善閉者无閘（關）籥（鑰）而不可啓也。善結者（无纆）145約而不可解也。

乙本：善數者不用檮（籌）笍（策）。善閉者无關籥（鑰）而不可241下啓也。善結者无纆約而不可解也。

王本：善數不用籌策，善閉無關楗而不可開，善結無繩約而不可解。

景龍、孟頫、河上、吴澄、焦竑諸本「數」字作「計」，謂「善計不用籌策」；易玄、邢玄、樓古、磻溪、顧、敦煌英、彭、徽、邵、蘇諸本作「善計不用籌筭」；樓正、遂州二本作「善計不用籌算」；司馬本作「善計不籌筭」；傅、范二本作「善數者無籌策」；景福碑與之同，唯「籌策」二字殘損。景福、司馬二本「閉」下有「者」字，作「善閉者無關楗而不可開」；傅奕本與之同，唯「楗」字作「鍵」；河上本作「善閉無關揵而不可開」；邵、吴二本與之同，唯「揵」字作「鍵」；景龍碑作「善閉無關鍵不可開」；遂州、顧歡二本作「善閉無關楗不可開」；范應元本作「善閉者無關楗」，無「而不可開」四字。景福、傅奕、司馬三本「結」下有「者」字，作「善結者無繩約而不可解」；景龍碑、遂州本作「善結無繩約不可解」；顧本作「善結無繩約不可以解」；范應元本只作「善結者無繩約」，無「而不可解」四字。

帛書甲、乙本「關籥」二字，王本作「關楗」，世傳今本也有作「關鍵」者。范應元云：「楗，拒門木也，或從金傍，非也。橫曰『關』，竪曰『楗』。」范説不確。廣雅釋宫：「投謂之籥，鍵、笠、扊，户牡也。」王念孫疏證云：「『籥』字或作『鑰』，又作『籥』。『鍵』字或作『楗』。鄭注金縢云：『籥，開藏之管也。』越語『請委管籥』，韋昭注云：『管籥，取鍵器也。』周官司門『掌授管鍵，以啓閉國門』，鄭衆注云：『管，謂籥也；鍵，謂牡。』月令『脩鍵閉，慎管籥』，鄭注云：『鍵牡，閉牡也。管籥，搏鍵器也。』正義云：『管籥，以鐵爲之，似樂器之管籥，搢於鎖内以搏取其鍵也。』」小爾雅廣服：「『鍵』謂之『鑰』。」方言：「户鑰，自關之東、陳楚之間謂之『鍵』，自關之西謂之『鑰』。」史記魯仲連傳：「魯人投其籥，不果納。」正義曰：「籥，即鑰匙也。」帛書甲、乙本「關籥」即越語、月令之「管籥」；今本「關鍵」或「關楗」，即周禮地官司門之「管鍵」。同爲一物，即史記正義所云「鑰匙」。帛書甲、乙本「不可啓」三字，今本作「不可開」，「啓」、「開」義同。書堯典「胤子朱啓明」，僞孔傳：「啓，開也。」論語述而「不憤不啓」，皇疏：「啓，開也。」再如帛書乙本「无纆約」，甲本「无纆」二字殘損，世傳今本皆同王本作「無繩約」。説文糸部：「繩，索也。」「纆，索也。」「繩」字與「纆」爲同義詞，故「纆約」猶「繩約」。則帛書本之「關籥」、「啓」、「纆約」，同今本之「關楗」、「開」、「繩約」。彼此用詞雖異，而意義相同，經誼無别。

王弼注：「因物之數，不假形也，因物自然，不設不施，故不用『關楗』、『繩約』，而不可開解也。此五者，皆言不造不施，因物之性，不以形制物也。」「此五者」即指「善行」、「善言」、「善數」、「善閉」、「善結」而言。吕吉甫云：「一與言爲二，二與一爲三，自此以往，巧歷不能算。唯得一而忘言者，爲能致數。致數則其計不可窮矣，故曰『善計不用籌算』。天門無有關闔，關闔在我。我則不關，誰能開之，故曰『善閉無關楗而不可開』。天下有常然者，約束不以纆索，因其常然而結之，故曰『善結無繩約而不可解。』」此僅舉「行」、「言」、「數」、「閉」、「結」五事爲喻，遍謂人世間諸事諸物皆應以物之性，因物之數，順乎自然，已則不造不施，不言止行，修本偃智，守静無爲。

甲本：是以聲（聖）人恒善怵（救）人，而无棄人，物无棄財（材），是胃（謂）恞（襲）明。

乙本：是以耶（聖）人恒善怵（救）人，而无棄人，物无棄財（材），是胃（謂）

曳（襲）明。

王本：是以聖人常善救人，故無棄人，常善救物，故無棄物，是謂襲明。

景龍、遂州、敦煌丁三本「故」字均作「而」，謂「是以聖人常善救人，而無棄人；常善救物，而無棄物」；顧歡本與之同，僅第一個「故」字作「而」。傅、范二本作「是以聖人常善救人，故人無棄人；常善救物，故物無棄物」。

帛書甲、乙本除個別借字彼此稍有差異外，經文相同。與今本勘校，甲本「聲人」與乙本「耶人」二字，當從今本作「聖人」。甲本「⿰忄曳明」二字，乙本作「曳明」，今本作「襲明」。「⿰忄曳」、「曳」、「襲」古音相同，此亦當從今本讀作「襲明」。河上公注：「謂襲明大道也。」奚侗云：「襲，因也，見禮記中庸『下襲水土』鄭注。『明』即十六章及五十五章『知常曰明』之『明』。『襲明』謂因順常道也。」帛書甲、乙本與今本之主要區別則是：甲、乙本「是以聖人恒善救人，而无棄人，物无棄材，是謂襲明」，今本作「是以聖人常善救人，故無棄人；常善救物，故無棄物，是謂襲明」。今本不僅較甲、乙本多出「常善救物」一句，而且又將「物无棄材」變作「故無棄物」、「而無棄物」或「故物無棄物」等。從而可見，帛書甲、乙本與今本之間，其中必有一誤。晁説之云：「『常善救人，故無棄人；常善救物，故無棄物』，獨得諸河上公，而古本無有也，賴傅奕辨之爾。」奚侗云：

「淮南子道應訓引老子曰：『人無棄人，物無棄物，是謂襲明。』以文義求之，今本挩二句。」蔣錫昌云：「按是句上似有『人無棄人，物無棄物』二句。淮南所引，或係古本如此。陸德明出『所好，呼報反；裕，羊注反；長，丁丈反』三音，均不見今經注，疑即係此二句之注。老子經文脱，王注又脱，獨釋文未脱，故陸氏所出三音，後人竟莫知其所由來。然老子原文究竟如何，書缺有間，旁證又少，故亦斷非後人所能知也。」綜上所述，晁氏據傅奕説自「常善救人」至「故無棄物」四句古本無，獨河上本有之。奚氏據淮南道應訓引老子「人無棄人，物無棄物」，謂今本脱此二句。蔣氏則謂老子原文究竟如何，斷非後人所能知。但自帛書甲、乙本出土之後，此一公案已得到徹底解決。帛書甲、乙本皆作「是以聖人恒善救人，而無棄人，物無棄材，是謂襲明」。中間「而無棄人」與「物無棄材」兩句銜接，無「常善救物」一句，此正與淮南道應訓所引「人無棄人，物無棄物」句型相近，可見老子古本當如此。但因淮南引文有誤，故奚侗疑爲脱句。文子自然篇引老子此文正作「人無棄人，物無棄材」，與帛書甲、乙本相同，只第一個「人」字甲、乙本作「而」，從經義分析，前一個「人」字當作虛詞「而」字爲是。足證帛書甲、乙本「是以聖人恒善救人，而无棄人，物無棄材，是謂襲明」當爲老子原本之舊，今本經文與各家校釋，皆有訛誤。

王弼注：「聖人不立形名以檢於物，不造進向以殊棄不肖，輔萬物之自然而不爲始，故曰『無棄人』也。不尚賢能，則民不争；不貴難得之貨，則民不爲盜；不見可欲，則民心不亂。常使民心無欲無惑，則無棄人矣。」王注於此則止，而於「常善救物，故無棄物」無注。王弼爲何於此文無注，則難以知曉。此應以帛書承前文而作「物无棄材，是謂襲明」。猶言聖人不賤石貴玉，視之如一，使各盡其用，而無棄廢，行此而可順常道矣。

甲本：故善（人，善人）146之師；不善人，善人之齎（資）也。不貴其師，不愛其齎（資），唯（雖）知（智）乎大眯（迷），是胃（謂）眇（妙）要。

乙本：故善人，善人之師；不242上善人，善人之資也。不貴其師，不愛其資，雖知（智）乎大迷，是胃（謂）眇（妙）要。

王本：故善人者，不善人之師；不善人者，善人之資。不貴其師，不愛其資，雖智大迷，是謂要妙。

景龍碑與敦煌丁、顧歡二本無「故」及二「者」字，作「善人，不善人之師；不善人，善人之資」；易玄、慶陽、磻溪、樓古、孟頫、樓正、傅、范、彭、徽、邵、蘇、吴、遂州、焦諸本均無二「者」字，作「故善人，不善人之師；不善人，善人之資」。景龍碑與敦煌丁、傅奕二本「智」字作「知」，「是」字作「此」，謂「雖知大迷，此謂要妙」；易玄、慶陽、磻溪、樓正、顧、范、司馬、吴等諸本第三句「智」字作「知」，謂「雖知大迷」；遂州本第四句「是」字作「此」，謂「此謂要妙」。

帛書甲本殘損三字，乙本保存完好，彼此除所用假借字稍有差異外，經文完全一致。與今本勘校，其中主要區别是：帛書甲、乙本「故善人，善人之師」，世傳今本多同王本作「故善人，不善人之師」或「故善人者，不善人之師」。一作「善人之師」，另一作「不善人之師」，雖僅一字之差，彼此義意却大相徑庭。河上公注：「人之行善者，聖人即以爲人師。」並未依經文注明爲「善人師」或「不善人師」。王弼注：「舉善以師不善，故謂之師矣。」王注則依經文説明善人爲不善人師。因而有學者據此將甲、乙本改從今本，變作「故善人，不善人之師」。此一舉動却畫蛇添足，而幫了倒忙。其實稍一認真，即可發現今本訛誤，帛書經文爲是。我們可依據韓非子喻老篇對「不貴其師，不愛其資」之比喻，來判斷「善人，善人之師」與「善人，不善人之師」二者究竟孰是孰非。喻老篇云：「周有玉版，紂令膠鬲索之，文王不予；費仲來求，因予之。是膠鬲賢而費仲無道也，周惡賢者之得志也，故予費仲。文王舉太公於渭濱者，貴之也；而資費仲玉版者，是愛之也。故曰：『不貴其師，不愛其資，雖知大迷，是謂要妙。』」韓非用文王予費仲玉版之事，以喻「愛資」。内儲説下云：「文王資費仲而游於紂之旁，令之諫紂而亂其心。」韓非在這裏清楚地説明了「不善人，善人之資」的具體内容，「不善人」指費仲，「善人」指文王。韓非又以文王舉太公之事，以喻「貴師」，從而又説明了「善人，善人之師」的具體内容，前一「善人」指太公，後一「善人」顯然還是指文王。由此可見，韓非喻老篇所解老子此文，必與帛書甲、乙本相同。從而又可證明帛書甲、乙本「故善人，善人之師；不善人，善人之資」是正確的，保存了老子原文。今本所謂「故善人，不善人之師」者，無疑是由後人妄改，舊注亦多訛誤。

「善人，善人之師」，韓非以文王舉太公喻之；「不善人，善人之資」，韓非以文王予費仲玉版喻之，其説甚是。但是，貴師愛資皆因道微德衰所至。治世以道，善惡泯滅，師資俱無，貴愛無有，聖人所重則在道行，不在師資。蔣錫昌云：「還淳反樸，不貴師資，此乃聖人救人物之法也。顧此法雖智，而世人則大惑不解，此其所以終成爲精要玄妙之道也。」

道經校注

二十八（今本道經第二十八章）

甲本：知其雄，守147其雌，爲天下溪。爲天下溪，恒德不雞（離）。恒德不雞（離），復歸嬰兒。

乙本：知其雄，守其雌，爲天242下下雞（溪）。爲天下雞（溪），恒德不离（離）。恒德不离（離），復（歸於嬰兒）。

王本：知其雄，守其雌，爲天下谿。爲天下谿，常德不離，復歸於嬰兒。

景福碑與王本同，唯「谿」字作「溪」；景龍碑「谿」字作「蹊」，「德」字作「得」，謂「知其雄，守其雌，爲天下蹊。爲天下蹊，常得不離，復歸於嬰兒」（朱謙之老子校釋作「常德不離」，誤校）；遂州本「谿」字作「蹊」；敦煌丁本作「奚」；顧歡本作「谿」；唯「爲天下谿」一句，三本皆不重，如顧本作「知其雄，守其雌，爲天下谿，常德不離，復歸於嬰兒」。

帛書甲本保存完好，乙本殘損四字，經文除個别用字稍有差異外，經義完全相同。與今本勘校，其中主要區别是：帛書甲、乙本「爲天下溪」與「恒德不離」二句，各重複兩次，作「知其雄，守其雌，爲天下溪。爲天下蹊，恒德不離。恒德不離，復歸於嬰兒」（帛書甲本「離」字寫作「雞」，「歸」下脱「於」字）。世傳今本多同王本，僅重「爲天下谿」一句；而遂州、敦煌丁、顧歡三本無重句。三種句型共存，過去未曾辨别孰是孰非。從帛書甲、乙本本節經文考察，不僅本文有此兩重句，下文「爲天下谷」與「恒德乃足」、「爲天下式」與「恒德不忒」皆重兩次，三段句型整齊一致。而今本有的僅重一句，有的無重句，此有彼無，爾多它少，參差不一，顯爲後人妄改所遺痕跡。再如，此節經文句型，多爲因果連綴。前句爲後句之因，後句是前句之果。前後相應，互不可缺，缺則語義不明。此種句型老子書中多見，如第二十五章：「人法地，地法天，天法道，道法自然。」第五十九章：「夫唯嗇是謂早服，早服謂之重積德，重積德則無不克，無不克則莫知其極，莫知其極可以有國。」句法一律。從而可見帛書甲、乙本確保存了老子原本之舊，今本皆有挩誤。

王弼注：「雄，先之屬。雌，後之屬也。知爲天下之先者必後也。是以聖人後其身而身先也。谿不求物，而物自歸之。嬰兒不用智，而合自然之智。」第六十一章云：「牝常以靜勝牡，以靜爲下。」牝爲雌，牡爲雄，雌喜靜好下，雄喜動好上。聖人則去尊顯而守卑微，知雄守雌。爾雅釋水：「水注川曰『谿』。」「谿」、「溪」二字義同，疏引李巡曰：「水出於山，入於川曰『谿』。」「谿」地勢低窪，水所歸趨，誠如王注「谿不求物，而物自歸之」。因成水所歸趨之谿，故真常之德永存不逝。因常德永存不逝，故復若無欲無智之嬰兒，即復真常自然之德也。

甲本：知其日（榮），守其辱，爲天下浴（谷）。爲天下浴（谷），恒德乃148（足）。恒德乃（足，復歸於樸）。知其，守其黑，爲天下式。爲天下式，恒德不貣（忒）。恒德不貣（忒），復歸於无極。

乙本：（知）其白（日），守其辱，爲天下浴（谷）。爲天下浴（谷），恒德乃足。恒德乃足，復歸於樸。知其白，守其243上黑，爲天下式。爲天下式，恒德不貸（忒）。恒德不貸（忒），復歸於无極。

王本：知其白，守其黑，爲天下式。爲天下式，常德不忒，復歸於無極。知其榮，守其辱，爲天下谷。爲天下谷，常德乃足，復歸於樸。

景龍碑「爲天下式」一句不重，「德」字作「得」，謂「知其白，守其黑，爲天下式。常得不忒，復歸於无極。知其榮，守其辱，爲天下谷。爲天下谷，常得乃足，復歸於樸」；

敦煌丁本「爲天下式」一句也不重，「忒」字作「貸」，謂「常德不貸」；遂州本「爲天下式」與「爲天下谷」兩句皆不重，「忒」字作「貸」，謂「常德不貸」。吴澄本「知其白，守其黑」一句在「知其雄，守其雌」之前。

帛書甲、乙本「爲天下谷」、「爲天下式」、「恒德乃足」、「恒德不忒」四句，每句皆重；世傳本多同王本，僅「爲天下谷」與「爲天下式」兩句重；他本如前文所校，或一重或不重，文繁不一。帛書甲、乙本「知其榮，守其辱」一句在「知其白，守其黑」之前，同今本語次顛倒。帛書甲本假「日」字爲「榮」，作「知其日，守其辱」；乙本「日」字誤寫成「白」，作「知其白，守其辱」。甲本又將「知其白，守其黑」之「白」字脱漏。世傳本「知其榮，守其辱，爲天下谷」，帛書甲本本作「知其日，守其辱，爲天下谷」。但是，帛書組誤釋，則同乙本一起釋作「知其白，守其辱，爲天下谷」。本來過去學者對此文真僞就有懷疑，有人據莊子天下篇引老子作「知其白，守其辱，爲天下谷」，謂今本「知其榮」當爲「知其白」，自「守其黑」以下至「知其榮」二十三字，非老子之文，而爲魏晉人竄入。諸如：

易順鼎云：「按此章有後人竄入之語，非盡老子原文。莊子天下篇引老聃曰：『知其雄，守其雌，爲天下谿。知其白，守其辱，爲天下谷。』此老子原文也。蓋本以『雌』對

『雄』，以『辱』對『白』。『辱』有『黑』義，儀禮注：『以白造緇曰「辱」。』此古義之可證者。後人不知『辱』與『白』對，以爲必『黑』始可對『白』，必『榮』始可對『辱』。如是，加『守其黑』一句於『知其白』之下，加『知其榮』一句於『守其辱』之上，又加『爲天下式，爲天下式，常德不忒，復歸於無極』四句以叶『黑』韻，而竄改之迹顯然矣。以『辱』對『白』，此自周至漢古義，而彼竟不知，其顯然者一也。『爲天下谿』、『爲天下谷』，『谿』、『谷』同義，皆水所歸。『爲天下式』，則與『谿』、『谷』不倫，湊合成韻，其顯然者二也。王弼已爲『式』字等句作注，則竄改即在魏晉之初，幸賴莊子所引，可以考見原文，亟當訂正，以存真面。」馬叙倫云：「易説是也。説文：『谿，山隫無所通者。』『谷，泉出通川者。』老子以『谿』喻無有能入，『谷』喻無所不出，間以『式』字則不倫矣。又『離』與『足』對，『嬰兒』與『樸』對，間以『忒』與『無極』，亦義不相貫也。又古書『榮辱』字皆『寵辱』之借，本書上文『寵辱若驚』不作『榮辱』，亦妄增之證。然淮南道應訓已引『知其榮，守其辱，爲天下谷』，則自漢初已然矣。」高亨綜合易、馬二氏之説，列爲六證。如云：「按此文本作『知其雄，守其雌，爲天下谿。爲天下谿，常德不離，復歸於嬰兒。知其白，守其辱，爲天下谷。爲天下谷，常德乃足，復歸於樸。』其『守其黑，爲天下式。爲天下式，常德不忒，復歸於無極。知其榮』二十三字，後人所加也，請列六證以明之。」關於高氏六證，無非是易、馬二氏之説的翻版與綜合，別無新意，兹不詳録。

帛書甲、乙本經文並非如帛書組所釋，同爲「知其白，守其辱」。甲本則作「知其日，守其辱」，「日」字寫作「[illegible]」，與「君子終日行」之「日」形體相同。乙本作「知其白，守其辱」，「白」字寫作「[illegible]」，與「君子終日行」之「日」亦形體相近。誠然，「白」字可能誤寫成「日」，但也不排除「日」字也可誤寫成「白」。如果帛書經文不從乙本而從甲本，作「知其日，守其辱，爲天下谷」，那就與前舉易順鼎、馬叙倫、高亨等人所講的情況完全兩樣了。帛書甲本「知其日，守其辱，爲天下谷」，則同今本「知其榮，守其辱，爲天下谷」經義相同。「日」字乃「榮」之假借字，「日」、「榮」二字同在日紐，雙聲。「日」質部字，「榮」耕部字，「質」、「耕」通轉，叠韻。古籍中將「日」字誤寫成「白」者不乏其例，如説文鳥部：「鴆，毒鳥也，一名『運日』。」國語晉語「乃置鴆於酒」，韋注：「鴆，運日也。」抱朴子良規篇作「雲日」，文選左思吴都賦「黑鴆零」，注云：「鴆鳥，一名『雲白』。」顯然是「雲日」二字誤爲「雲白」，「日」字誤寫成「白」，與帛書乙本同例。莊子天下篇引老子此文作「知其白，守其辱，爲天下谷」，可能與乙本同屬一個原因，誤將「日」字寫成「白」。帛書乙本此文雖作「知其白，守其辱，爲天下谷」，下文則作「知其白，守其黑，爲天下式」。前後兩句皆作「知其白」，其中必有一誤。足以説明前句「知其白」當同甲本作「知其日」，「白」字乃爲「日」之誤，無可疑也。衆所周知，天下篇屬莊子雜篇，乃漢代作品，與淮南子爲同一時期著作。淮南道應訓引老子此文作「知其榮，守其辱，爲天下谷」，與帛書甲本和世傳今本完全相同，天下篇引文也絶不會有甚大出入。據現有資料足以證明今本「知其雄，守其雌，爲天下谿」，「知其榮，守其辱，爲天下谷」，「知其白，守其黑，爲天下式」，經文分作三段，基本不誤。易順鼎據莊子天下篇「知其白，守其辱」一句，謂：「後人不知『辱』與『白』對，以爲必『黑』始可對『白』，必『榮』始可對『辱』。如是，加『守其黑』一句於『知其白』之下，加『知其榮』一句於『守其辱』之上，又加『爲天下式，爲天下式，常德不忒，復歸於無極』四句。」易氏之言全憑主觀構想，純屬臆測。按今本此章共八十六字，依易説後人竄入二十三字，占全部字數的四分之一還多。據勘校帛書老子甲、乙本所知，今本老子之訛誤，僅限於個別字或個別句的改動，像易氏所説如此大動手術，尚無二例。在帛書老子出土之前，易氏有此懷疑不足爲奇。但是，帛書老子出土之後，帛書甲、乙本三段經文俱在，除用假借字外經義與今本同，應當説過去的疑慮已得到解決。可是，有些學者不從帛書而信僞説，尤其是帛書組誤將甲本「知其日」也讀成「知其白」，更加造成混亂。老子甲本作「知其日，守其辱」，定可無疑。帛書老子原件已影印出版，盡可詳查。甲本老子「知其日，守其辱」即「知其榮，守其辱」，與「知其白，守其黑」指兩種不同的事物。從而可見，乙本「知其白，守其辱」之「白」字，顯爲「日」字之筆誤，當與甲本相同。今本「知其榮，守其辱」不僅不誤，而且皆用本字。甲本則借「日」字爲「榮」，乙本誤「日」字爲「白」，均當據以訂正。茲將假字訂正，帛書此三段文作：「知其雄，守其雌，爲天下谿。爲天下谿，恒德不離。恒德不離，復歸於嬰兒。知其榮，守其辱，爲天下谷。爲天下谷，恒德乃足。恒德乃足，復歸於樸。知其白，守其黑，爲天下式。爲天下式，恒德不忒。恒德不忒，復歸於無極。」

王弼注：「此三者，言常反終，後乃德全其所處也。下章云『反者道之動也』，功不可取，常處其母也。」按「三者」係指「知其雄，守其雌，爲天下谿」、「知其榮，守其辱，爲天下谷」與「知其白，守其黑，爲天下式」而言。「反終」則謂「復歸於嬰兒」、「復歸於樸」與「復歸於無極」，即反其本也。嬰兒純真無欲，乃爲人之本原；無彫無鑿之樸，乃爲木之本原。宋儒周敦頤太極圖説云：「上天之載無聲無臭，而實造化之樞紐，品彙之根柢也，故曰『無極而太極』。」是謂宇宙本體，「無極」乃爲宇宙之本原。「反者道之動也」，乃第四十章經文，在此則是對「反終」之詮釋。指出宇宙間一切事物之運動，皆向其相反方向發展，「禍，福之所倚；福，禍之所伏」，「正復爲奇，善復爲祆」，皆如此。「功不可爲，常處其母」者，不可有爲，不可身先，不可求仁、義、禮之功，常守無爲之道，如此尚可全足。正如第三十八章王弼注云：「故仁德之厚，非用仁之所能也；行義之正，非用義之所成也；禮敬之清，非用禮之所濟也。載之以道，統之以母，故顯之而無所尚，彰之而無所競。用夫無名，故名以篤焉；用夫無形，故形以成焉。守母以存其子，崇本以舉其末，則形名俱而邪不生，大美配天而華不作。故母不可遠，本不可失。」

甲本：楃（樸）散〔則149爲器，聖〕人用則爲官長，夫大制无割。

乙本：樸散則爲器，耶（聖）人用則爲官長，夫大制无243下割。

王本：樸散則爲器，聖人用之則爲官長，故大制不割。

景龍碑與敦煌丁本均無「之」與二「則」字，「故」字作「是以」，「不」字作「无」，謂「樸散爲器，聖人用爲官長，是以大制无割」；遂州本作「樸散爲器，聖人用爲官長，大制不割」；顧本首句作「樸散爲器」；傅本末句作「大制無割」；范本作「故大制无割」。

帛書甲本殘損四字；乙本保存完好，而在「用」下均無「之」字；甲、乙二本經文基本相同。與今本勘校，甲、乙本「夫大制无割」，世傳今本除景龍、敦煌丁、傅、范諸本作「大制无割」或「是以大制无割」外，其他多同王本作「故大制不割」。易順鼎云：「『不割』當作『無割』。王注：『以天下之心爲心，故無割也。』足證王本作『無』。」道應訓正作「大制無割」。此作「不」者，後人因下篇有「方而不割」之語改之。」易説甚是，帛書甲、乙本均作「无割」，可證。

王弼注：「樸，『真』也。真散則百行出，殊類生，若器也。聖人因其分散，故爲之立官長。以善爲師，不善爲資，移風易俗，復歸於一也。『大制』者，以天下之心爲心，故無割也。」蔣錫昌云：「王注：『樸，真也。』『真』即先天地而生之『道』也。二十九章河上注：『器，物也。』『物』即萬物也。『樸散則爲器』，言道散而爲萬物也。『因』、『用』一聲之轉，誼可相通。『官長』即百官之長，謂人君也。『聖人用之則爲官長』，言聖人因之則爲人君，以道治天下，使復歸於樸也。説文：『制，裁也。』『裁』之本誼訓爲製衣，此指聖人統治天下以制百物而言。故『大制』猶云『大治』，『無割』猶言『無治』。蓋無治，則可以使樸散以後之天下復歸於樸，復歸於樸，正乃聖人之大治也。『大制無割』，與四十一章『大方無隅……大象無形』與莊子齊物論『大仁不仁』詞例一律。」

道經校注

二十九（今本道經第二十九章）

甲本：將欲取天下而爲之，吾見其弗〔得已。夫天下150神〕器也，非可爲者也。爲者敗之，執者失之。

乙本：將欲取〔天下而爲之，吾見其弗〕得已。夫天下神器也，非可爲者也。爲之者敗之，執之者失之。

王本：將欲取天下而爲之，吾見其不得已。天下神器，不可爲也。爲者敗之，執者失之。

徽、邵、彭、司馬、孟頫諸本「爲之」下有「者」字，作「將欲取天下而爲之者」；傅、范二本「爲之」下有「者」字，下「天」上有「夫」字，作「將欲取天下而爲之者」，「夫天下神器」；景龍、景福、敦煌丁三本均無「也」字，作「天下神器，不可爲」；遂州本作「天下神器，不可爲。爲故敗之，執者失之」。

帛書甲本自「得」至「神」共殘損六字，乙本自「天下」至「弗」共殘損九字，彼此正可互補，經文基本相同。與今本勘校，除所用虛詞稍有差異外，經義無別。

河上公注：「欲爲天下主也，欲以有爲治民，我見其不得天道人心已明矣。天道惡煩濁，人心惡多欲。器，物也。人乃天下之神物也，神物好安靜，不可以有爲治。以有爲治之，則敗其質性；强執教之，人則失其情實，生於詐僞也。」「不得已」，河上公謂爲「不得天道人心」，甚得其指，猶今言無所得或無所穫。有人釋作「迫不得已」，失之遠矣。周易繫辭上「形乃謂之器」，韓康伯注：「成形曰『器』。」老子所謂「器」指萬物言，如第二十八章「樸散則爲器」。人爲萬物之靈，故謂「神器」；河上公謂「人乃天下之神物」。天下萬民、萬物，皆應依其質、順其性、循以自然，聖人則不造不作，静觀其變，無爲無執，載之以道，統之以母。捨母求子，棄本逐末，成績雖大，必有不周，名位雖美，必有患憂。故爲者必敗，執者必失。

甲本：〔故〕物或行或隨，或炅（噓）或〔吹，或强或羸〕151，或杯（培）或撱（墮）。

乙本：故物244上或行或隋（隨），或熱（噓）或碓（吹），或陪（培）或墮。

王本：故物或行或隨，或歔或吹，或强或羸，或挫或隳。

景龍、遂州與敦煌丁三本首句「故」字作「夫」，謂「夫物或行或隨」；傅奕、蘇轍、吴澄諸本「故」字作「凡」，謂「凡物或行或隨」。次句，景龍、遂州、敦煌丁、顧、徽、邵、彭諸本作「或嘘或吹」；易玄、邢玄、樓正、河上、司馬、蘇、吴、林、焦諸本作「或呴或吹」；景福、磻溪二本作「或煦或吹」；樓古作「或敂或吹」；傅、范二本作「或噤或吹」。第三、四兩句，景龍碑作「或强或羸，或接或隳」；遂州作「或强或羸，或接或隳」；敦煌丁本作「或强或羸，或接或墮」；司馬本作「或强或羸，或載或墮」；景福、易玄、慶陽、樓古、磻溪、孟頫、樓正、河上、顧、徽、彭、邵、蘇、吴、林、焦諸本作「或强或羸，或載或隳」；傅、范二本作「或强或剉，或培或墮」。

帛書甲本殘損六字；乙本雖不殘，但脱漏「或强或羸」一句。甲本句首無虚詞；而今本句首分别作「故」、「夫」或「凡」等字；乙本句首有兩字相叠，似初寫一字後又改寫，故字迹不清，帛書組以「〇」表示，此當釋爲「故」字，甲本遺漏。今本「或歔或吹」之「歔」字，也有作「呴」、「敂」、「煦」、「噤」者；乙本作「熱」，甲本作「炅」。在此皆應假爲「嘘」字。「嘘」爲曉紐魚部字，「熱」爲日紐月部字，「曉」、「日」通轉。説文生部：「甤，從生豨省聲。」「甤」儒佳切，屬日紐；「豨」虚豈切，屬曉紐。即其證，參見黄焯古今聲類通轉表。「月」、「魚」二部通轉，故「熱」、「嘘」二字音同互假。易順鼎云：「按『歔』本字當作『嘘』。下文『或强或羸』，『强』與『羸』反，則『嘘』與『吹』反。玉篇口部『嘘』、『吹』二字相通，即本老子。又引聲類云：『出氣急曰吹，緩曰嘘。』此『吹』、『嘘』之別，即老子古義也。」甲本「炅」字，乙本「熱」，皆假爲「嘘」。乙本「或⿰石坐」二字猶今本「或吹」。「⿰石坐」、「吹」二字古爲雙聲叠韻，音同互假。在此當從易氏作「或嘘或吹」。甲本有六字殘損，參諭王本，其中包括「或强或羸」一句；乙本雖保存完好，但將此句脱漏，抄寫之誤也。世傳今本多同王本，最後二句作「或强或羸，或挫或隳」；唯傅、范二本作「或强或剉，或培或墮」。范應元云：「『或彊或剉，或培或墮』，嚴遵、王弼、傅奕、阮籍同古本。『剉』寸卧切，折傷也。『培』蒲枚切，傅奕引字林云：『益也。』『墮』徒果切，傅奕引字林云：『落也。』河上公改『噤』爲『呴』，改『剉』爲『羸』，改『培』爲『載』，改『墮』爲『隳』。今仍從古本。」范謂王弼同古本作「或彊或剉，或培或墮」，而經典釋文出「羸」、「挫」、「墮」三字，説明陸氏所見王本則與今本相同，乃作「或强或羸，或挫或墮」。足證傅、范二本誤「羸」字爲「剉」，王本則誤「培」字爲「挫」。「剉」、「挫」二字同文異體，實乃一字之亂也。甲、乙本末句作「或培或墮」，與傅、范本同，老子原本當如是。兹據前舉古今各本勘校，此文當作：「故物或行或隨，或嘘或吹，或强或羸，或培或墮。」

王弼注：「凡此諸『或』，言物事逆順反覆，不施爲執割也。聖人達自然之性，暢萬物之情，故因而不爲，順而不施。」此之謂人事繁多，情性各異：有的行前，有的隨後；有的性緩，有的性急；有的剛强，有的柔弱；有的自愛，有的自毁。凡此皆明人事參差，聖人順而不施，因而不爲，任其自然。

甲本：是以聲（聖）人去甚，去大（泰），去楮（奢）。

乙本：是以耶（聖）人去甚，去大（泰），去諸（奢）。

王本：是以聖人去甚，去奢，去泰。

世傳今本多同王本，唯司馬本「以」字作「故」，謂「是故聖人去甚，去奢，去泰」。

帛書甲、乙本與今本經文經義皆相同，唯甲本「奢」字寫作「楮」，乙本寫作「諸」。「奢」、「楮」、「諸」三字皆從「者」音，古讀音相同，在此當從今本作「奢」。再如甲、乙本「去泰，去奢」兩句，同今本句序互倒。

河上公注：「『甚』謂貪淫聲色，『奢』謂服飾飲食，『泰』謂宫室臺榭。去此三者，處中和，行無爲，則天下自化。」「甚」、「泰」、「奢」皆過限之詞，謂其貪圖無厭，私欲無止，富貴榮利迷惑其心，聖人戒而去之，行虚静無爲之治，天下歸安。

道經校注

三十（今本道經第三十章）

甲本：以道佐人主，不以兵〔强於〕天下，〔其事好還。師之〕152所居，楚朸（棘）生之。

乙本：以道佐人主，不以兵强244下於天下，其〔事好還。師之所處，荆〕棘生之。

王本：以道佐人主者，不以兵强天下，其事好還。師之所處，荆棘生焉。大軍之後，必有凶年。

景龍碑「佐」字作「作」，無「焉」字與「大軍之後，必有凶年」二句，作「以道作人主者，不以兵强天下，其事好還。師之所處，荆棘生」；敦煌丁本與之同，唯第二句「强」下有「於」字，作「不以兵强於天下」；景福碑「强」下亦有「於」字，此句與敦煌丁本同；遂州本「生」後無「焉」字，作「師之所處，荆棘生」，其下亦無「大軍之後，必有凶有凶季」。

年」二句，焦竑本「軍」字作「兵」，謂「大兵之後，必有凶年」；樓正本作「大軍之後，必有凶年」。

帛書甲、乙本均有殘損，但從保存内容觀察，兩本經義相同。與今本勘校，今本「荆棘」二字，甲本作「楚朸」，乙本僅殘存一「棘」字。帛書組注：「『荆』、『楚』義同，『棘』、『朸』音近。」其説甚是，當從今本。但是，帛書與今本之最大分歧是：今本「大軍之後，必有凶年」二句，甲、乙本皆無，景龍、遂州、敦煌丁三本亦無。勞健曰：「『大軍之後，必有凶年』，景龍、敦煌與道藏龍興碑本無此二句，他本皆有之。漢書嚴助傳淮南王安上書云：『臣聞軍旅之後，必有凶年。』又云：『此老子所謂「師之所處荆棘生之」者也。』按其詞意，『軍旅』、『凶年』當别屬古語，非同出老子。又王弼注止云：『賊害人民，殘荒田畝，故曰「荆棘生焉」。』亦似本無其語。或古義疏常引之，適與『還』字、『焉』字偶合諧韻，遂並衍入經文也。今據景龍諸本，别以爲存疑。」馬叙倫云：「羅卷、易州無此二句，論弼注曰：『言師凶害之物也，無有所濟，必有所傷，賊害人民，殘荒田畝，故荆棘生焉。』是王亦無此兩句；成於此兩句無疏，則成亦無。蓋古注文所以釋上兩句者也。」按帛書甲、乙本均無此二句，足證其爲後人增入無疑，勞、馬二氏之説誠是。

想爾注：「治國之君務修道德，忠臣輔佐務在行道，道普德溢，太平至矣。吏民懷慕，則易治矣。悉如信道，皆仙壽矣。……以兵定事，傷煞不應度，其殃禍反還人身及子孫。天子之軍稱師，兵不合道，所在淳見煞氣，不見人民，但見荊棘生。」蘇轍云：「聖人用兵皆出於不得已，非不得已而欲以强勝天下，雖或能勝，其禍必還報之。楚靈、齊滑、秦始皇、漢孝武，或以殺其身，或以禍其子孫，人之所毒，鬼之所疾，未有得免者也。」此甚得老子所謂「其事好還」之旨。

甲本：善者果而已矣，毋以取强焉。

乙本：善者果而已矣，毋以取强焉。

王本：善有果而已，不敢以取强。

景龍碑、敦煌丁本句首有「故」字，「有」字作「者」，無「敢」字，謂「故善者果而已，不以取强」；傅、徽、邵、彭諸本作「故善者果而已矣，不敢以取强焉」；景福碑作「故善者果而已，不敢以取强焉」；遂州本作「善者果而已，不以取强」；易玄、慶陽、樓古、磻溪、樓正、孟頫、范、司馬、蘇、林諸本首句作「故善者果而已」；河上、顧歡、吴澄三本作「善者果而已」。

帛書甲、乙本經文相同。與今本勘校，甲、乙本「善者果而已矣」，王弼本作「善有果而已」；傅奕本作「故善者果而已矣」，「善者」一詞與帛書同。俞樾云：「按河上本作『善者果而已』，當從之。王注曰：『果，猶濟也。言善用師者，趣以濟難而已矣。』是其所據本亦作『善者』，故以『善用師者』釋之。今作『善有』，以形近而誤。」再如，甲、乙本「毋以取强焉」，王本作「不敢以取强」；景龍碑作「不以取强」，「不以」二字與帛書「毋以」義同，皆無「敢」字。俞樾云：「按『敢』字衍文，河上公注曰：『不以果敢取强大之名也。』注中『不以』二字即本經文；其『果敢』字乃釋上文『果』字之義，非此文有『果』字也。今作『不敢以取强』，即涉河上注而衍。王注曰：『不以兵力取强於天下也。』亦『不以』二字連文，可證經文『敢』字之衍。唐景龍碑正作『不以取强』，當據以訂正。」俞氏於此二説皆是，甲、乙本爲其則提供一更有力證據，當從無疑。

關於「果」字，自古以來有多種解釋。如王弼云：「『果』猶『濟』也，言善用師者，趣以濟難而已矣，不以兵力取强於天下也。」與其説相近者，如司馬光云：「『果』猶『成』也，大抵禁暴除亂，不過事濟功成則止。」王安石謂：「『果』者，勝之辭。」高亨云：「爾雅釋詁：『果，勝也。』『果而已』猶勝而止。」河上公謂「果」字爲「果敢」，注云：「善兵者，當果敢。而已，不休。」蘇轍云：「果，決也。德所不能綏，政所不能服，不得已而後以兵決之耳。」按此當以王弼、司馬光之説符合經義，謂善用兵者，則爲禁暴濟亂，功成而已，不逞强於天下也。

甲本：果而毋驕（驕），果而勿矜，果而〔勿伐〕153，果而毋得已居，是胃（謂）〔果〕而不强。

乙本：果而毋驕，果而勿矜，果〔而勿〕245上伐，果而毋得已居，是胃（謂）果而强。

王本：果而勿矜，果而勿伐，果而勿驕，果而不得已，果而勿强。

敦煌丁、遂州二本「勿驕」一句在「勿矜」之前，末句「果」前有「是」字，作「果而勿驕，果而勿矜，果而勿伐，果而不得已，是果而勿强」；景龍碑與之同，唯「已」字作「以」，稍異；司馬本「勿驕」一句在「勿伐」之前，作「果而勿矜，果而勿驕，果而勿伐，果而不得已，是果而勿强」；范應元本第三句「驕」字作「憍」，末句「果」前有「是謂」二字，作「果而勿憍，果而不得已，是謂果而勿强」；易玄、慶陽、樓古、樓正均與之同，唯末句無「謂」字，作「是果而勿强」；傅奕、顧歡、蘇轍三本末句亦作「是果而勿强」，餘同王本。

帛書甲本殘損三字；乙本殘損二字，又在末句「强」前脱「不」字，抄寫之誤，當同甲本均作「是謂果而不强」。與今本勘校，彼此有三處不同。第一，語序，甲、乙本「毋驕」一句均在「勿矜」之前，世傳本中敦煌丁與遂州本同帛書，餘者皆有倒誤。第二，帛書甲、乙本「果而毋得已居」，今本皆作「果而不得已」，無「居」字。按「居」字在此作語助詞，與「者」、「諸」義同。經傳釋詞卷五：「居，詞也。易繫釋傳曰：『噫！亦要存亡吉凶，則居可知矣。』鄭、王注並曰：『居，辭也。』詩柏舟曰：『日居月諸。』正義曰：『居、諸者，語助也。』」論之王弼注，王本原亦有「居」字，與帛書本同。王注此文云「然時故不得已後用者」，顯然是對「果而毋得已居」之解釋，「後用者」即「居」字之詮釋。如經文無「居」字，王注焉能有「者」字？足見後人因對「居」字不瞭解，故誤作衍文删去。今幸有帛書甲、乙本出土，得以恢復老子原本之舊。第三，帛書甲、乙本末句「是謂果而不强」，范應元本與之相同；世傳今本多同王本作「果而勿强」，或同傅本作「是果而勿强」。俞樾云：「按傅奕本作『是果而勿强』，當從之。上文云『善者果而已，不以取强』，又云『果而勿矜，果而勿伐，果而勿驕，果而不得已』，皆言其果，不言其强，故總之曰：『是果而勿强。』正與上文『果而已，不以取强』相應。讀者誤謂此句與『果而勿矜』諸句一律，遂妄删『是』字耳。唐景龍碑亦有『是』字，當據增。」蔣錫昌云：「按强本成疏引經文云『是果而勿强』，是成下『果』上有『是』字。下『果』上當從范本增『是謂』二字。『是謂果而勿强』，與下文『是謂不道』並列。十四章：『是謂無狀之狀……是謂惚恍……是謂道紀。』連用三『是謂』，與此文連用二『是謂』文例正同。」俞、蔣二氏之説均是，尤以蔣説更爲貼切，帛書甲、乙本此文正作「是謂果而不强」，當爲老子原文。

王弼注：「吾不以師道爲尚，不得已而用，何矜驕之有也。言用兵雖趣功濟難，然時故不得已後用者，但當以除暴亂，不遂用果以爲强也。」朱謙之云：「『果而勿驕』、『勿矜』、『勿伐』，皆言誠信之功效如此。老子書中最重『信』字，四十九章：『信者，吾信之，不信者，吾亦信之，德信。』十七章、二十三章：『信不足，有不信。』『果』即『信』也。『信不足』而至於用兵，是『果而不得已』，然亦以告成事而已。……用兵而寓於不得已，是勝猶不勝，不以兵强天下者也。」

甲本：物壯而老，是胃（謂）之不道，不道蚤（早）已。

乙本：物壯而老，胃（謂）之不道，不道蚤（早）已。

王本：物壯則老，是謂不道，不道早已。

敦煌丁本「是謂」二字作「謂之」，「不」字作「非」，謂「物壯則老，謂之非道，非道早已」；景龍碑與之同，唯「壯」字誤寫作「牡」；傅、徽、邵、彭、林諸本作「物壯則老，是謂非道，非道早已」；遂州本作「物壯則老，謂之非道，早已」。

帛書甲本「是謂之不道」，乙本作「謂之不道」，王弼本作「是謂不道」，景龍碑作「謂之非道」。甲、乙本「不道」二字，今本多作「非道」。「謂之」二字與「是謂」，「不道」

二字與「非道」，彼此用詞雖異，則經義無别。易順鼎云：「内經卷一王冰注引作『不道早亡』，疑唐時本有作『亡』者。」馬叙倫云：「臧疏『已』作『亡』。……臧疏河上注曰：『不行道者早亡。亡，死也。』較今本河上注多兩『亡』字及『也』字，是河上作『亡』，『亡』與『强』明韻。」蔣錫昌云：「按强本成疏引經文云：『謂之非道，非道早已。』是成作『謂之非道，非道早已』。王冰注引『已』作『亡』，蓋以形近而誤。」蔣説誠是，帛書甲、乙本均作「早已」二字，「亡」字乃後人所改。姚鼐云：「『物壯則老』十二字衍，以在下篇含德章『心使氣曰强』下，誦者誤入此『勿强』句下。」今從帛書甲、乙本論之，德經含德與本文皆有此十二字，乃同文復出者，非衍文也。姚説非是。

王弼注：「壯，武力暴興，喻以兵强於天下者也。飄風不終朝，驟雨不終日，故暴興必不道，早已也。」左傳僖公二十八年：「師直則壯，曲則老。」除暴濟難，師則直也，故壯。壯而不知止，逞强於天下，則曲。曲則老，是謂不道，故必早亡。

三十一（今本道經第三十一章）

甲本：夫兵者，不祥之器〔也〕154。物或惡之，故有欲（裕）者弗居。

乙本：夫兵者，不祥之器也245下。物或亞（惡）〔之，故有裕者弗居〕。

王本：夫佳兵者，不祥之器。物或惡之，故有道者不處。

傅奕本首句「佳」字作「美」，謂「夫美兵者，不祥之器」；樓古碑作「夫嘉兵者，不祥之器」；礵溪幢作「夫佳兵者，不祥之器」；河上本作「夫佳兵，不祥之器」；景龍碑與敦煌丁本末句作「故有道不處」；顧歡本作「故有道者不居」；吴澄本首句作「夫佳兵者不祥」，末句作「故有道者不處也」。

帛書甲本僅殘一「也」字，乙本殘損七字。除乙本末句全部毁壞外，甲、乙本經文可彼此互補。與今本勘校，主要有兩處差異。第一，帛書甲、乙本「夫兵者」，今本作「夫佳兵者」或「夫嘉兵者」、「夫美兵者」、「夫佳兵者」，「夫」下皆有一動詞或語詞。王念孫云：「釋文：『佳，善也。』河上云：『飾也』。念孫按：『善』、『飾』二訓，皆於義未安。古所謂『兵』者，皆指五兵而言，故曰：『兵者，不祥之器。』若自用兵者言之，則但可謂之『不祥』，而不可謂之『不祥之器』矣。今案『佳』，當爲『隹』字之誤也。隹，古『唯』字也。『唯兵』爲『不祥之器』，『故有道者不處』。上言『夫唯』，下言『故』，文義正相承也。八章云：『夫唯不争，故無尤。』十五章云：『夫唯不可識，故强爲之容。』又云：『夫唯不盈，故能蔽不新成。』二十二章云：『夫唯不争，故天下莫能與之争。』皆其證也。」盧文弨云：「『佳』者，以爲嘉美憙悦之也。刑可謂『祥』，兵不可以爲『佳』。『佳兵』之人，是天下之至不祥人也。下云：『兵者，不祥之器。』古之所謂『兵』者，弓矢戟劍之屬，是『器』也。後人因亦名執此器者爲『兵』，春秋傳所稱『徒兵』是也。此溯其源而言之，故曰：『兵者，不祥之器。』若『佳兵者不祥』句下，古本元無『之器』二字，俗本有之，蓋因下文而誤衍也。……或曰：『佳』乃『唯』字之文脱耳。『唯』古文作『隹』，故譌爲『佳』也。曰：是不然。老子之文，凡云『夫唯』者衆矣，其語勢皆不若是也。今一一而數之，曰『夫唯不居，是以不去』；曰『夫唯不争，故無尤』；曰『夫唯不盈，故能敝不新成』；曰『夫唯不争，故天下莫能與之争』；曰『夫唯道，善貸且成』；曰『夫唯嗇，是謂早服』；曰『夫唯病病，是以不病』；曰『夫唯不厭，是以不厭』；曰『夫唯無以生爲者，是賢於貴生』」，凡九見矣。今曰『夫唯兵者，不祥之器』，類乎，不類乎？上章雖言兵，而此章義本不相屬，文又不相類，不得謂之承上文也。承上文則語勢當緊，而此下乃云『物或惡之』，其節舒緩，與上所引亦不類也。若云『隹』爲古文『唯』字，豈九處皆從今文，而此一字獨爲古文乎！……試熟復本章反正兩義，則『佳』字有確詁，斷然不可易矣。」王氏認爲「佳兵」二字應是「隹兵」，經文當作「夫隹兵者，不祥之器」；盧氏認爲「之器」二字應是衍文，經文當作「夫佳兵者不祥」。各執一辭，而釋説甚辨，但均未達老子經義。帛書甲、乙本同作「夫兵者，不祥之器」，「夫」下無「佳」字，「之器」二字亦非衍文。從經義分析，老子先言「兵」，後稱「不祥之器」，顯然是以「兵」字泛指用以征伐之戈矛等武器，非謂用兵之君也。正如王氏所講：「若自用兵者言之，則但可謂之『不祥』，而不可謂之『不祥之器』矣。」其説至確。在此段文字中，「兵者」二字前後凡三見，如下文云：「故兵者非君子之器，兵者不祥之器也。」所云皆指戰爭所用之軍械，今本在「兵」前增「佳」、「嘉」或「美」諸字，猶似指用兵者言之，遠失老子經義，當從帛書甲、乙本作「夫兵者」爲是，今本皆非。

第二，帛書甲本「物或惡之，故有欲者弗居」，乙本「故有欲者弗居」一句殘損，世傳本多作「物或惡之，故有道者不居」或「物或惡之，故有道者不處」。此文與今本第二十四章經文相同。如今本第二十四章云「曰餘食贅行，物或惡之，故有道者不處」，帛書甲、乙本同作「曰餘食贅行，物或惡之，故有欲者弗居」。今本「有道者」，帛書兩處皆作「有欲者」。「有欲」二字與「有道」互爲抵牾，帛書組釋「欲」字爲「貪欲」，謂「有欲者」爲「有貪欲之人」，顯與今本「有道者」互成水火。許抗生於前文謂「欲」爲誤字，又於此文謂「此句與老子思想不合」，皆不合經義。帛書甲、乙本將前文與此文同寫作「有欲者」，恐非偶然。「欲」字如係訛誤，則甲、乙本前後數處均將此字寫誤，如此巧合，實屬不能，其中必有緣故。前文已講明，「欲」字在此而假借爲「裕」，廣雅釋詁四：「裕，道也。」「裕」、「道」二字義同。根據帛書甲、乙本前後數處同出此文，足可證明「欲」字而應假爲「裕」，「有欲者」當作「有裕者」，無可懷疑。「裕」字與「道」不僅義同，古音亦通。「裕」字爲喻紐四等字，「道」字爲定紐，「喻四歸定」，古爲雙聲；「裕」字屬屋部，「道」字在幽部，「屋」、「幽」音之轉也。從而可證，帛書甲、乙本「有欲者弗居」，均當讀作「有裕者弗居」，猶今本「有道者不居」。用詞雖異，而經義全同。綜上所述，此段經文則謂：刀兵所至，必有損傷，賊害人民，殘荒田畝，人物無不被其害，不祥莫大焉；萬物無不惡之，故有道者禁而不用，避而遠之。

甲本：君子居則貴左，用兵則貴右。故兵者非君子之器也，〔兵者〕155不祥之器也，不得已而用之，銛襲（恬淡）爲上。

乙本：〔君子〕居則貴左，用兵則貴右。故兵者非君子之器，兵者不祥〔之〕246上器也，不得已而用之，銛憹（恬淡）爲上。

王本：君子居則貴左，用兵則貴右。兵者不祥之器，非君子之器，不得已而用之，恬淡爲上。

傅、范、徽、邵、彭、林、樓古諸本首句皆有「是以」二字，作「是以君子居則貴左」。傅奕本末句「恬」上有「以」字，「淡」字作「憺」，謂「以恬憺爲上」；景龍、慶陽、樓正、敦煌丁、河上、顧歡諸本「淡」字均作「惔」，謂「恬惔爲上」；林、焦二本作「恬澹爲上」。

帛書甲本殘損二字，乙本殘損三字，經文可互補，經義相同。與今本勘校，甲、乙本「故兵者非君子之器」一句在「兵者不祥之器也」之前，與今本語句次序顛倒。今本「恬淡」二字或作「恬惔」，或作「恬憺」；帛書甲本作「銛襲」，乙本作「銛憹」。帛書甲本注：「『銛』、『恬』古音同，『襲』、『淡』古音相近。」乙本注：「憹，甲本作『襲』，此從心，蓋即『讋』之異體，與『慴』音義略同。『銛憹』讀爲『恬淡』。」廣雅釋詁四：「恬倓，靜也。」王念孫疏證云：「方言：『恬，靜也。』説文：『恬，安也。』『倓』與下『憺』字通，字或作『澹』，或作『淡』。」史記秦始皇紀：「今上治天下，未能恬淡。」莊子天道篇：「夫虛静恬淡，寂寞無爲者，天地之平，而道德之至也。」誠如帛書組所注，甲本「銛襲」與乙本「銛憹」，均當從今本作「恬淡」。

紀昀云：「自『兵者不祥之器』至『言以喪禮處之』，似有注語雜入，但河上公注本及各本俱作經文。」劉師培云：「案此節王本無注，而古注及王注恒混入正文。如『不祥之器，非君子之器』二語必係注文，蓋以『非君子之器』釋上『不祥之器』也。本文當作『兵者不得已而用之』，『兵者』以下九字均係衍文。」馬叙倫云：「紀、劉之説是也。文子上仁篇引曰：『兵者不祥之器，不得已而用之。』蓋老子本文作『夫唯兵者不祥之器，不得已而用之』。『物或』兩句係二十四章錯簡，『君子』兩句乃下文而錯在上者，『非君子之器』則正釋『不祥之器』也。」因本章王本失注，故引起學者對經文之懷疑和猜測，馬氏竟以個人臆斷剪裁經文，實不可信。今同帛書甲、乙本校之，世傳今本除個別語序稍有顛倒之外，别無差誤。

「君子居則貴左，用兵則貴右」，「左」爲陽位屬吉，「右」爲陰位屬喪。禮記檀弓上「二三子皆尚左」，鄭玄注：「喪尚右，右，陰也。吉尚左，左，陽也。」「兵者」所貴，異乎平居，故曰「不祥之器，非君子之器」也。「不得已而用之」者，務以禁暴濟難而止，安静無爲爲上。

甲本：勿美也，若美之，是樂殺人也。夫樂殺人，不156可以得志於天下矣。

乙本：勿美也，若美之，是樂殺人也。夫樂殺人，不可以得志於246下天下矣。

王本：勝而不美，而美之者，是樂殺人。夫樂殺人者，則不可以得志於天下矣。

前三句，景龍碑作「故不美，若美之，是樂煞人」；敦煌丁與遂州二本作「故不美，若美必樂之，是樂煞人」；傅、徽、邵、彭諸本作「故不美也，若美必樂之，樂之者，是樂殺人也」；范本與之同，唯「若美」下有「之」字，作「若美之，必樂之」；景福碑作「勝而不美，而美之者，是樂煞人也」；顧歡與司馬二本作「勝而不美，若美之者，是樂殺人」；吴澄本作「勝而不美，美之者，是樂殺人也」。後二句，傅奕本作「夫樂人殺人者，不可以得志於天下矣」；范本與之同，唯「樂」下無「人」字，作「夫樂殺人者」；徽、彭二本作「樂殺人者，不可得志於天下矣」；吴澄本與之同，唯下句作「不可以得志於天下矣」；遂州本作「夫樂之者，則不可得意於天下」；景龍碑與敦煌丁本作「夫樂煞者，不可得意於天下」；景福碑作「夫樂煞人者，則不可以得志於天下矣」；易玄、磻溪、樓古、樓正、顧歡、蘇轍諸本作「夫樂殺人者，不可得志於天下」；邵、焦二本與之同，唯句尾有「矣」字。

帛書甲、乙二本均完好無損，經文經義完全相同。與今本勘校，彼此經義雖基本相似；但是世傳今本經文多不相同，所傳皆有訛誤。過去學者曾不乏考辨，終未斷定孰是孰非，這也是引起學者懷疑本章經文有注文竄入的原因。今從帛書甲、乙本分析，本章經文明晰流暢，經義淺顯易懂，所論皆偃武息兵之事，頗達老子守静無爲之旨。世傳今本雖各有訛誤，但經文本義未失，絶非經注雜糅之混合僞作。經文則謂：兵者，不祥之器，不得已而用之，恬淡爲上。不可贊其勝，亦不可耀其强，當以慈衛之。慈者天下樂推而不厭也。用兵則凶，殺人必多，豈可贊乎？耀乎？若贊若耀，猶樂殺人也。樂殺人者，焉能得志於天下。

甲本：是以吉事上左，喪事上右。是以便（偏）將軍居左，上將軍居右。言以喪禮居之也。

157

乙本：是以吉事〔上左，喪事上右〕。是以偏將軍居左，而上將軍居右。言以喪禮居之也。

王本：吉事尚左，凶事尚右。偏將軍居左，上將軍居右。言以喪禮處之。

景龍、顧、傅、范、司馬諸本句首有「故」字，作「故吉事尚左，凶事尚右」；敦煌丁本作「故吉事上左，喪事尚右」；遂州本作「吉事尚左，喪禮尚右」；景福碑作「吉事上左，凶事上右」。第三、四句，易玄、邢玄、磻溪、樓正、顧、司馬、蘇、吴、林、焦諸本與王本同，唯「居」字作「處」，稍異；景龍碑與敦煌丁本「偏」前有「是以」二字，作「是以偏將軍居左，上將軍居右」；樓古、傅、范、徽、邵、彭諸本作「是以偏將軍處左，上將軍處右」；景福碑作「將軍處左，上將軍處右」。樓古本末句「言」字作「則」，謂「則以喪禮處之」；傅、范、徽、邵、彭、焦、孟頫諸本作「言居上勢，則以喪禮處之」；景龍碑無此句。

帛書甲本保存完好，「偏」字假「便」爲之。乙本殘損六字，可據甲本補。甲、乙二本經文經義皆相同。與今本勘校，除經文所用虚詞稍有差異外，經義基本一致。劉師培云：「『吉事尚左』以下至『言以喪禮處之』，此五句者亦係『貴左』、『貴右』及末語注文，惟注中復有脱文耳。河上本於『不祥之器』二語，於『言以喪禮處之』諸語，均加注釋，所據之本蓋在注文攙入正文後，益證河上注之後於王注矣。」馬叙倫云：「案『故吉事尚左』至『言以喪禮處之』五句，皆『是以君子居則貴左，用兵則貴右』注文誤入者也。」今從帛書甲、乙本論之，今本不誤，劉、馬二氏之説不確。

今本「尚」字均當從帛書甲、乙本作「上」，甲、乙本用本字，今本則用借字。崔東壁豐鎬考信別録卷三云：「隋唐以來，世皆以左爲上。或謂古人亦上左者，或又因檀弓文，孔子有姊之喪，拱而尚右，二三子皆尚左。遂謂古人吉事以左爲上，凶事以右爲上。余考之春秋傳，皆上右者，惟楚人上左耳。桓王之伐鄭也，虢公林父將右軍，黑肩將左軍，鄭曼伯爲右拒，祭仲足爲左拒，皆先書右而後書左。其叙宋之六官，亦皆先右師後左師，則是皆以右爲上也。即晉之三軍，亦上軍在右，而下軍在左。何以知之？城濮之戰，胥臣以下軍之佐犯陳、蔡，而楚右師潰；狐毛、狐偃以上軍夾攻子西，而楚左師潰。邲之戰，工尹齊將右拒卒，以逐下軍，潘黨率游闕四十乘，從唐侯以爲左拒，以從上軍。夫晉、楚之師相向而戰，則楚之右，晉之左；楚之左，晉之右。而晉常以上軍當楚左，下軍當楚右，是上軍在右而下軍在左也。惟叙楚之軍師，皆先左而後右，故季梁曰：『楚人上左，君必左。』必言楚人上左者，明諸侯之國皆上右也。」老子所言「吉事上左，喪事上右」，則與崔氏考證相符。與諸侯之國舉兵征伐，其軍制以右爲上，即所謂「是以偏將軍居左，而上將軍居右」。兩軍相争，殺人必衆，故「言以喪禮居之也」。

甲本：殺人衆，以悲依（哀）立（莅）之。戰勝，以喪禮處之。

乙本：殺〔人衆，以悲247上哀〕立（莅）之。〔戰〕朕（勝），而以喪禮處之。

王本：殺人之衆，以哀悲泣之。戰勝，以喪禮處之。

河上與林二本「哀悲」二字作「悲哀」，謂「殺人之衆，以悲哀泣之」；范本作「殺人衆多，則以哀悲泣之」；傅奕、孟頫二本作「殺人衆多，則以悲哀泣之」；易玄、慶陽、樓古、磻溪、樓正、遂州、敦煌丁、顧、彭、徽、邵、司馬、蘇、吳、焦諸本作「殺人衆多，以悲哀泣之」；景龍、景福二碑與之同，唯「殺」字作「煞」或「煞」。傅、范二本下句「勝」下有「者」字，作「戰勝者，則以喪禮處之」；景福、慶陽、樓古、磻溪、樓正、孟頫、顧、邵、司馬、蘇、林諸本作「戰勝，則以喪禮處之」；景龍碑作「戰勝，以哀禮處之」；吳本作「戰勝，以喪禮主之」。

帛書甲本保存完好，唯「依」字假爲「哀」，「立」字假爲「莅」。乙本殘損六字，可據甲本補。與今本勘校，除所用虚詞各有不同外，經文經義基本一致。王本「哀悲」二字，道藏王本則作「悲哀」，與帛書甲、乙本同。可見老子原本如此。奚侗云：「『殺人之衆』四語，必非老子本文，即係古注羼入，亦極鄙淺，當删去。古以喪禮處兵事，不必戰勝也。」

如前文所言，因本章王本失注，遂有學者疑其經文非老子之言，或謂有注文羼入經内，曾頗多考辨。甚至有人認爲，全章文字每段都有冗複。像易順鼎、朱謙之等人，雖反對全文否定，但亦疑有古注誤入正文。易氏云：「王弼本獨此章無注，晁景迂遂疑以此章爲非老子之言。今按此章乃老子精言，與下篇『抗兵相加，哀者勝矣』同意，不解晁氏何以爲此謬論也。惟此章語頗冗複，疑有古注誤入正文。『言以喪禮處之』，觀一『言』字，即似注家之語。」朱氏云：「道藏張太守彙刻四家注，此章末引王弼注『疑此非老子之作也』一句，今諸王本皆佚，知弼有所疑，故獨無注。河上本於『兵者不祥之器』至『言以喪禮處之』諸句，均加注釋，所見之本同，而見解不同，不可以此遂謂河上注之後於王注也。此章雖多古注竄入之處，惟其中如『夫佳兵者，不祥之器』，『殺人衆多，以悲哀泣之』，『戰勝，以哀禮處之』等語，皆千古精言，非老子不敢道，不能道。今試删其冗複，訂定經文如次。」經朱氏删去的所謂冗複，有「兵者不祥之器，非君子之器」，「不得已而用之，恬淡爲上」，「吉事尚左，凶事尚右，是以偏將軍居左，上將軍居右」，「勝而不美，若美之，是樂殺人。夫樂殺者，不可得意於天下」，「言居上世，則以喪禮處之」，共計七十三字，占全章總字數百分之六十三以上。保留下的所謂老子「精言」，有「夫佳兵者，不祥之器，物或惡之，故有道者不處。君子居則貴左，用兵則貴右。殺人衆多，以悲哀泣之。戰勝以哀禮處之」，共計四十五字，不足全章總字數百分之三十七。如此之剪裁純屬主觀臆斷。今據帛書甲、乙本論之，今本經文雖有個别之處曾經後人改動，但全章經文無大差錯，則同帛書甲、乙本經文内容基本一致。

羅運賢云：「『泣』者，『莅』之譌。（六十章：『以道莅天下。』）字當作『逮』，說文：『臨也。』『逮之』與下句『處之』正同。」按殺人衆則庶民殃，老則失其子女，幼則喪其父母，悲哀降臨無辜。故此，戰勝不可贊，亦不可頌，當以喪禮處之。以喪禮處之者，以示其殘害百姓，荒廢田畝，不祥甚矣，不可美也，不可以殺人爲美。

道經校注

三十二（今本道經第三十二章）

甲本：道恒无名，楃（樸）唯（雖）〔小[158]，而天下弗敢臣。侯〕王若能守之，萬物將自賓。

乙本：道恒无名，樸唯（雖）小，而天下弗敢臣。侯王若能守之，萬物將[247下]自賓。

王本：道常無名，樸雖小，天下莫能臣也。侯王若能守之，萬物將自賓。

傅、范、徽、邵、彭諸本首句經文與王本同，唯句末無「也」字；景龍、易玄、樓古、磻溪、樓正、敦煌丁、敦煌英、遂州、河上、顧、司馬、蘇、吳、林、焦諸本作「道常無名，樸雖小，天下不敢臣」；景福碑、孟頫本與之同，唯句末作「天下莫敢臣」。後一句，景龍、敦煌丁、傅、遂州諸本「侯王」二字作「王侯」，無「之」字，作「王侯若能守，萬物將自賓」；范本與之同，唯前者句尾有「之」字，作「王侯若能守之」；易玄、邢玄、樓古、磻溪、孟頫、樓正、敦煌英、顧、徽、彭、邵、司馬、蘇、吴、林、焦諸本作「侯王若能守，萬物將自賓」。

帛書甲本殘損八字，乙本保存完好，可據補甲本缺文。與今本勘校，分歧有二：

一、帛書乙本「而天下弗敢臣」一句，諸王本作「天下莫能臣也」。馬叙倫云：「羅卷『莫』字作『不』，宋河上及各本並作『不敢臣』。倫謂『敢』字譌。淮南道應訓『故莫敢與之争』，治要引作『莫能與之争』，此『敢』、『能』交譌之證。」馬氏僅依「敢」與「能」二字易誤，則謂「敢」字譌，不確。諭之帛書、河上、景龍、敦煌卷等多作「莫敢臣」，故此當從帛書作「而天下弗敢臣」爲是，朱謙之云：「『天下不敢臣』，謂道尊可名於大也。」

二、帛書甲、乙本「侯王若能守之」，王弼、易玄諸本與之同，而傅奕、景龍等「侯王」二字作「王侯」。勞健云：「『王侯若能守』，傅與景龍、敦煌皆如此。范作『王侯若能守之』，諸王本……『王侯』皆作『侯王』。釋文云：『梁武作王侯。』按『侯』、『守』二字自諧句中韻，與第四十二章『王公以爲稱』，『公』、『稱』韻同，當作『王侯』。」蔣錫昌云：「按三十七章言『侯王』者一，三十九章言『侯王』者三，弼注十章曰『侯王若能守』，即引此文，亦作『侯王』。可證作『侯王』者，乃古本。」帛書甲、乙本均作「侯王」，爲蔣説得一確證，當從。

河上公注:「道能陰能陽,能施能張,能存能亡,故無常名也。道樸雖小,微妙無形,天下不敢有臣使道者也。侯王若能守道無爲,萬物將自賓服從於德也。」大道初成,天地未形,無物而生,故曰「道恒無名」。「樸」謂真之未散,「小」謂體之微眇,雖微眇難見,天下莫不以道爲主。侯王若能守道無爲,則萬物將自賓、自化,聽其自然。

甲本:天地相谷(合),以俞(雨)甘洛(露),民莫之159〔令而自均〕焉。

乙本:天地相合,以俞(雨)甘洛(露),〔民莫之〕令而自均焉。

王本:天地相合,以降甘露,民莫之令而自均。

景福碑、傅奕本末句作「民莫之令而自均焉」;景龍、易玄、邢玄、樓古、磻溪、樓正、孟頫、遂州、范、徽、邵、蘇、彭諸本作「人莫之令而自均」;林本作「人莫之命而自均」。

帛書甲本殘損四字,乙本殘損三字,兩本可互補。甲本「合」字誤寫作「谷」,抄寫之誤,彼此經文相同。與今本勘校,除用字稍異外,經義無別。如今本「以降甘露」,甲、乙本均作「以俞甘洛」。帛書組於甲本注云:「俞,乙本同,通用本作『降』。『俞』疑讀爲『揄』或『輸』。」愚以爲「俞」字當借爲「雨」。「俞」古爲喻紐侯部字,「雨」在匣紐魚部,「喻」、「匣」雙聲,「魚」、「侯」旁轉,音同通假。「雨」字作動詞則有「降」義。説文：「雨，水從雲下也。」段注：「引申之凡自上而下者偁『雨』。」春秋經文公三年「雨螽於宋」，詩經邶風北風「雨雪其雱」，「雨」皆釋「降」。帛書「以雨甘露」與今本「以降甘露」義同。又如，帛書甲、乙本「民莫之令而自均焉」，林本「令」字作「命」；易順鼎云：「按唐韓鄂歲華紀麗引作『民莫之合而自均』，『令』疑『合』字之誤。『莫之合』即聽其自然之意也。言天地相合，則甘露自降，若民則莫爲之合，而亦且自均，極言無爲之效耳。」朱謙之云：「此言『人莫之令而自均』，蓋古原始共産社會之反映，語意與五十一章『夫莫之命而常自然』相同。作『令』、作『合』、作『命』，誼均可通，惟此作『令』是故書。」按今本「人」字乃唐避太宗諱所改。「民莫之令而自均焉」，正合無爲而治之旨，朱説至確。

王弼注：「言天地相合，則甘露不求而自降。我守其真性無爲，則民不令而自均也。」

甲本：始制有〔名，名亦既〕有，夫〔亦將知止，知止〕所以不〔殆〕。

乙本：始制有名，名亦既有，夫亦將知止，知止所以不殆。

王本：始制有名，名亦既有，夫亦將知止，知止可以不殆。

景龍碑「夫」字作「天」，無下「亦」與「可以」三字，作「天將知止，知止不殆」；河上、景福、林三本作「天亦將知之，知之所以不殆」；顧本與之同，唯「之」字作「止」；易玄、慶陽、樓古、磻溪、孟頫、樓正、敦煌英、傅、范、徽、邵、司馬、蘇、彭、吳、焦諸本作「夫亦將知止，知止所以不殆」；敦煌丁、遂州二本作「夫亦將知止，知止不殆」。

帛書甲本殘損十一字，乙本保存完好，可據補甲本之缺文。與今本勘校，帛書甲、乙本「知止所以不殆」，傅、范、易玄、敦煌英等與之同，王本作「知止可以不殆」；河上本作「知之所以不殆」。胡適云：「王弼今本『之』字作『止』，下句同。今依河上公本改正。『之』、『止』古文相似，易誤。」又云：「細看此注，可見王弼原本作『夫亦將知之，知之所以不治』。若作『知止』，則注中所引叔向諫子產的話，全無意思。注中又説『任名則失治之母』，可證『殆』本作『治』，注末『殆』字同。」俞樾云：「按唐景龍碑無『可以』二字，是也。王注曰：『知止所以不殆也。』蓋加『所以』二字以足句，而寫者誤入正文，故今河上公作『知之所以不殆』。此作『可以』者，又『所以』之誤矣。」蔣錫昌云：「范謂王同古本，則范見王本同此。又三十七章『夫亦將不欲』，與此文『夫亦將知止』文例一律，『不欲』即『知止』之誼。以老校老，亦可證此文不誤，胡説非是。」又云：「道藏王弼本『可』作『所』，正與注合，當據改正。胡謂『殆』當作『治』，然十六章『沒身不殆』，二十五章『周行而不殆』，五十二章『沒身不殆』，四十四章『知止不殆』，連此言『不殆』者共五。以本書前後相校，不應其他四處作『不殆』，而此文獨作『不治』也。且弼注『任名則失治之母』，與經文『知止所以不殆』，亦並無何等關係，而胡乃據此弼注，竟謂可證『殆』本作『治』，豈不謬乎！」今諭之帛書，此文正作「夫亦將知止，知止所以不殆」。足證俞樾、胡適二氏「知之」、「可以」、「不治」三説純屬虛構，皆不可信。蔣錫昌曾從世傳本中勘比分析，去僞存真，並對謬誤不堪之詞予以駁斥，可謂頗有見地。今帛書老子出土，更爲其説舉一確證。

王弼注：「『始制』，謂樸散始爲官長之時也。始制官長，不可不立名分以定尊卑，故『始制有名』也。過此以往將争錐刀之末，故曰『名亦既有，夫亦將知止』也。遂任名以號物，則失治之母也，故『知止所以不殆』也。」按：樸散則百行出，殊類生，諸器成，聖人因之而立名分職，以定尊卑，即老子所言「始制有名」也。樸散真離，因器立名，錐針之利必争，則徇名忘樸，逐末喪本，聖人亟應知止而勿進，行無爲之治，復無名之樸，故知止度限所以不殆也。

甲本：俾（譬）道之在〔天下也，猶160小〕浴（谷）之與江海也。

乙本：卑（譬）〔道之〕248上在天下也，猶小浴（谷）之與江海也。

王本：譬道之在天下，猶川谷之於江海。

景龍、敦煌丁、遂州三本無二「之」字，「於」字作「與」，謂「譬道在天下，猶川谷與江海」；易玄本作「譬道在天下，猶川谷之與江海」；邵、彭二本作「譬道之在天下，由川谷之與江海也」；磻溪與之同，唯句末無「也」字；景福、慶陽、樓正、敦煌英、河上、顧、司馬、蘇、吴、林諸本後一句作「猶川谷之與江海」；樓古本作「如川谷之與江海」；傅、范、徽三本作「猶川谷之與江海也」；孟頫本作「猶川谷之於江海也」。

帛書甲本殘損五字，乙本殘損二字，彼此可互補。甲本假「俾」字爲「譬」，乙本假「卑」字爲「譬」；甲、乙本又同用「浴」字假借爲「谷」。與今本勘校，帛書甲、乙本「猶小谷之與江海也」，王本作「猶川谷之於江海」，邵、彭二本作「由川谷之與江海」；樓古本作「如川谷之與江海」。易順鼎云：「王注云：『猶川谷之與江海也。』是本文『於江海』當作『與江海』。牟子引此云：『譬道於天下，猶川谷與江海。』字正作『與』。」蔣錫昌云：「道藏王弼本『於』作『與』，當據改正。二字古本通用，見經義述聞及經傳釋詞。」馬叙倫云：「彭『猶』作『由』，古通。莊十四年左傳正義曰：『古者「猶」、「由」二字義得通用。』」按帛書「小谷」，世傳本皆作「川谷」，彼此不同。帛書組於乙本注云：「小，通行本作『川』。墨子親士：『是故江河不惡小谷之滿己也，故能大。』亦言『小谷』，與乙本合。」足見老子原作「小谷」，「川」乃「小」字之誤。

王弼注：「川谷之與江海，非江海召之，不召不求而自歸者也。行道於天下者，不令而自均，不求而自得，故曰『猶川谷之與江海也』。」蔣錫昌云：「此句倒文，正文當作『道之在天下，譬猶江海之與川谷』。蓋此文以『江海』譬道，以『川谷』譬天下萬物。六十六章：『江海所以能爲百谷王者，以其善下之，故能爲百谷王。』江海善下與道相似，故老子取以爲譬也。『道之在天下，譬猶江海之與川谷』，言道澤被於萬物，則萬物莫不德化；譬猶江海善下川谷，則川谷無不歸宗也。此句與上文『侯王若能守之，萬物將自賓』句相應。」

三十三（今本道經第三十三章）

甲本：知人者知（智）也，自知〔者明也。勝人〕者有力也，自勝者〔强也〕。

乙本：知人者知（智）也，自知明也。朕（勝）人者有力也，自朕（勝）者强也。

王本：知人者智，自知者明。勝人者有力，自勝者强。

傅奕本每句末尾皆有「也」字，作「知人者智也，自知者明也。勝人者有力也，自勝者彊也」；范本與之同，唯「智」字寫作「知」；景龍碑與敦煌丁本後二句作「勝人有力，自勝者强」。

帛書甲本殘損七字，乙本保存完好，可據補甲本缺文。但是，乙本「自知」下奪一「者」字，抄寫之誤也。與今本勘校，帛書甲、乙本每句皆以「也」字收尾，傅奕、范應元二本與之相同，其他諸本無「也」字，但經義無別。

王弼注：「知人者，智而已矣，未若自知者，超智之上也。勝人者，有力而已矣，未若自勝者，無物以損其力。用其智於人，未若用其智於己也。用其力於人，未若用其力於己也。明用於己，則物無避焉；力用於己，則物無改焉。」樓宇烈校釋云：「『則物無改焉』之『改』字，於此不可解，疑誤。波多野太郎引一說：『改，疑當作「攻」。』又一說：『改，疑當作「敗」。』按『攻』於義較長。」

甲本：〔知足者富〕161也，强行者有志也。不失其所者久也，死不忘（亡）者壽也。

乙本：知248下足者富也，强行者有志也。不失其所者久也，死而不忘（亡）者壽也。

王本：知足者富，强行者有志。不失其所者久，死而不亡者壽。

傅、范二本每句末尾皆有「也」字，作「知足者富也，强行者有志也。不失其所者久也，死而不亡者壽也」；景龍、遂州、敦煌丁三本前二句作「知足者富，强行有志」；邢玄本後二句作「不失其所其久，死而不亡者壽」；邵本作「不失其所止者久，死而不亡者壽」；孟頫本作「不失其所久，死而不亡者壽」；景福碑作「不失其所者久，死而不妄者壽」。

帛書甲本殘損四字，並在末句「死」下奪一「而」字；乙本保存完好，可據補甲本缺文。與今本勘校，帛書甲、乙本每句皆以「也」字收尾，傅、范二本與之相同，他本均無「也」字。再如，甲、乙本末句「死而不忘者壽也」，世傳今本多同王本，「不忘」二字作「不亡」，景福碑作「不妄」。易順鼎云：「意林『亡』作『妄』，『死而不妄』，謂得正而斃者也。河上本雖亦作『亡』，而注云：『目不妄視，耳不妄聽，口不妄言，則無怨惡於天下，故長壽。』是亦讀『亡』爲『妄』矣。」朱謙之云：「室町舊鈔本、中都四子本『亡』均作『妄』，意林卷一、群書治要卷三十引道德經『死而不妄者壽』，並引河上公注，知河上所見古本亦作『妄』。『亡』、『妄』古通用。」帛書甲、乙本均作「不忘」，按「亡」、「妄」、「忘」三字古皆可通用，但各自的本義迥然不同，老子此文所用究竟孰爲本字，則是需要解決的問題。河上公注云：「目不妄視，耳不妄聽，口不妄言，則無怨惡於天下，故長壽。」此乃謂人未死，所行養身衛生之術，則與經文所言「死而不妄者壽也」誼不相屬，足證經文本義絶非「妄」字。高亨據帛書甲、乙本「不忘」，則釋此文云：「其人雖死，而他的道德功業、學説等並未消亡，而被人念念不忘，就可以稱他爲長壽。」如高氏所云能「被人念念不忘」者，必生有所爲，建功立業，並成功而居之，則與老子所言「生而弗有，爲而弗恃」，「我無爲而民自化，我好靜而民自正」，「不尚賢，使民不争」等守靜無爲之旨豈不大相徑庭。可見經文本義亦非「忘」字。「妄」、「忘」二字既已排除，本義非「亡」字莫屬。王弼注此文云：「知足者，自不失，故富也。勤能行之，其志必獲，故曰『强行者有志』矣。以明自察，量力而行，不失其所，必獲久長矣。雖死而以爲生之，道不亡乃得全其壽，身没而道猶存，況身存而道不卒乎！」「身没而道猶存」，體魄雖朽而精神在，是謂「死而不亡者壽也」。

道經校注

三十四（今本道經第三十四章）

甲本：道〔氾呵，其可左右也。成功〕162遂事而弗名有也。

乙本：道渢（氾）呵，其可左右也。成功遂〔事而〕249上弗名有也。

王本：大道氾兮，其可左右。萬物恃之而生而不辭，功成不名有。

景龍、遂州、敦煌丁三本首句無「兮」字，作「大道氾，其可左右」；易玄碑作「大道汎，其可左右」；慶陽、磻溪、孟頫、樓正、顧、彭、焦諸本作「大道汎兮，其可左右」；傅本作「大道汎汎，其可左右」；范本作「大道氾氾兮，其可左右」。後一句，遂州本無「之」字，作「萬物恃而生而不辭」；敦煌丁本作「萬物恃以生而不辭」；景龍、易玄、慶陽、樓古、磻溪、孟頫、樓正、敦煌英、顧、傅、范、徽、邵、司、蘇、彭、吴、林、焦等諸本作「萬物恃之以生而不辭」。

帛書甲本殘損九字，乙本殘損二字，彼此可互補。乙本「道渢呵」，甲本「道」下二字殘，王弼本、景龍碑等「渢」字作「氾」，傅奕、易玄諸本作「汎」。馬叙倫云：「『氾』、『汎』二字古通假。禮記王制『氾與衆共之』，釋文：『氾，本亦作「汎」。』其例證也。說文：『氾，濫也。』『汎，浮貌。』二義不同，作『氾』是。」馬說可從。帛書「渢」字亦當假爲「氾」。與今本勘校，主要差異有二：

其一、甲、乙本「道氾呵」，世傳今本皆作「大道氾兮」。河上公注：「言道氾氾，若浮若沉，若有若無，視之不見，說之難殊。」河上公注此文只言「道氾氾」，不言「大道氾氾」。「道」與「大道」義雖無別，但是，河上公注本凡經言「大道」者，注必以「大道」釋之。如第十八章「大道廢，有仁義」，注云：「大道之時，家有孝子，戶有忠信，仁義不見也。大道廢不用，惡逆生，乃有仁義可傳。」第五十三章「使我介然有知，行於大道」，注云：「老子疾時王不行大道，故設此言。使我介然有知於政事，我則行於大道，躬無爲之化。」又云：「大道甚夷，而民好徑。」注云：「大道世平易，而民好從邪徑。」然而獨此經文作「大道氾兮」，注作「言道氾氾」，「道」上無「大」字。可見河上本原亦作「道氾兮」，與帛書甲、乙本同，足證老子原本即當如此。今本所謂「大道氾兮」之「大」字，乃後人妄增。

其二、甲、乙本「成功遂事而弗名有也」，今本多作「萬物恃之而生而不辭，功成不名有」，較甲、乙本多「萬物」一句，實爲下文之贅也。從本章經文分析，帛書甲、乙本下文作「萬物歸焉而弗爲主，則恒无欲也，可名於小；萬物歸焉而弗爲主，可名於大」。今本多作「萬物恃之而生而不辭，功成不名有。衣養萬物而不爲主，常無欲，可名於小；萬物歸焉而不爲主，可名於大」。今本在「可名於小」之前，有兩個「萬物」句，而在「可名於大」之前，僅有一個「萬物」句，前後文體不合，其中必有訛誤。則「萬物恃之而生而不辭，功成不名有」，顯然是「功成不名有」之僞變。此句甲、乙本作「成功遂事而弗名有也」，無「萬物恃之而生而不辭」九字，當是老子舊文。今本多此九字，經文前後重複。後人雖對「萬物」三句反復修訂，但均未達本義。按此文均當據帛書甲、乙本訂正。

茲因世傳今本多有衍誤，故各家注釋議論紛紜，亦多有不實。此據帛書經文釋之，言道氾濫無所不適，可左，可右，可上，可下，周而復始，則無所而不至；功成事就而不名己有。

甲本：萬物歸焉而弗爲主，則恒无欲也，可名於小。

乙本：萬物歸焉而弗爲主，則恒无欲也，可名於小。

王本：衣養萬物而不爲主，常無欲，可名於小。

易玄、慶陽、樓古、磻溪、樓正、敦煌英、河上、蘇、焦諸本「衣養」二字作「愛養」，謂「愛養萬物而不爲主，常無欲，可名於小」；林志堅本與之同，唯「常」前有「故」字，作「故常無欲」；景福碑亦與之同，唯「小」後有「矣」字，作「可名於小矣」。傅、徽、邵、司馬、彭、孟頫諸本作「衣被萬物而不爲主，故常無欲，可名於小矣」；吴澄本與之同，唯無「故」字，作「常無欲」；范應元本亦與之同，唯末句「於」字作「爲」，謂「可名爲小矣」。敦煌丁與顧歡二本無「常無欲」一句，作「衣被萬物不爲主，可名於小」；遂州本與之同，唯「衣被」二字作「依養」，謂「依養萬物不爲主」；景龍碑無此三句。

帛書甲、乙本經文相同。與今本勘校，甲、乙本「萬物歸焉」一句，王弼作「衣養萬物」，遂州作「依養萬物」，河上、易玄諸本作「愛養萬物」，傅、范諸本作「衣被萬物」。「則恒无欲也，可名於小」，今本或作「常無欲，可名於小」，或作「故常無欲，可名於小矣」，或作「故常無欲，可名爲小矣」。俞樾云：「謹按河上公本作『愛養』，此作『衣養』者，古字通也。蓋『衣』字古音與『隱』同，故白虎通衣裳篇曰：『衣者，隱也。』以聲爲訓也。而『愛』古音亦與『隱』同，故詩烝民篇毛傳訓『愛』爲『隱』。孝經疏引劉炫曰：『愛者隱惜而結於内。』不直訓『惜』，而必訓『隱惜』者，亦以聲爲訓也。兩字之音本同，故『愛養』可爲『衣養』。傅奕本作『衣被』，則由後人不通古音，不達古義，率臆妄改耳。」易順鼎云：「考韓康伯易注『衣被萬物，故顯諸仁』，即本老子。康伯學出於弼，必從弼本，疑弼本作『衣被』。傅奕本亦作『衣被』，正古本之尚存者。俞氏譏奕率臆妄改，殆未深考與。」今諭之帛書甲、乙本，既不作「衣養萬物」，亦不作「衣被萬物」，而作「萬物歸焉」。則與下句經文内容相同、并列，皆作「萬物歸焉而弗爲主」。所異者此句下文爲「則恒无欲也，可名於小」，下句下文作「可名於大」。「可名於小」與「可名於大」經義有别，但所處情況相等。此即在同等情況下，因得道與失道會有兩種不同之結果，故而前文應當一致。從而可見帛書前文同作「萬物歸焉而弗爲主」，絶非偶然，老子原文本當如此。再就王弼注文分析，王注前者云：「萬物皆由道而生，既生而不知其所由。」不見有釋「衣養萬物」或「衣被萬物」之義。反而與後者注文「萬物歸之以生，而力使不知其所由」義同。可見王本經文亦必前後兩文相同，原同帛書，今日所傳王本，已經後人竄改。

帛書甲、乙本「則恒无欲也，可名於小」，今本經義與之相同。如「恒」字今本作「常」，因避漢文帝諱而改。但是，何謂「常無欲」？何以「常無欲，可名於小」？因經文甚簡，自漢魏以來的注釋從未作過確切的解釋。如河上公注：「道匿德藏名，恒然無爲，似若微小也。」王弼注：「故天下常無欲之時，萬物各得其所，若道無施於物，故名於小矣。」成疏云：「『衣被萬物』，陶鑄生靈，而神功潛被，不爲主宰，既俯於物，宜其稱小。」宋吕吉甫注：「常無欲，則妙之至者也，故可名於小。」綜上所舉，足見古注此文之一斑，所言多不及義，或曲爲之解。今人釋譯亦多謬誤。如高亨將其譯作「它永遠没有私欲，其實也没有形體，可以稱爲小」。任繼愈譯作「經常没有自己的欲望，可以算是渺小」。皆未達經文宏旨。另有學者疑經有衍文。如奚侗云：「『衣養』猶云『覆育』。有覆育萬物之功，而不爲之主，是自處卑下也，故云『可名於小』。此二句與下二句相偶。各本『可名於小』句上，誤贅『常無欲』三字，誼不可通，兹從顧歡本删。」蔣錫昌亦云：「『常無欲』三字蓋涉王注『故天下常無欲之時』而衍。敦煌丁本無此三字，是也。」朱謙之云：「『常無欲，可名於小』，當爲首章『常無欲，觀其妙』之古注。法言孝至篇李軌注曰：『道至微妙，故曰「小」也。』在此則爲贅語。敦、遂本無『常無欲』三字，亦其證也。『可名於小』一句，與『可名於大』相偶。但審校文義，愛養萬物，可名爲大、爲小義不可通。『萬物歸焉而不爲主』，與上文『愛養萬物不爲主』，實爲重句，可删。以此疑有古注語雜入。證以景龍碑無此三句，其可信勝他本多矣。」今諭帛書甲、乙本，均有「則恒无欲也，可名於小」等句，朱説「有古注語雜入」，非是。景龍碑無此數句，實爲脱誤。從經文内容分析，「可名於小」與「可名於大」的區分，主要在於句前有無「則恒无欲也」一語，有之則「名於小」，無之則「名於大」。如此看來，「常無欲」三字非如奚侗所言「誤贅」當删，乃爲本文之關鍵内容。因此弄清此文的意義，必須正確理解「常無欲」的含義。其實韓非子解老篇對它早有説明，只是大家没有留意和理解而已。「無欲」與「無爲」都是道家最高標準，老子稱之爲「上德」。如何才能達到此一境界？解老篇做了非常清晰的説明。如云：「所以貴無爲無思爲虚者，謂其意無所制也。夫無術者故以無爲無思爲虚也。夫故以無爲無思爲虚者，其意常不忘虚，是制於爲虚也。虚者，謂其意無所制也，今制於爲虚，是不虚也。虚者之無爲也，不以無爲爲有常。不以無爲爲有常則虚，虚則德盛，德盛之爲上德。」韓非子所謂「虚」，是指自然無爲無思，不是有意地去爲它專門下功夫，常常爲它思慮。但是，無術的人故意以無爲無思爲手段，常專門爲它下功夫，常常爲它思慮，那是「其意常不忘虚，是制於爲虚也」。「制於爲虚」實際是不虚，虚者無爲是「不以無爲爲有常」。如此才能「德盛」，「德盛」才是「上德」。根據韓非對「虚者無爲」之解釋，用以分析「則恒无欲也，可名於小」，其義即可迎刃而解。所謂「則恒无欲也」，今本簡稱「常無欲」，即韓非所講「不以無爲爲有常」之反義語，則以無欲爲有常，指思想裏常爲無欲下功夫，常爲無欲而思慮。「不以無爲爲有常則虚，虚則德盛，德盛之謂上德。」反之，以無欲爲有常即不虚，故非「上德」。「以無欲爲有常」，即「則恒无欲也」之同語異構，今本簡作「常無欲」。即常爲無欲而思慮，乃無術者之所爲也，故經云「可名於小」。下文則云：「是以聖人之能成大也，以其不爲大也，故能成大。」前後語義甚明。但因經文原本甚簡，又經後人改動，舊注多誤。

甲本：萬物歸焉（而弗）163爲主，可名於大。

乙本：萬物歸焉而弗爲主，可249下命（名）於大。

王本：萬物歸焉而不爲主，可名於大。

易玄、樓正、磻溪、遂州、顧、蘇諸本「焉」字作「之」，無「而」字，「爲」字作「於」，謂「萬物歸之不爲主，可名於大」；敦煌英本作「萬物歸之而不爲主，可名爲大」；傅本作「萬物歸之而不知主，可名於大矣」；范本與之同，唯「於」字作「爲」，謂「可名爲大矣」；徽、邵、司馬、彭、孟頫諸本作「萬物歸焉而不知主，可名於大矣」；林志堅本作「萬物歸焉而不爲主，可名於大」；焦竑本與之同，唯「爲」字作「知」，謂「萬物歸焉而不知主」；景龍碑作「愛養萬物不爲主，可名於大」。

帛書甲本殘損二字，乙本保存完好，惟假「命」字爲「名」，兩本可互相補正。與今本勘校，王弼、河上諸本均與帛書相同；傅、范古本與徽、彭等宋本，首句有作「萬物歸之而不知主」者，後一句有作「可名爲大」者。馬叙倫云：「論弼注曰：『萬物皆歸之以生，而力使不知其所由。』則王作『萬物歸之而不知主』。」蔣錫昌云：「范謂王同古本，則范見王本作『萬物歸之而不知主』，當據改正。十章弼注：『凡言玄德，皆有德而不知其主。』四十二章弼注：『故萬物之生，吾知其主。』」一則曰『不知其主』，一則曰『知其主』，皆可爲此文『爲主』作『知主』之證。」按「不爲主」與「不知主」雖一字之差，意義迥然不同。從經義分析，「不爲主」謂至道寥廓，萬物歸之，賴之以生長，則不爲主宰，似指「道」言，以「道」爲第一稱。則與前文「道氾呵，其可左右也。成功遂事而弗名有也」經義一律，所言皆道。「不知主」似指「萬物」言，以「萬物」爲第一稱，非經義也。王弼注：「萬物皆歸之以生，而力使不知其所由。」既言「力使」萬物不知其所由，顯然亦以「道」爲第一稱。故馬、蔣二氏之説不可從，此當以甲、乙本作「不爲主」。前文云：「萬物歸焉而弗爲主，則恒无欲也，可名於小。」此文無「恒无欲」一句，即無常爲無欲而思慮，如韓非所講「不以無爲爲有常」。此不以無欲爲有常，即可謂虚，虚則德盛，故謂「可名於大」也。

甲本：是（以）聲（聖）人之能成大也，以其不爲大也，故能成大。

乙本：是以耶（聖）人之能成大也，以其不爲大也，故能成大。

王本：以其終不爲大，故能成其大。

景龍、易玄、邢玄、景福、慶陽、樓古、磻溪、樓正、河上、顧歡、敦煌丁、敦煌英、彭、蘇、司馬、林、焦諸本作「是以聖人終不爲大，故能成其大」；遂州本作「聖人終不爲大，故能成其大」；范本作「是以聖人以其終不自爲大，故能成其大」。傅本作「是以聖人能成其大也，以其終不自大，故能成其大」；邵、吴二本作「是以聖人能成其大，以其不自大，故能成其大」。

帛書甲本殘損一字，乙本保存完好，兩本經文相同。與今本勘校，王弼、河上及唐宋碑本、敦煌卷本均捝「是以聖人之能成大也」一句；傅奕、邵若愚、吴澄三本有此句，經文與帛書甲、乙本同。再如宋林希逸道德真經口義（道藏彼一—彼四）、永樂大典老子亦有此句。今據帛書甲、乙本得證，有此句者，當爲老子原本之舊；無此句者，乃爲捝誤，均當據帛書甲、乙本補正。

王弼注云：「爲大於其細，圖難於其易。」此採老子第六十三章文。按：至道無爲，但無術者常爲無爲下功夫、動腦筋，故所求而弗得。有道者無爲無思，不以無爲爲有常，不爲無爲下功反被其制，故老子謂爲「可名於小」。此因其意不忘於所求，盡慮而謀，夫、動腦筋，志無所求，意無所制，即韓非所講：「不以無爲爲有常則虚，虚則德盛，德盛之謂上德。」故老子謂爲「可名於大」。此文乃「可名於小」與「可名於大」之結語。故言是以有道之聖人所以能成大也，因他不爲大，則完全順其自然，即所謂「爲大於其細，圖難於其易」，水到渠成，故能成大。

道經校注

三十五（今本道經第三十五章）

甲本：執大象，〔天下〕164往；往而不害，安平太。

乙本：執大象，天下往；往而不害，安平太。

王本：執大象，天下往；往而不害，安平太。

傅、范二本「大象」後有「者」字，「太」字作「泰」，謂「執大象者，天下往；往而不害，安平泰」；易玄、邢玄、慶陽、磻溪、樓正、孟頫、遂州、顧、徽、邵、司馬、蘇、吴、彭、林、焦諸本末句「太」字均作「泰」，謂「安平泰」。

帛書甲本殘損二字，乙本保存完好，可據補甲本缺文。與今本勘校，王弼、河上二本均與帛書經文相同，亦有將「太」字寫作「泰」者。馬叙倫云：「易州、張『泰』作『太』」；宋河上經文作『平太』，注作『太平』。成疏曰：『太，大也。』是成亦作『太』、『泰』一字。」

河上公注：「執，守也。象，道也。聖人守大道，則天下萬民移心歸往之也。」成玄英疏：「大象猶大道之法象也。」第四十一章「大象無形」，即言道無形也。「執大象，天下往」，謂聖人守道無爲，則天下萬民歸往也。舊注訓「安」爲「寧」，如奚侗云：「安寧、平和、通泰，皆申言不害誼。」非是。王引之經傳釋詞卷二：「『安』，猶『於是』也，『乃』也，『則』也。」言萬民歸往，聖人覆育而勿傷害，則上下諧和，而天地交，萬物通也。

甲本：樂與餌，過格（客）止。故道之出言也，曰談（淡）呵其无味也。

乙本：樂與（餌）250上，過格（客）止。故道之出言也，曰淡呵其无味也。

王本：樂與餌，過客止。道之出口，淡乎其無味。

景龍、遂州二本後一句無「之」與「乎其」三字，「口」字作「言」，謂「道出言，淡無味」；敦煌丁本與之同，唯「淡」字作「惔」，謂「惔無味」；顧歡本作「道出言，淡乎無味」；傅、范二本作「道之出言，淡兮其無味」；徽、彭二本作「道之出言，淡乎其無味」；景福碑作「道之出口，淡兮其無味」；樓古碑作「道之出口，虛乎其無味」。

帛書甲本保存完好，乙本殘損一字，可據甲本補。甲、乙本俱假「格」字爲「客」；甲本又假「談」字爲「淡」。與今本勘校，異在用字，經義無別。如王弼本「出言」二字作「出口」。陶邵學云：「王注曰：『而道之出言，淡然無味。』則王本亦作『出言』。」馬叙倫云：「二十三章『希言自然』，弼注曰：『下章言「道之出言，淡兮其無味也……」。』則王同此，『味』下有『也』字。今王本蓋爲後人依别本改之矣。」陶、馬二氏之説甚是。今諭之帛書甲、乙本，老子原本作「出言」，「口」字乃後人妄改。

王弼注：「言道之深大，人聞道之言，乃更不如『樂與餌』應時感悦人心也。『樂與餌』則能令過客止，而道之出言淡然無味。」老子以「樂餌」與道言比，故曰道言無味，不若美樂與佳餚感悦俗人之心，能使過客止步不前。第七十章：「吾言甚易知也，甚易行也；而人莫之能知也，莫之能行也。」兹因俗人惑於躁欲，迷於榮利，故知行者鮮。

甲本：〔視之〕165不足見也，聽之不足聞也，用之不可既也。

乙本：視之不足見也，聽之不足聞也，用之不250下可既也。

王本：視之不足見，聽之不足聞，用之不足既。

景龍碑、敦煌丁本無三個「之」字，作「視不足見，聽不見聞，用不足既」；遂州本作「視不足見，聽不足聞，用不可既」；景福、樓古、磻溪、孟頫、樓正、河上、傅、顧、范、彭、徽、邵、司馬、蘇、吴、林、焦諸本作「視之不足見，聽之不足聞，用之不可既」。

帛書甲本殘損二字，乙本保存完好，可據補甲本缺文。與今本勘校，除異在虚詞外，王弼、景龍諸本末句作「不足既」；河上、傅奕諸本作「不可既」。馬叙倫云：「諭弼注曰：『視之不足見，則不足以悦其目；聽之不足聞，則不足以娛其耳；若無所中，然乃用之不可窮極也。』是王亦作『不可既』。倫謂王蓋三句皆作『不可』，『不足』乃王注之辭。『足』、『可』音近，傳寫譌改耳。三句皆當作『可』。」奚侗云：「『足』當依河上注訓『得』。禮記禮器『百官皆足』，鄭注亦訓『足』爲『得』。……下『足』各本作『可』，與上二句不一律，蓋淺人不知『足』可訓『得』而妄改也。」馬、奚二氏之説各執一詞，雖各有可取，但皆不完善。今諭之帛書甲、乙本，前二句作「不足見」、「不足聞」，後一句作「不可既」，經文與弼注相合。足見王本原亦作「不可既」。今見王本作「不足既」，乃由後人竄改。馬氏謂「三句皆作『不可』」，奚氏云三句皆作「不足」，各偏一面，皆不實也。老子想爾注，强本成疏亦作「不足見」、「不足聞」、「不可既」，皆與帛書甲、乙本同。足證今本作「不足既」者，非老子原本舊文，當據帛書甲、乙本訂正。

河上公注：「足，德也。道無形，非若五色，有青黄赤白黑可得見也。道非若五音，有宫商角徵羽可得聽聞也。用道治國則國安民昌，治身則壽命延長，無有既盡時也。」訓「足」爲「得」，釋「不可既」爲「無有既盡」，甚切老子之本義。

道經校注

三十六（今本道經第三十六章）

甲本：將欲拾（翕）之，必古（固）張之；將欲弱之，〔必固〕166强之；將欲去之，必古（固）與（舉）之；將欲奪之，必古（固）予之：是胃（謂）微明。

乙本：將欲擒（翕）之，必古（固）張之；將欲弱之，必古（固）强之；將欲去之，必古（固）與（舉）之；將欲奪之，必古（固）予〔之〕251上：是胃（謂）微明。

王本：將欲歙之，必固張之；將欲弱之，必固强之；將欲廢之，必固興之；將欲奪之，必固與之：是謂微明。

景龍碑「歙」字作「翕」，「固」字作「故」，謂「將欲翕之，必故張之；將欲弱之，必故强之」；河上本作「將欲噏之，必固張之；將使弱之，必固强之」；顧、傅、范三本

「歙」字作「翕」，謂「將欲翕之」，遂州與敦煌丁二本作「將欲噏之」。彭、范二本「奪」字作「取」，謂「將欲取之，必固與之」。

帛書甲本殘損二字，乙本殘損一字。甲本「拾」字與乙本「㩉」字，均當假爲「翕」；「古」字均當假爲「固」。兩本經文相同，缺文可互補。與今本勘校，帛書甲、乙本「將欲去之，必固與之；將欲奪之，必固予之」，世傳今本多同王本，作「將欲廢之，必將興之；將欲奪之，必固與之」；唯彭、范二本上句作「將欲取之，必固與之」。勞健云：「『興』當作『舉』，叶下句『必固與之』。『將欲奪之』，范與韓非作『將欲取之』。」范注：「『取，一作「奪」，非古也。』按『翕弱』、『張强』、『廢奪』、『舉與』皆兩句相間成韻，當作『奪』無疑。」馬叙倫云：「韓非喻老篇引無『廢之』兩句。『奪』，范及韓非喻老篇引並作『取』，説林上篇引周書亦作『取』。各本及後漢書桓譚傳引『將欲奪之』四句，同此。」蔣錫昌云：「史記管晏列傳云：『故曰：「知與之爲取，政之寶也。」』索隱：『老子曰：「將欲取之，必固與之。」』看史記用『故曰』云云，疑『與之爲取』即本之老子『將欲取之，必固與之』而來。是史記與索隱並作『取』也。諭義，亦以作『取』爲是。當據韓非改正。」從帛書經文分析，韓非子喻老所引只前三句，即「翕之張之」、「弱之强之」、「取之與之」，未引第四句「奪之予之」，馬叙倫謂引無「廢之興之」，不確。「取之與之」，即史記管晏列傳所云「知與之爲取」，亦即帛書甲、乙本第三句「去之與之」。「取」、「去」二字古音同通假，在此假「取」字爲「去」，當從帛書。「與」字假爲「舉」，「與」、「舉」二字通用。如漢書淮南厲王長傳「賜與財物爵禄」，韓詩外傳卷七作「爵禄賞賜舉，人之所好」；大戴禮王言篇「選賢舉能」，禮記禮運作「選賢與能」，皆其證。經文當讀作「將欲去之，必固舉之」，世傳今本作「將欲廢之，必固興之」。「興」字顯同「與」字，形近而誤，又因「去」、「興」二字義不相合，於是改「去」字爲「廢」，皆非老子原文。第四句帛書甲、乙本「將欲奪之，必固予之」，今本「予」字作「與」。雖「與」、「予」二字義同，兹因前文假「與」字爲「舉」，此當從帛書作「予」字爲是。類似「予之爲奪」之句式，乃當時常用之語言結構，可表達多種内容。諸如戰國策魏策「將欲敗之，必姑輔之。將欲取之，必姑與之」，吕覽行論篇「將欲毁之，必重累之。將欲踣之，必高舉之」，句式皆同，未必同出老子。論之帛書甲、乙本，經文相同，四句則爲「翕張」、「弱强」、「去舉」、「奪予」。「張」與「强」、「舉」與「予」皆成韻讀，則經文音諧義合，足證老子原本即當如此。今本經文因間有訛誤，後人又據他書妄加改動，雖經學者考證，皆不可信，當從帛書。

范應元云：「『張之』、『强之』、『興之』、『與之』之時（『興』、『與』二字當從帛書作

『舉』、『予』)，已有『翕之』、『弱之』、『廢之』、『取之』之幾(『廢』、『取』二字當從帛書作『去』、『奪』)伏在其中矣。幾雖幽微，而事已顯明也，故曰『是謂微明』。或者以此數句爲權謀之術，非也。聖人見造化消息盈虛之運如此，乃知常勝之道是柔弱也。蓋物至於壯則老矣。」明王純甫云：「『將欲』云者，『將然』之辭也；『必固』云者，『已然』之辭也。造化有消息盈虛之運，人事有吉凶倚伏之理，故物之將欲如彼者，必其已嘗如此者也。將然者雖未形，已然者則可見。能據其已然，而逆覩其將然，則雖若幽隱，而實至明白矣。故曰『是謂微明』。」

甲本：𠬝(柔)弱勝强。魚不〔可〕167脱於潚(淵)，邦利器不可以視(示)人。

乙本：柔弱朕(勝)强。魚不可說(脱)於淵，國利器不可以示人。

王本：柔弱勝剛强。魚不可脱於淵，國之利器不可以示人。

景龍、蘇、吴、焦諸本首句作「柔勝剛，弱勝强」；傅、范、徽、邵、彭諸本作「柔之勝剛，弱之勝强」。第二句，傅、范二本作「魚不可侻於淵」；蘇本作「魚不可以脱於淵」。第三句，景龍、遂州二本作「國有利器不可示人」；顧本作「國之利器不可示人」；傅、范、焦三本作「邦之利器不可以示人」。

帛書甲本殘損一字，「柔」字寫作「𠬝」，帛書研究組讀爲「友」字，假借爲「柔」。又假「潚」字爲「淵」，假「視」字爲「示」；乙本假「朕」字爲「勝」，假「說」字爲「脫」，可互相補正。與今本勘校，世傳今本多同王本作「柔弱勝剛强」；也有作「柔勝剛，弱勝强」或「柔之勝剛，弱之勝强」。老子想爾注：「水法道柔弱，故能消穿崖石。」顧本成疏：「柔弱實智也，剛强權智也。」李道純道德會元云：「『柔弱勝剛强』分二句，非。」「柔弱」皆爲一句，與王弼本同。今諭之帛書甲、乙本，「柔弱」亦均爲一句；不僅一句，且無「剛」字，作「柔弱勝强」。韓非子喻老篇云：「處小弱而重自卑，謂損弱勝强也。」亦謂「勝强」，與帛書甲、乙本同，足證老子原本當如此。帛書「魚不可脫於淵」，世傳今本多與之同，韓非喻老引作「魚不可脫於深淵」，後漢書隗囂傳、翟酺傳李賢注引老子皆作「魚不可脫於泉」。朱謙之云：「作『泉』非也。此章『淵』、『人』爲韻，宜作『淵』。『泉』字，乃唐人避高祖諱改『淵』爲『泉』。韓非喻老篇：『故曰：「魚不可脫於深淵。」』王先慎曰：『「深」字衍，唐避「淵」改「深」，後人回改，兼改「深」字耳。』今案：唐人避諱多改『淵』爲『深』，則亦可改『淵』爲『泉』也，唯『淵』字是故書。」朱說誠是。

韓非子喻老篇云：「勢重者人君之淵也，君人者勢重於人臣之間，失則不可復得也。簡公失之於田成，晉公失之於六卿，而邦亡身死，故曰：『魚不可脫於深淵。』賞罰者邦之利器也，在君則制臣，在臣則勝君。君見賞，臣則損之以爲德；君見罰，臣則益之以爲威。人君見賞而人臣用其勢，人君見罰而人臣乘其威。故曰：『邦之利器不可以示人。』」内儲説下：「勢重者人主之淵也，臣者勢重之魚也。魚失於淵而不可復得也，人主失其勢重於臣，而不可復收也，古之人難正言，故託之於魚。賞罰者利器也，君操之以制臣，臣得之以擁主。故君先見所賞則臣鬻之以爲德，君先見所罰則臣鬻之以爲威，故曰：『國之利器不可以示人。』」按聖君之勢猶魚之淵，失勢則困，魚脱淵則死，故聖君守道無爲必須重勢。重勢之道在於利器，賞罰者乃君之利器也。賞罰明則利器堅，臣民服；臣民服則君權固；君權固則令行而禁止，聖君可虚静無爲垂拱而治。

道經校注

三十七（今本道經第三十七章）

甲本：道恒无名，侯王若守之，萬物將自愚（化）。

乙本：道恒无名，侯王若251下能守之，萬物將自化。

王本：道常無爲而無不爲，侯王若能守之，萬物將自化。

傅奕、遂州二本「侯王」二字作「王侯」，無「之」字，作「道常無爲而無不爲，王侯若能守，萬物將自化」；范本與之同，唯「守」下有「之」字；景龍、易玄、邢玄、慶陽、樓古、磻溪、孟頫、樓正、敦煌英、河上、顧、彭、徽、邵、司馬、蘇、吴、林、焦諸本作「道常無爲而無不爲，侯王若能守，萬物將自化」；景福碑第二句「若」字作「而」，謂「侯王而能守之」。

帛書甲本脱「能」字，當從乙本補作「侯王若能守之」；甲本又假「愚」字爲「化」。「愚」字從心爲聲，「爲」字屬匣紐歌部，「化」字在曉紐歌部，「爲」、「化」二字古音同通用。説文貝部：「貨，從貝化聲。」又謂「或從貝爲聲」，寫作「貨」，即其證。乙本無脱字與假字，經義與甲本相同。與今本勘校，甲、乙本「道恒无名」，世傳今本皆同王本作「道常無爲而無不爲」，彼此經文出入甚大，而且此一差異不限於本章，凡今本所見「無爲而無不爲」者，在帛書甲、乙本中均無踪迹。此是勘校本書發現之一大問題，它對研究老子哲學思想甚關重要，有必要對它進行徹底考察。

按「無爲」是老子哲學中最重要的觀念，譽爲人之最高德性。此一觀念在他那五千餘言的著作中，反復講了十一次。如帛書甲、乙本：

（1）上德无爲而无以爲也。（甲本1，乙本175上）

（2）吾是以知无爲之有益也。不言之教，无爲之益，天下希能及之矣。（甲本15，乙本181下）

（3）是以聖人不行而知，不見而名，弗爲而成。（甲本21，乙本184上）

（4）爲學者日益，聞道者日損，損之又損，以至於无爲。（甲本21殘損，乙本184上）

（5）我无爲而民自化，我好静而民自正，我无事而民自富，我欲不欲而民自樸。（甲本42，乙本193下—194上）

（6）爲无爲，事无事，味无味。（甲本53，乙本199上）

（7）爲之者敗之，執之者失之。是以聖人无爲也，故无敗也；无執也，故无失也。（甲本57—58，乙本201上）

（8）是以聖人欲不欲，而不貴難得之貨；學不學，而復衆人之所過。能輔萬物之自然，而弗敢爲。（甲本59—60，乙本201下—202上）

（9）是以聖人居无爲之事，行不言之教。（甲本96，乙本219下）

（10）使夫知不敢，弗爲而已，則无不治矣。（甲本99殘損，乙本202上—221下）

（11）夫天下神器也，非可爲者也。爲者敗之，執者失之。（甲本151，乙本244上）

今本除上述十一處外，尚較帛書甲、乙本多出一處，即本章此文。甲、乙本作「道恒无名」，世傳今本皆作「道常無爲而無不爲」。

從帛書甲、乙本考察，上述十一處皆言「無爲」，而無一處言「無不爲」。今本則不然，在上述經文中有的本子則將「無爲」改作「無爲而無不爲」。但是，各本改動情況又不完全相同，像傅、范、樓古三本改動四處，其他各本只改動兩處。兹將各本改動情況對照如下：

（1）甲、乙本「上德无爲而无以爲也」，今本第三十八章此文多同甲、乙本，唯傅、范、樓古三本作「上德無爲而無不爲」。

（4）甲本全部殘毁，乙本也有殘損，僅存「損之又損，以至於无」八字，今本第四十八章皆作「損之又損，以至於無爲，無爲而無不爲」。

（10）甲本有殘損，乙本作「使夫知不敢，弗爲而已，則无不治矣」，今本第三章多作「使夫智者不敢爲也，爲無爲，則無不治」，唯傅、范、樓古三本作「使夫知者不敢爲，爲無爲，則無不爲矣」。

本章此文，甲、乙本「道恒无名」，今本第三十七章皆作「道常無爲而無不爲」。關於（1）（4）（10）三處之分歧，我在前文勘校中已作詳細考證和説明，這裏不再贅述。僅將第四處，即本章此文的問題，予以辨證和説明如下：

帛書甲、乙本「道恒无名，侯王若能守之，萬物將自化」，世傳今本多同王本作「道常無爲而無不爲，侯王若能守之，萬物將自化」。全部文字多同，只是首句各異，其中必有一誤。按本章此文與第三十二章經文内容基本相似，如王本三十二章「道常無名，樸雖小，天下莫能臣也。侯王若能守之，萬物將自賓」，帛書甲、乙本作「道恒无名，樸雖小，而天下弗敢臣。侯王若能守之，萬物將自賓」。如果説帛書與今本共同保存了此章經文之原貌，那麽本章分歧即可迎刃而解。兩章文詞内容基本相同，首句應同作「道恒無名」才是，而今本作「道常無爲而無不爲」，顯非老子原文，必因後人竄改所致。其證一也。再就王弼注文分析，王注「道常無爲而無不爲」云：「順自然也，萬物無不由爲以治以成之也。」王弼注文有錯亂，早被學者所察覺。陶鴻慶云：「句中『之』字非衍，但誤倒耳。古逸本删『之』字，文雖較順而實非其旨。一章及二十一章注皆云：『萬物以始以成，而不知其所以然。』明『治』爲『始』之誤。」波多野太郎云：「『爲』字涉經文而衍，『之』字應在『由』下。」依陶鴻慶、波多野太郎二氏之勘訂，弼注當作「順自然也。萬物無不由之以始以成也」。如以此注，王弼似爲「道常無名」所作，而與「道常無爲而無不爲」不類。「順自然」者，則謂「道」也。弼注第二十五章「道法自然」云：「道不違自然，乃得其性。『法自然』者，在方而法方，在圓而法圓，於自然無所違也。」「萬物無不由之以始以成也」，猶似一章「無名萬物之始」之注脚，弼注一章云：「凡有生於無，故未形無名之時，則爲萬物之始。」兩注内容相似，經文亦必相近，從而足證王本經文原同帛書甲、乙本作「道恒无名」無疑。今本所見「道常無爲而無不爲」者，必在王注而後所改。河上公注此文云：「道以無爲爲常也。言侯王若能守道，萬物將自化，效於己也。」經文皆有注，唯「而無不爲」句無注，這在河上公注文中是極少有的現象。「道常無爲」，經文已經有誤，又增「而無不爲」四字，則錯上加錯。由此可見，經文「道常無名」，最初僅誤「名」字爲「爲」，故河上公注云：「道以無爲爲常也。」後又誤增「而無不爲」四字，河上公於此文無注，足證誤「名」字爲「爲」應在注前，誤增四字在注後。今從王弼、河上公兩注文分析，此二系統之傳本原亦與帛書甲、乙本經文相同，當作「道常無名」。其證二也。

通過帛書甲、乙本之全面勘校，得知老子原本只講「無爲」，或曰「無爲而無以爲」，從未講過「無爲而無不爲」。「無爲而無不爲」的思想本不出於老子，它是戰國末年出現的一種新的觀念，可以説是對老子「無爲」思想的改造。曾散見於莊子外篇、韓非子、吕覽及淮南子等書。如莊子外篇至樂篇：「曰：天地無爲也，而無不爲也，人也孰能得無爲哉。」天道篇：「故古之人貴夫無爲也。上無爲也，下亦無爲也，是下與上同德，下與上同德則不臣；下有爲也，上亦有爲也，是上與下同道，上與下同道則不主。上必無爲而用天下，下必有爲爲天下用，此不易之道也。」這種上下共無爲則「不臣」、「不主」的思想，與老子所講「無爲」有根本的不同。但是，過去由於世傳老子多被後人改動，對道家思想的前後變化辨別不清。幸而帛書甲、乙本保存了老子的原來面目，爲我們研究道家思想的前後變化提供了極爲寶貴的資料。

甲本：悹（化）而欲168〔作，吾將鎮之以无〕名之楃（樸）。〔鎮之以〕无名之楃（樸），夫將不辱（欲）。

乙本：化而欲作，吾將闐（鎮）之以无名之樸。闐（鎮）之以无名之樸，夫將不辱（欲）。

王本：化而欲作，吾將鎮之以無名之樸。無名之樸，夫亦將無欲。

邵、彭二本「鎮」後無「之」字，「亦」前無「夫」字，「無欲」二字作「不欲」，謂「化而欲作，吾將鎮以無名之樸。無名之樸，亦將不欲」；景龍、易玄、景福、慶陽、樓古、磻溪、孟頫、樓正、敦煌英、河上、顧、徽、司馬、蘇、吴、林諸本後一句亦作「無名之樸，亦將不欲」；傅、范、焦三本作「無名之樸，夫亦將不欲」；遂州本作「無名樸，亦將無欲」。

帛書甲本有殘損，乙本保存完好，可據補甲本缺文。與今本勘校，乙本假「闐」字爲「鎮」，「鎮之以」三字作重語。又王本及世傳本中「夫亦將無欲」一句，甲、乙本假「辱」字爲「欲」，當作「夫將不欲」。易順鼎云：「按釋文大書『吾將鎮之以無名之樸，夫亦將無欲』十四字，則今本重『無名之樸』四字，乃涉上文而衍。」高亨早年同易説，謂：「『無名之樸』四字，則文意隔閡，今據删。」正詁再版後，高氏更變舊意，則謂：「易説固有徵矣，但余疑此文當作『吾將鎮之以無名之樸，鎮之以無名之樸，夫亦將無欲』。轉寫捝去『鎮之』二字耳。」高亨更改後的意見甚是，所言與帛書經文正相符合。但是，「無欲」二字帛書作「不欲」。于省吾云：「釋文：『無，簡文作「不」。』」羅氏考異謂景龍、御注、景福、英倫諸本均無『夫』字，『無』亦作『不』，按老子『夫』字多爲後人所增，『無』作『不』者是也。河上公本正作『亦將不欲，不欲以静』。今以古書重文之例驗之，『亦將不欲，不欲以静』，本應作『亦將不＝欲＝以静』，是『無』應作『不』之證。」于氏謂「無」字當作『不』，誠是。但説「老子『夫』字多爲後人所增」，不確。帛書甲、乙本此句均作「夫將不辱」，「辱」字當假借爲「欲」。「辱」、「欲」二字古爲雙聲疊韻，音同互假，故此當作「夫將不欲」。茲據古今各本勘校，此文當作：「化而欲作，吾將鎮之以無名之樸，鎮之以無名之樸，夫將不欲。」

老子想爾注云：「失正變得邪，邪改得正。今王者法道，民悉從正，齋正而止，不可復變，變爲邪矣。觀其將變，道便鎮制之，檢以無名之樸，教誡見也。王者亦當法道鎮制之，而不能制者，世俗悉變爲邪矣，下古世是也。」「欲作」，則謂貪欲之復起也，即所謂「失正變得邪」也。説文金部：「鎮，博壓也。」河上公訓作「鎮撫」。德經第三十八章王弼注：「夫載之以大道，鎮之以無名，則物無所尚，志無所營。各任其貞事，用其誠，則仁德厚焉，行義正焉，禮敬清焉。」此之言鎮撫以道，夫將不欲也。

甲本：不辱（欲）以情（静），天地將自正169。

乙本：不辱（欲）以静，天地將自正252上。道二千四百廿六252下。

王本：不欲以静，天下將自定。

遂州、司馬二本「不」字作「無」，「定」字作「正」，謂「無欲以静，天下將自正」；景龍、易玄、景福、樓古、磻溪、孟頫、樓正、顧、傅、范、彭、徽、邵、蘇、吴、林、焦諸本「定」字作「正」，謂「不欲以静，天下將自正」。

帛書甲、乙本以「辱」字假「欲」，甲本又以「情」字假「静」。與今本勘校，甲、乙本「天地將自正」，今本作「天下將自正」或「天下將自定」。朱謙之云：「『正』，諸王本與宋刊河上本作『定』，王羲之本、傅、范本、高翿本及諸石本皆作『正』。『正』、『定』義通，『定』從『正』聲，形亦近同。勞健引説文古文『正』作『𤴓』，夏竦古文韻『定』字引汗簡作『𤴓』。」帛書甲、乙本「天地將自正」，今本「天地」二字誤作「天下」；老子想爾注本作「天地自正」，與甲、乙本同。前文既爲「天地」，當以「自正」爲是，「定」乃「正」之借字。「不欲以静，天地將自正」，謂根絶貪欲，清静無爲，天象乃運轉正常，地氣與四時相應，則風調雨順，百姓安居樂業。如第三十二章：「天地相合，以降甘露，民莫之令而自均。」否之，天象行亂，日月嬴絀，四時失常，萬民遭殃。

帛書老子甲本殘卷實録

德經

38□□□□□□□□□□□□□□□□德上德无□□无以爲也上仁爲之□□以爲也上義爲之而有以爲也上禮□□□□□□□□攘臂而乃之故失道而后德失德而后仁失仁而后義□□□□□□□□□□□□□而亂之首也□□道之華也而愚之首也是以大丈夫居其厚而不居其泊居其實不居其華故去皮取此

39昔之得一者天得一以清地得□以寧神得一以霝浴得一以盈侯□□而以爲□□正其致之也胃天毋已清將恐□胃地毋□將恐□胃神毋已霝□恐歇胃浴毋已盈將恐渴胃侯王毋已貴□□□□故必貴而以賤爲本必高矣而以下爲基夫是以侯王自胃□寡不橐此其□□□□□故致數與无與是

故不欲□□若玉硌□□□

40□□□□□□□□□□□□□□□□□□□□□□□□□□□□□□□
□□□□□□□□□□□□□□□□□□□□□□□□□□□□□□□
□□□□□□□□□□□□□□□□□□□□□□□□□□□□□□道
善□□□□

41□□□道之動也弱也者道之用也天□□□□□□□□□□

42□□□□□□□□□□□□□□□□□□□中氣以爲和天下之所惡唯
孤寡不槖而王公以自名也勿或敗之□□□之而敗故人□□教夕議而教人
故强良者不得死我□以爲學父

43天下之至柔□騁於天下之致堅无有入於无間五是以知无爲□□益也不
□□教无爲之益□下希能及之矣

44名與身孰亲身與貨孰多得與亡孰病甚□□□□□□□亡故知足不辱知
止不殆可以長久

45 大成若缺其用不幣大盈若⿱沖皿其用不窮大直如詘大巧如拙大贏如⿰火内趮勝寒
靚勝炅請靚可以爲天下正

46 天下有□□走馬以糞天下无道戎馬生於郊罪莫大於可欲⿰阝⿱既心莫大於不知足
咎莫憯於欲得□□□□恒足矣

47 不出於户以知天下不規於牖以知天道其出也彌遠其□□□□□□□
□□□□□□□爲而□

48 □□□□□□□□□□□□□□□□□□□□□□□□□取天下也恒□
□□□□□□□□□□□□

49 □□□□□以百□之心爲□善者善之不善者亦善□□□□□□□□□□
□□□□□信也□□之在天下⿰忄翕⿰忄翕焉爲天下渾心百姓皆屬耳目焉聖人
□□□

50 □生□□□□有□□徒十有三而民生生動皆之死地之十有三夫何
故也以其生生也蓋□□執生者陵行不□矢虎入軍不被甲兵矢无所椯其角

虎无所昔其蚤兵无所容□□□何故也以其无死地焉

51道生之而德畜之物刑之而器成之是以萬物尊道而貴□□之尊德之貴也夫莫之时而恒自然也道生之畜之長之遂之亭□□□□□□□□□弗有也爲而弗寺也長而弗宰也此之謂玄德

52天下有始以爲天下母既得其母以知其□復守其母没身不殆塞其悶閉其門終身不堇啓其悶濟其事終身□□□小曰□守柔曰强用其光復歸其明毋遺身央是胃襲常

53使我擦有知□□大道唯□□□□□甚夷民甚好解朝甚除田甚芜倉甚虚服文采帶利□□□食□□□□□□□□□□□□

54善建□□拔□□□□子孫以祭祀□□□□□□□□□□□□□□□餘脩之□□□□□□□□□□□□□□□□□□□□以身□身以家觀家以鄉觀鄉以邦觀邦以天□□□□□□□□□□□□□□□

55□□之厚□比於赤子逢⿰彳剌⿰虫畏地弗螫擢鳥猛獸弗搏骨弱筋柔而握固未知牝

牡□□□□精□至也終日號而不发和之至也和曰常知和曰明益生曰祥
心使氣曰强□□即老胃之不道不道□□
56 □□弗言言者弗知塞其悶閉其□□其光同其塹坐其閱解其紛是胃玄同故
不可得而親亦不可得而疏不可得而利亦不可得而害不可□而貴亦不可得
而淺故爲天下貴
57 以正之邦以畸用兵以无事取天下吾何□□□□也哉夫天下□□□而民彌
貧民多利器而邦家茲昬人多知而何物茲□□□□□□盜賊□□□□□□
□□□我无爲也而民自化我好静而民自正我无事民□□□□□□□□□
□
58 □□□□□□□□其正察察其邦夬夬⿰骨⿱彡心福之所倚福⿰骨⿱彡心之所伏□□□□□
□□□□□□□□□□□□□□□□□□□□□□□□□□□□□□□
□□□□□□□
59 □□□□□□□□□□□□□□□□□□□□□□□□□□□□□□□

□□□□□□□□可以有國有國之母可以長久是胃深槿固氏□□□□□道也

60 □□□□□□□□天下其鬼不神非其鬼不神也其神不傷人也非其申不傷人也聖人亦弗傷□□□不相□□德交歸焉

61 大邦者下流也天下之牝天下之郊也牝恒以靚勝牡爲其靚□□宜爲下大邦□下小□則取小邦小邦以下大邦則取於大邦故或下以取或下而取□大邦者不過欲兼畜人小邦者不過欲入事人夫皆得其欲□□□爲下

62 □者萬物之注也善人之葆也不善人之所葆也美言可以市尊行可以賀人人之不善也何□□有故立天子置三卿雖有共之璧以先四馬不善坐而進此古之所以貴此者何也不胃□□得有罪以免輿故爲天下貴

63 爲无爲事无事味无未大小多少報怨以德圖難乎□□□□□□□天下之難作於易天下之大作於細是以聖人冬不爲大故能□□□□□□□□必多難是□□人猶難之故終於无難

64 其安也易持也□□□□□□□□□□□□□□□□□□□□□□□□□

□□□□□□□□□□□□□□毫末九成之臺作於羸土百仁之高台於足

□□□□□□□□□□□□□□□□□也□无敗□无執也故无失也民之

從事也恒於其成事而敗之故慎終若始則□□□□□□□□欲不欲而不貴

難得之⿰月爲學不學而復衆人之所過能輔萬物之自□□弗敢爲

65 故曰爲道者非以明民也將以愚之也民之難□□□□知也故以知知邦邦之

賊也以不知知邦□□德也恒知此兩者亦稽式也恒知稽式此胃玄德玄德深

矣遠矣與物□矣乃至大順

66 □海之所以能爲百浴王者以其善下之是以能爲百浴王是以聖人之欲上民

也必以其言下之其欲先□□必以其身後之故居前而民弗害也居上而民弗

重也天下樂隼而弗猒也非以其无静與□□□□□静

67 小邦寡民使十百人之器毋用使民重死而遠徙有車周无所乘之有甲兵无所

陳□□□□□□□用之甘其食美其服樂其俗安其居鄰邦相朢鷄狗之聲相

聞民至□□□□□□

68□□□□□□不□□者不博□者不知善□□□者不善聖人无積□以爲
□□□□□□□□□□□□□□□□□□□□□□□□□□□

69□□□□□□□□□夫唯□故不宵若宵細久矣我恒有三葆之一曰兹二
曰檢□□□□□□□□□□□□□故能廣不敢爲天下先故能爲成事長
今舍其兹且勇舍其後且先則必死矣夫兹□□則勝以守則固天將建之女以
兹垣之

70善爲士者不武善戰者不怒善勝敵者弗□善用人者爲之下□胃不諍之德是
胃用人是胃天古之極也

71用兵有言曰吾不敢爲主而爲客吾不進寸而芮尺是胃行无行襄无臂執无兵
乃无敵矣懸莫於於无適无適斤亡吾吾葆矣故稱兵相若則哀者勝矣

72吾言甚易知也甚易行也而人莫之能知也而莫之能行也言有君事有宗夫唯
无知也是以不□□□□□我貴矣是以聖人被褐而褱玉

73知不知尚矣不不知知病矣是以聖人之不病以其□□□□□□
74□□□畏畏則大□□□矣毋閘其所居毋猒其所生夫唯弗猒是□□□□□
□□□□□□□□□□□而不自貴也故去被取此
75勇於敢者□□□於不敢者則栝□□□□□□□□□□□□□□□□□□
□□□□□不言而善應不召而自來彈而善謀□□□□□□□□
76□□□□□□□奈何以殺愳之也若民恒是死則而爲者吾將得而殺之夫孰
敢矣若民□□必畏死則恒有司殺者夫伐司殺者殺是伐大匠斲也夫伐大匠
斲者則□不傷其手矣
77人之飢也以其取食逆之多也是以飢百姓之不治也以其上有以爲□是以不
治民之巠死以其求生之厚也是以巠死夫唯无以生爲者是賢貴生
78人之生也柔弱其死也楦仞賢强萬物草木之生也柔脆其死也棹槀故曰堅强
者死之徒也柔弱微細生之徒也兵强則不勝木强則恒强大居下柔弱微細
居上

79天下□□□□者也高者印之下者舉之有餘者敗之不足者補之故天之道
敗有□□□□□□□□□不然敗□□□奉有餘孰能有餘而有以取奉於天
者乎□□□□□□□□□□□□□□□□□□□□□□□見賢也

80天下莫柔□□□□□堅强者莫之能□也以其无□易□□□□□□□□勝
强天□□□□□□□□行也故聖人之言云曰受邦之詢是胃社稷之主受邦
之不祥是胃天下之王□□若反

81和大怨必有餘怨焉可以爲善是以聖右介而不以責於人故有德司介□德司
徹夫天道无親恒與善人

道經

1道可道也非恒道也名可名也非恒名也无名萬物之始也有名萬物之母也□
恒无欲也以觀其眇恒有欲也以觀其所噭兩者同出異名同胃玄之有玄衆眇
之□

2天下皆知美爲美惡已皆知善訾不善矣有无之相生也難易之相成也長短之相刑也高下之相盈也意聲之相和也先後之相隋恒也是以聲人居无爲之事行□□□□□□□□□□也爲而弗志也成功而弗居也夫唯居是以弗去

3不上賢□□□□□□□□□□□民不爲□□□□□□民不亂是以聲人之□□□□□□□□□□□强其骨□使民无知无欲也使□□□□□□□□□□□□

4□□□□□□□盈也潚呵始萬物之宗銼其解其紛和其光同□□□□□或存吾不知□□□子也象帝之先

5天地不仁以萬物爲芻狗聲人不仁以百省□□狗天地□□□猶橐籥與虛而不淈踵而俞出多聞數窮不若守於中

6浴神□死是胃玄牝玄牝之門是胃□地之根緜緜呵若存用之不堇

7天長地久天地之所以能□且久者以其不自生也故能長生是以聲人芮其身而身先外其身而身存不以其无□輿故能成其私

8上善治水水善利萬物而有靜居衆之所惡故幾於道矣居善地心善潚予善信正善治事善能踵善時夫唯不靜故无尤

9揗而盈之不□□□□兑□之□可長葆之金玉盈室莫之守也貴富而驕自遺咎也功述身芮天□□□

10□□□□□□□□□□□□□□能嬰兒乎脩除玄藍能毋疵乎□□□□□□□□□□□□□□□□□□□□□□□□□□□□□生之畜之生而弗□□□□□□□□德

11卅□□□□□其无□□之用□埏埴爲器當其无有埴器□□□□□當其无有□□用也故有之以爲利无之以爲用

12五色使人目明馳騁田臘使人□□□難得之價使人之行方五味使人之口啪五音使人之耳聾是以聲人之治也爲腹不□□故去罷耳此

13龍辱若驚貴大梡若身苛胃龍辱若驚龍之爲下得之若驚失□若驚是胃龍辱若驚何胃貴大梡若身吾所以有大梡者爲吾有身也及吾无身有何梡故貴爲

身於爲天下若可以迈天下矣愛以身爲天下女可以寄天下

14 視之而弗見名之曰聾聽之而弗聞名之曰希捪之而弗得名之曰夷三者可至計故園□□□一者其上不攸其下不忽尋尋呵不可名也復歸於无物是胃无狀之狀无物之□□□□□□□□而不見其首執今之道以御今之有以知古始是胃□□

15 □□□□□□□□深不可志夫唯不可志故强爲之容曰與呵其若冬□□□□□畏四□□其若客涣呵其若淩澤□呵其若楃湷□□□□□□若浴濁而情之余清女以重之余生葆此道不欲盈夫唯不欲□□□□□□成

16 至虛極也守情表也萬物旁作吾以觀其復也天物雲雲各復歸於其□□□□静是胃復命復命常也知常明也不知常帝帝作兇知常容容乃公公乃王王乃天天乃道□□□沕身不怠

17 太上下知有之其次親譽之其次畏之其下母之信不足案有不信□□其貴言

也成功遂事而百省胃我自然

18 故大道廢案有仁義知快出案有大僞六親不和案有畜兹邦家悶亂案有貞臣

19 絶聲棄知民利百負絶仁棄義民復畜兹絶巧棄利盗賊无有此三言也以爲文未足故令之有所屬見素抱□□□□□□□□□□

20 唯與訶其相去幾何美與惡其相去何若人之□□亦不□□□□□□□□□□□衆人巸巸若鄉於大牢而春登臺我泊焉未佻若□□□□纍呵如□□□□□皆有餘我獨遺我禺人之心也惷惷呵鬻□□□□□□閒呵鬻人蔡蔡我獨悶悶呵忽呵其若□朢呵其若无所止□□□□□□□□以悝我欲獨異於人而貴食母

21 孔德之容唯道是從道之物唯朢唯忽□□□呵中有象呵朢呵忽呵中有物呵灣呵鳴呵中有請吔其請甚真其中□□自今及古其名不去以順衆仪吾何以知衆仪之然以此

22 炊者不立自視不章□見者不明自伐者无功自矜者不長其在道曰粽食贅行

物或惡之故有欲者□居
23曲則金枉則定洼則盈敝則新少則得多則惑是以聲人執一以爲天下牧不□
視故明不自見故章不自伐故有功弗矜故能長夫唯不争故莫能與之争古
□□□□□□□語才誠金歸之
24希言自然飄風不冬朝暴雨不冬日孰爲此天地□□□□□□□故從事
而道者同於道德者同於德者者同於失同□□□道亦德之同於□者道亦
失之
25有物昆成先天地生繡呵繆呵獨立□□□可以爲天地母吾未知其名字之曰
道吾强爲之名曰大大曰筮筮曰□□□□□□天大地大王亦大國中有四大
而王居一焉人法地地法□□□□□□□
26□爲巠根清爲趮君是以君子衆日行不蘺其甾重唯有環官燕處□□若若何
萬乘之王而以身巠於天下巠則失本趮則失君
27善行者无勶迹□言者无瑕適善數者不以檮筞善閉者无閵籥而不可啓也善

結者□□約而不可解也是以聲人恒善怵人而无棄人物无棄財是胃愧明故
善□□□之師不善人善人之齎也不貴其師不愛其齎唯知乎大眯是胃眇要

28 知其雄守其雌爲天下溪爲天下溪恒德不雞恒德不雞復歸嬰兒知其日守其
辱爲天下浴爲天下浴恒德乃□恒德乃□□□□知其守其黑爲天下式爲
天下式恒德不貣恒德不貣復歸於无極楃散□□□□人用則爲官長夫大制
无割

29 將欲取天下而爲之吾見其弗□□□□器也非可爲者也爲者敗之執者
失之物或行或隨或炅或□□□□或杯或撱是以聲人去甚去大去楮

30 以道佐人主不以兵□□天下□□□□□所居楚朸生之善者果而已矣毋
以取强焉果而毋驕果而勿矜果而□□果而毋得已居是胃□而不强物壯而
老是胃之不道不道蚤已

31 夫兵者不祥之器□物或惡之故有欲者弗居君子居則貴左用兵則貴右故兵
者非君子之器也□□不祥之器也不得已而用之銛襲爲上勿美也若美之是

樂殺人也夫樂殺人不可以得志於天下矣是以吉事上左喪事上右是以便將軍居左上將軍居右言以喪禮居之也殺人衆以悲依立之戰勝以喪禮處之

32 道恒无名樨唯□□□□□□□王若能守之萬物將自賓天地相谷以俞甘洛民莫之□□□□焉始制有□□□□有夫□□□□□所以不□俾道之在□□□□□浴之與江海也

33 知人者知也自知□□□□□者有力也自勝者□□□□□□也强行者有志也不失其所者久也死不忘者壽也

34 道□□□□□□□□□遂事而弗名有也萬物歸焉而弗爲主則恒无欲也可名於小萬物歸焉而弗爲主可名於大是□聲人之能成大也以其不爲大也故能成大

35 執大象□□往往而不害安平太樂與餌過格止故道之出言也曰談呵其无味也□□不足見也聽之不足聞也用之不可既也

36 將欲拾之必古張之將欲弱之□□强之將欲去之必古與之將欲奪之必古予

之是胃微明丠弱勝强魚不□脱於潚邦利器不可以視人

37道恒无名侯王若守之萬物將自憂憂而欲□□□□□□名之楃□□□无名之楃夫將不辱不辱以情天地將自正

帛書老子甲本勘校復原

德經

38 上德不德，是以有德；下德不失德，是以无德。上德无爲而无以爲也。上仁爲之而无以爲也。上義爲之而有以爲也。上禮爲之而莫之應也，則攘臂而扔之。故失道而后德，失德而后仁，失仁而后義，失義而后禮。夫禮者，忠信之薄也，而亂之首也。前識者，道之華也，而愚之首也。是以大丈夫居其厚而不居其薄，居其實而不居其華。故去彼取此。

39 昔之得一者，天得一以清，地得一以寧，神得一以靈，谷得一以盈，侯王得一而以爲天下正。其誡之也，謂天毋已清將恐裂，謂地毋已寧將恐發，謂神毋已靈將恐歇，謂谷毋已盈將恐竭，謂侯王毋已貴以高將恐蹶。故必貴而以賤爲本，必高矣而以下爲基。夫是以侯王自謂孤寡不穀。此其賤之本與，非也？故致數譽无譽。是故不欲禄禄若玉，硌硌若石。

40 上士聞道，勤能行之。中士聞道，若存若亡。下士聞道，大笑之。弗笑，不足以爲道。是以建言有之曰：明道如昧，進道如退，夷道如類。上德如谷，大白如辱。廣德如不足，建德如偷。質真如渝。大方无隅，大器免成，大音希聲，大象无形，道褒无名。夫唯道，善始且善成。

41 反也者，道之動也；弱也者，道之用也。天下之物生於有，有生於无。

42 道生一，一生二，二生三，三生萬物。萬物負陰而抱陽，沖氣以爲和。天下之所惡，唯孤寡不穀，而王公以自名也。物或損之而益，益之而損。古人之所教，亦我而教人。故强梁者不得其死，我將以爲學父。

43 天下之至柔，馳騁於天下之至堅。无有入於无間。吾是以知无爲之有益也。不言之教，无爲之益，天下希能及之矣。

44 名與身孰親？身與貨孰多？得與亡孰病？甚愛必大費，多藏必厚亡。故知足不辱，知止不殆，可以長久。

45大成若缺，其用不敝。大盈若盅，其用不窮。大直如詘，大巧如拙，大贏
如肭。趮勝寒，靜勝熱，清靜可以爲天下正。
46天下有道，卻走馬以糞。天下无道，戎馬生於郊。罪莫大於可欲，禍莫大
於不知足，咎莫憯於欲得。故知足之足，恒足矣。
47不出於户，以知天下。不窺於牖，以知天道。其出也彌遠，其知彌少。是
以聖人不行而知，不見而明，弗爲而成。
48爲學者日益，聞道者日損。損之又損，以至於无爲，无爲而无以爲。取天
下也，恒无事；及其有事也，不足以取天下。
49聖人恒无心，以百姓之心爲心。善者善之，不善者亦善之，德善也。信者
信之，不信者亦信之，德信也。聖人之在天下，惀惀焉，爲天下渾心。百
姓皆屬耳目焉，聖人皆孩之。
50出生入死。生之徒十有三，死之徒十有三，而民生生，動皆之死地之十有
三。夫何故也？以其生生也。蓋聞善攝生者，陵行不避兕虎，入軍不被甲

兵。兕无所投其角，虎无所措其爪，兵无所容其刃，夫何故也？以其无死地焉。

51道生之而德畜之，物形之而器成之。是以萬物尊道而貴德。道之尊，德之貴也，夫莫之爵，而恒自然也。道生之、畜之、長之、育之、亭之、毒之、養之、覆之。生而弗有也，爲而弗恃也，長而弗宰也，此之謂玄德。

52天下有始，以爲天下母。既得其母，以知其子；既知其子，復守其母，没身不殆。塞其垸，閉其門，終身不勤。啓其垸，濟其事，終身不救。見小曰明，守柔曰强。用其光，復歸其明，毋遺身殃，是謂襲常。

53使我絜有知，行於大道，唯池是畏。大道甚夷，民甚好徑。朝甚除，田甚芜，倉甚虛。服文采，帶利劍，猒飲食，資財有餘。是謂盜竽，非道也哉。

54善建者不拔，善抱者不脱，子孫以祭祀不絶。修之身，其德乃真。修之家，其德有餘。修之鄉，其德乃長。修之國，其德乃豐。修之天下，其德乃博。以身觀身，以家觀家，以鄉觀鄉，以邦觀邦，以天下觀天下。吾何以知天下之然哉？以此。

55含德之厚者，比於赤子。蜂蠆虺蛇弗螫，攫鳥猛獸弗搏。骨弱筋柔而握固，未知牝牡之會而朘怒，精之至也。終日號而不嚘，和之至也。知和曰常，知常曰明，益生曰祥，心使氣曰强。物壯即老，謂之不道，不道早已。

56知者弗言，言者弗知。塞其堄，閉其門，和其光，同其塵，挫其鋭，解其紛，是謂玄同。故不可得而親，亦不可得而疏；不可得而利，亦不可得而害；不可得而貴，亦不可得而賤；故爲天下貴。

57以正治邦，以奇用兵，以无事取天下。吾何以知其然也哉？夫天下多忌諱，而民彌貧。民多利器，而邦家滋昬。人多知巧，而奇物滋起。法物滋彰，而盗賊多有。是以聖人之言曰：我无爲而民自化，我好静而民自正，我无事而民自富，我欲不欲而民自樸。

58其政閔閔，其民惇惇。其政察察，其民狭狭。禍，福之所倚；福，禍之所伏。孰知其極？其无正也，正復爲奇，善復爲妖，人之迷也，其日固久矣。是以方而不割，廉而不刺，直而不肆，光而不燿。

59 治人事天莫若嗇，夫唯嗇，是以早服，早服是謂重積德。重積德則无不克，无不克則莫知其極。莫知其極，可以有國。有國之母，可以長久。是謂深根固柢，長生久視之道也。

60 治大國若亨小鮮，以道莅天下，其鬼不神。非其鬼不神也，其神不傷人也。非其神不傷人也，聖人亦弗傷也。夫兩不相傷，故德交歸焉。

61 大邦者，下流也，天下之牝。天下之交也，牝恒以静勝牡。爲其静也，故宜爲下。大邦以下小邦，則取小邦；小邦以下大邦，則取於大邦。故或下以取，或下而取。故大邦者，不過欲兼畜人；小邦者，不過欲入事人。夫皆得其欲，大者宜爲下。

62 道者萬物之主也，善人之寶也，不善人之所保也。美言可以市，尊行可以加人。人之不善也，何棄之有。故立天子，置三卿，雖有拱之璧以駪駟馬，不若坐而進此。古之所以貴此者何也？不謂求以得，有罪以免與！故爲天下貴。

63 爲无爲，事无事，味无味，大小，多少，報怨以德。圖難乎其易也，爲大乎其細也。天下之難作於易，天下之大作於細，是以聖人終不爲大，故能成其大。夫輕諾必寡信，多易必多難，是以聖人猶難之，故終於无難。

64 其安也，易持也。其未兆也，易謀也。其脆也，易破也。其微也，易散也。爲之於其未有也，治之於其未亂也。合抱之木，生於毫末，九層之臺，作於虆土。百仞之高，始於足下。爲之者敗之，執之者失之。是以聖人无爲也，故无敗也；无執也，故无失也。民之從事也，恒於幾成而敗之，故慎終若始，則无敗事矣。是以聖人欲不欲，而不貴難得之貨；學不學，而復衆人之所過；能輔萬物之自然，而弗敢爲。

65 故曰：爲道者非以明民也，將以愚之也。民之難治也，以其智也。故以智治邦，邦之賊也；以不智治邦，邦之德也。恒知此兩者，亦稽式也；恒知稽式，此謂玄德。玄德深矣，遠矣，與物反矣，乃至大順。

66江海之所以能爲百谷王者，以其善下之，是以能爲百谷王。是以聖人之欲上民也，必以其言下之；其欲先民也，必以其身後之。故居前而民弗害也，居上而民弗重也。天下樂推而弗厭也。非以其无争與，故天下莫能與争。

67小邦寡民，使有十百人之器而毋用，使民重死而遠徙。有舟車无所乘之，有甲兵无所陳之，使民復結繩而用之。甘其食，美其服，樂其俗，安其居，鄰邦相望，鷄狗之聲相聞，民至老死不相往來。

68信言不美，美言不信。知者不博，博者不知。善者不多，多者不善。聖人无積，既以爲人，己愈有；既以予人矣，己愈多。故天之道，利而不害；人之道，爲而弗争。

69天下皆謂我大，大而不肖。夫唯不肖，故能大；若肖，久矣其細也夫。我恒有三寶，持而寶之。一曰慈，二曰儉，三曰不敢爲天下先。夫慈，故能勇；儉，故能廣；不敢爲天下先，故能爲成事長。今捨其慈，且勇；捨其儉，且廣；捨其後，且先：則必死矣。夫慈，以戰則勝，以守則固。天將建之，如以慈垣之。

70 善爲士者不武，善戰者不怒，善勝敵者弗與，善用人者爲之下。是謂不争之德，是謂用人，是謂配天，古之極也。

71 用兵有言曰：吾不敢爲主而爲客，吾不敢進寸而退尺。是謂行无行，攘无臂，執无兵，乃无敵矣。禍莫大於无敵，无敵近亡吾寶矣。故稱兵相若，則哀者勝矣。

72 吾言甚易知也，甚易行也；而人莫之能知也，而莫之能行也。言有宗，事有君。夫唯无知也，是以不我知。知我者希，則我貴矣。是以聖人被褐而褱玉。

73 知不知，尚矣；不知知，病矣。是以聖人之不病，以其病病，是以不病。

74 民之不畏威，則大威將至矣。毋狹其所居，毋壓其所生。夫唯弗壓，是以不厭。是以聖人自知而不自見也，自愛而不自貴也，故去彼取此。

75勇於敢者則殺，勇於不敢者則活。此兩者或利或害，天之所惡，孰知其故？天之道，不戰而善勝，不言而善應，不召而自來，坦而善謀。天網恢恢，疏而不失。

76若民恒且不畏死，奈何以殺懼之也？若民恒且畏死，而爲奇者吾得而殺之，夫孰敢矣。若民恒且必畏死，則恒有司殺者。夫代司殺者殺，是代大匠斲也。夫代大匠斲者，則希不傷其手矣。

77人之飢也，以其取食税之多也，是以飢。百姓之不治也，以其上有以爲也，是以不治。民之輕死，以其求生之厚也，是以輕死。夫唯无以生爲者，是賢貴生。

78人之生也柔弱，其死也筋仞堅强。萬物草木之生也柔脆，其死也枯槁。故曰：堅强者死之徒也，柔弱者生之徒也。兵强則不勝，木强則烘。强大居下，柔弱居上。

79天之道，猶張弓者也，高者抑之，下者舉之；有餘者損之，不足者補之。

故天之道，損有餘而補不足。人之道則不然，損不足而奉有餘。孰能有餘而有以取奉於天者乎？唯有道者乎。是以聖人爲而弗有，成功而弗居也，若此其不欲見賢也。

80 天下莫柔弱於水，而攻堅强者莫之能勝也，以其无以易之也。柔之勝剛，弱之勝强，天下莫弗知也，而莫能行也。故聖人之言云，曰：受邦之垢，是謂社稷之主；受邦之不祥，是謂天下之王。正言若反。

81 和大怨，必有餘怨，焉可以爲善？是以聖人執右契，而不以責於人。故有德司契，无德司徹。夫天道无親，恒與善人。

道經

1 道，可道也，非恒道也。名，可名也，非恒名也。无名，萬物之始也；有名，萬物之母也。故恒无欲也，以觀其妙；恒有欲也，以觀其所徼。兩者同出，異名同謂，玄之又玄，衆妙之門。

2天下皆知美之爲美，惡已；皆知善，斯不善矣。有无之相生也，難易之相成也，長短之相形也，高下之相盈也，音聲之相和也，先後之相隨，恒也。是以聖人居无爲之事，行不言之教。萬物作而弗始也，爲而弗恃也，成功而弗居也。夫唯弗居，是以弗去。

3不上賢，使民不争。不貴難得之貨，使民不爲盜。不見可欲，使民不亂。是以聖人之治也，虚其心，實其腹，弱其志，强其骨。恒使民无知无欲也，使夫智不敢，弗爲而已，則无不治矣。

4道盅，而用之又弗盈也。淵呵，似萬物之宗。挫其鋭，解其紛，和其光，同其塵。湛呵似或存，吾不知其誰之子也，象帝之先。

5天地不仁，以萬物爲芻狗；聖人不仁，以百姓爲芻狗。天地之間，其猶橐籥與？虚而不屈，動而愈出。多聞數窮，不若守於中。

6谷神不死，是謂玄牝，玄牝之門，是謂天地之根。緜緜呵若存，用之不勤。

7天長地久。天地之所以能長且久者，以其不自生也，故能長生。是以聖人退其身而身先，外其身而身存。不以其无私與？故能成其私。

8 上善似水，水善利萬物而有静。居衆人之所惡，故幾於道矣。居善地，心
善淵，予善天，言善信，政善治，事善能，動善時。夫唯不争，故无尤。

9 持而盈之，不若其已。揣而鋭之，不可長保也。金玉盈室，莫之守也。貴
富而驕，自遺咎也。功遂身退，天之道也。

10 載營魄抱一，能毋離乎？摶氣致柔，能嬰兒乎？滌除玄鑒，能毋疵乎？愛
民治國，能毋以智乎？天門啓闔，能爲雌乎？明白四達，能毋以知乎？生
之畜之，生而弗有，長而弗宰也，是謂玄德。

11 卅輻同一轂，當其无，有車之用也。埏埴爲器，當其无，有埴器之用也。
鑿户牖，當其无，有室之用也。故有之以爲利，无之以爲用。

12 五色使人目盲，馳騁田獵使人心發狂，難得之貨使人之行妨，五味使人之
口爽，五音使人之耳聾。是以聖人之治也，爲腹不爲目，故去彼取此。

13寵辱若驚，貴大患若身。何謂寵辱若驚？寵之爲下。得之若驚，失之若驚，是謂寵辱若驚。何謂貴大患若身？吾所以有大患者，爲吾有身也；及吾无身，有何患？故貴爲身於爲天下，若可以託天下矣；愛以身爲天下，如可以寄天下矣。

14視之而弗見，名之曰微。聽之而弗聞，名之曰希。捪之而弗得，名之曰夷。三者不可致詰，故混而爲一。一者，其上不皦，其下不昧，繩繩不可名也，復歸於无物。是謂无狀之狀，无物之象，是謂忽恍。隨而不見其後，迎而不見其首。執今之道，以御今之有，以知古始，是謂道紀。

15古之善爲道者，微妙玄達，深不可識。夫唯不可識，故强爲之容。曰：豫呵其若冬涉水。猶呵其若畏四鄰。嚴呵其若客。渙呵其若凌釋。敦呵其若樸。混呵其若濁。曠呵其若谷。濁而静之徐清，安以動之徐生。保此道不欲盈，夫唯不欲盈，是以能敝而不成。

16致虚極也，守静篤也，萬物並作，吾以觀其復也。夫物雲雲，各復歸於其根。歸根曰静，静，是謂復命。復命常也，知常明也；不知常，妄，妄作，凶。知常容，容乃公，公乃王，王乃天，天乃道，道乃久。没身不殆。

17太上，下知有之。其次，親譽之。其次，畏之。其下，侮之。信不足，案有不信。猶呵，其貴言也。成功遂事，而百姓謂我自然。

18故大道廢，案有仁義。智慧出，案有大僞。六親不和，案有孝慈。邦家昏亂，案有貞臣。

19絶聖棄智，民利百倍。絶仁棄義，民復孝慈。絶巧棄利，盗賊无有。此三言也，以爲文未足，故令之有所屬。見素抱樸，少私而寡欲。絶學无憂。

20唯與訶，其相去幾何？美與惡，其相去何若？人之所畏，亦不可以不畏人。望呵，其未央哉！衆人熙熙，若饗於大牢，而春登臺。我泊焉未兆，若嬰兒未咳。纍呵，如无所歸。衆人皆有餘，我獨匱。我愚人之心也，沌沌呵。俗人昭昭，我獨若昏呵。俗人察察，我獨悶悶呵。忽呵，其若海。恍呵，其若无所止。衆人皆有以，我獨頑以俚。我欲獨異於人，而貴食母。

21孔德之容，唯道是從。道之物，唯恍唯忽。忽呵恍呵，中有象呵。恍呵忽呵，中有物呵。幽呵冥呵，其中有情。其情甚真，其中有信。自今及古，其名不去，以順衆父。吾何以知衆父之然也，以此。

22企者不立，自是者不彰，自見者不明，自伐者无功，自矜者不長。其在道，曰餘食贅行，物或惡之，故有裕者弗居。

23曲則全，枉則正，洼則盈，敝則新，少則得，多則惑。是以聖人執一，以爲天下牧。不自是故彰，不自見故明，不自伐故有功，弗矜故能長。夫唯不争，故莫能與之争。古之所謂曲全者，豈語哉！誠全歸之。

24希言自然，飄風不終朝，暴雨不終日。孰爲此，天地而弗能久，又況於人乎！故從事而道者同於道，德者同於德，失者同於失。同於德者，道亦德之。同於失者，道亦失之。

25有物混成，先天地生。寂呵寥呵，獨立而不改，可以爲天地母。吾未知其名，字之曰道。吾强爲之名曰大，大曰逝，逝曰遠，遠曰返。道大，天大，地大，王亦大。國中有四大，而王居一焉。人法地，地法天，天法道，道法自然。

26 重爲輕根，静爲躁君，是以君子終日行，不離其輜重。雖有營觀，燕處則超若。若何萬乘之王，而以身輕於天下？輕則失本，躁則失君。

27 善行者无轍迹，善言者无瑕謫。善數者不以籌策。善閉者无闗籥而不可啓也。善結者无纆約而不可解也。是以聖人恒善救人，而无棄人，物无棄材，是謂襲明。故善人，善人之師；不善人，善人之資也。不貴其師，不愛其資，雖智乎大迷，是謂妙要。

28 知其雄，守其雌，爲天下溪。爲天下溪，恒德不離。恒德不離，復歸於嬰兒。知其榮，守其辱，爲天下谷。爲天下谷，恒德乃足。恒德乃足，復歸於樸。知其白，守其黑，爲天下式。爲天下式，恒德不忒。恒德不忒，復歸於无極。樸散則爲器，聖人用則爲官長，夫大制无割。

29 將欲取天下而爲之，吾見其弗得已。夫天下神器也，非可爲者也。爲者敗之，執者失之。故物或行或隨，或嘘或吹，或强或羸，或培或墮。是以聖人去甚，去泰，去奢。

30以道佐人主，不以兵强於天下，其事好還。師之所居，楚棘生之。善者果而已矣，毋以取强焉。果而毋驕，果而勿矜，果而勿伐，果而毋得已居，是謂果而不强。物壯而老，是謂之不道，不道早已。

31夫兵者，不祥之器也。物或恶之，故有裕者弗居。君子居則貴左，用兵則貴右。故兵者非君子之器也，兵者不祥之器也，不得已而用之，恬淡爲上。勿美也，若美之，是樂殺人也。夫樂殺人，不可以得志於天下矣。是以吉事上左，喪事上右。是以偏將軍居左，上將軍居右。言以喪禮居之也。殺人衆，以悲哀莅之。戰勝，以喪禮處之。

32道恒无名，樸雖小，而天下弗敢臣。侯王若能守之，萬物將自賓。天地相合，以雨甘露，民莫之令而自均焉。始制有名，名亦既有，夫亦將知止，知止所以不殆。譬道之在天下也，猶小谷之與江海也。

33知人者智也，自知者明也。勝人者有力也，自勝者强也。知足者富也，强行者有志也。不失其所者久也，死而不亡者壽也。

34道氾呵，其可左右也。成功遂事而弗名有也。萬物歸焉而弗爲主，則恒无欲也，可名於小。萬物歸焉而弗爲主，可名於大。是以聖人之能成大也，以其不爲大也，故能成大。

35執大象，天下往；往而不害，安平太。樂與餌，過客止。故道之出言也，曰淡呵其无味也。視之不足見也，聽之不足聞也，用之不可既也。

36將欲翕之，必固張之；將欲弱之，必固强之；將欲去之，必固舉之；將欲奪之，必固予之：是謂微明。柔弱勝强，魚不可脱於淵，邦利器不可以示人。

37道恒无名，侯王若能守之，萬物將自化。化而欲作，吾將鎮之以无名之樸。鎮之以无名之樸，夫將不欲。不欲以静，天地將自正。

帛書老子乙本殘卷實録

德經

38
上德不德是以有德下德不失德是以无德上德无爲而无以爲也上仁爲之而无以爲也上德爲之而有以爲也上禮爲之而莫之應也則攘臂而乃之故失道而后德失德而句仁失仁而句義失義而句禮夫禮者忠信之泊也而亂之首也前識者道之華也而愚之首也是以大丈夫居□□□□居其泊居其實而不居其華故去罷而取此

39
昔得一者天得一以清地得一以寧神得一以霝浴得一盈侯王得一以爲天下正其至也胃天毋已清將恐蓮地毋已寧將恐發神毋□□□恐歇谷毋已□將渴侯王毋已貴以高將恐欮故必貴以賤爲本必高矣而以下爲基夫是以侯王自胃孤寡不槖此其賤之本與非也故至數輿无輿是故不欲禄禄若玉硌硌

若石

40 上□□道堇能行之中士聞道若存若亡下士聞道大笑之弗笑□□以爲道是以建言有之曰明道如費進道如退夷道如類上德如浴大白如辱廣德如不足建德如□質□□□大方无禺大器免成大音希聲天象无刑道褱无名夫唯道善始且善成

41 反也者道之動也□□者道之用也天下之物生於有有□於无

42 道生一一生二二生三三生□□□□□□□□□□□以爲和人之所亞唯□寡不橐而王公以自□□□□□□□云云之而益□□□□□□□□□□□□□□□□□□將以□□父

43 天下之至□馳騁乎天下□□□□□□□无間吾是以□□□□□□也不□□□□□□□□□□□□□矣

44 名與□□□□□□□□□□□□□□□□□□□□□□□□□□□□□□□□□□□□

45□□□□□□□□□盈如沖其□□□□□□□□□如拙□□□絀趮朕寒
□□□□□□□□□□□

46□□□道卻走馬□糞无道戎馬生於郊罪莫大可欲禍□□□□□□□□□
□□□□□□□□□足矣

47不出於户以知天下不規於□□知天道其出籋遠者其知籋□□□□□□□
□□□□而名弗爲而成

48爲學者日益聞道者日云云之有云以至於无□□□□□□□取天下恒无事
及其有事也□足以取天□

49□人恒无心以百省之心爲心善□□□□□□□善也信者信之不信
者亦信之德信也耶人之在天下也欲欲焉□□□□□□皆注其□□
□□□□□□

50□生入死生之□□□□之徒十又三而民生生僮皆之死地之十有三□何
故也以其生生蓋聞善執生者陵行不辟眔虎入軍不被兵革眔无□□□

□□□□□其蚤兵□□□□□□也以其无□□□

51道生之德畜之物刑之而器成之是以萬物尊道而貴德道之尊也德之貴也夫
莫之爵也而恒自然也道生之畜之□□之亭之毒之養之復之□□
□□□□□□弗宰是胃玄德

52天下有始以爲天下母既得其母以知其子既知其子復守其母没身不佁塞其
垸閉其門冬身不堇啓其垸齊其□□□不棘見小曰明守□□强用□□
□□□□□遺身央是胃□常

53使我介有知行於大道唯他是畏大道甚夷民甚好解朝甚除田甚芜倉甚虚服
文采帶利劍猒食而齎財□□□□朷非□□□

54善建者□□□□□□子孫以祭祀不絶脩之身其德乃真脩之家其德有
餘脩之鄉其德乃長脩之國其德乃夆脩之天下其德乃博以身觀身以家觀
□□□國以天下觀天下□□□天下之然茲以□

55含德之厚者比於赤子蠭癘虫蛇弗赫據鳥孟獸弗捕骨筋弱柔而握固未知牝

牲之會而朘怒精之至也冬日號而不嚘和□□□□□□常知常曰明益生□
祥心使氣曰强物□則老胃之不道不道蚤已

56知者弗言言者弗知塞其堄閉其門和其光同其塵銼其兑而解其紛是胃玄同
故不可得而親也亦□□□而□□□□而利□□□得而害不可得而貴亦不
可得而賤故爲天下貴

57以正之國以畸用兵以無事取天下吾何以知其然也才夫天下多忌諱而民彌
貧民多利器□□□□昬□□□□□□□□□□物兹章而盜賊□□是以□
人之言曰我无爲而民自化我好静而民自正我无事而民自富我欲不欲而民
自樸

58其正閔閔其民屯屯其正察察其□□□□□□□□□□□所伏孰知其極□
无正也正□□□善復爲□□之悉也其日固久矣是以方而不割兼而不刺直
而不紲光而不眺

59治人事天莫若嗇夫唯嗇是以蚤服蚤服是胃重積□重積□□□□□□□

□莫知其□莫知其□□有國有國之母可□□□是胃□根固氐長生久視之道也

60治大國若亨小鮮以道立天下其鬼不神非其鬼不神也其神不傷人也非其神不傷人也□□□弗傷也夫兩□相傷故德交歸焉

61大國□□□□□□牝也天下之交也牝恒以靜朕牡爲其靜也故宜爲下也故大國以下□國則取小國小國以下大國則取於大國故或下□□□下而取故大國者不□欲并畜人小國不過欲入事人夫□□其欲則大者宜爲下

62道者萬物之注也善人之葆也不善人之所保也美言可以市尊行可以賀人人之不善何□□□□立天子置三鄉雖有□□璧以先四馬不若坐而進此古□□□□□□□不胃求以得有罪以免與故爲天下貴

63爲无爲□□□□□□□□□□□□□□□乎其細也天下之□□□易天下之大□□□□□□□□□□夫輕若□□信多易必多難是以耶人□□之故□□□□

64 □□□□□□□□□□□□□□□□□□□□□□□□□□□□□□□□□□□□□□
□□□□□□□□□□□木生於毫末九成之臺作於虆土百千之高始
於足下爲之者敗之執者失之是以耶人无爲□□□□□□□□
□□□民之從事也恒於其成而敗之故曰愼冬若始則无敗事矣是以耶人欲
不欲而不貴難得之貨學不學復衆人之所過能輔萬物之自然而弗敢爲

65 古之爲道者非以明□□□□之也夫民之難治也以其知也故以知知國國
之賊也以不知知國國之德也恒知此兩者亦稽式也恒知稽式是胃玄德玄德
深矣遠矣□物反也乃至大順

66 江海所以能爲百浴□□其□下之也是以能爲百浴王是以耶人之欲上民
也必以其言下之其欲先民也必以其身後之故居上而民弗重也居前而民弗
害天下皆樂誰而弗猒也不以其无争與故□下莫能與争

67 小國寡民使有十百人器而勿用使民重死而遠徙又周車无所乘之有甲兵无
所陳之使民復結繩而用之甘其食美其服樂其俗安其居㗭國相望鷄犬之

□□聞民至老死不相往來

68 信言不美美言不信知者不博博者不知善者不多多者不善耶人无積既以爲
人已俞有既以予人矣己俞多故天之道利而不害人之道爲而弗争

69 天下□胃我大大而不宵夫唯不宵故能大若宵久矣其細也夫我恒有三琛市
而琛之一曰兹二曰檢三曰不敢爲天下先夫兹故能勇檢敢能廣不敢爲天下
先故能爲成器長今舍其兹且勇舍其檢且廣舍其後且先則死矣夫兹以單則
朕以守則固天將建之如以兹垣之

70 故善爲士者不武善單者不怒善朕敵者弗與善用人者爲之下是胃不争□德
是胃用人是胃肥天古之極也

71 用兵又言曰吾不敢爲主而爲客不敢進寸而退尺是胃行无行攘无臂執无兵
乃无敵禍莫大於無敵無敵近亡吾琛矣故抗兵相若而依者朕□

72 吾言易知也易行也而天下莫之能知也莫之能行也夫言又宗事又君夫唯无
知也是以不我知知者希則我貴矣是以耶人被褐而褱玉

73知不知尚矣不知知病矣是以耶人之不□也以其病病也是以不病

74民之不畏畏則大畏將至矣毋伊其所居毋猒其所生夫唯弗猒是以不猒是以耶人自知而不自見也自愛而不自貴也故去罷而取此

75勇於敢則殺勇於不敢則栝□兩者或利或害天之所亞孰知其故天之道不單而善朕不言而善應弗召而自來單而善謀天罔経経疏而不失

76若民恒且畏不畏死若何以殺曜之也使民恒且畏死而爲畸者□得而殺之夫孰敢矣若民恒且必畏死則恒又司殺者夫代司殺者殺是代大匠斲夫代大匠斲則希不傷其手

77人之飢也以其取食跷之多是以飢百生之不治也以其上之有以爲也□以不治民之輕死也以其求生之厚也是以輕死夫唯无以生爲者是賢貴生

78人之生也柔弱其死也骲信堅强萬□□木之生也柔椊其死也棹槁故曰堅强死之徒也柔弱生之徒也□以兵强則不朕木强則競故强大居下柔弱居上

79天之道酉張弓也高者印之下者舉之有余者云之不足者□□□□云有
余而益不足人之道云不足而奉又余夫孰能又余而□□奉於天者唯又道
者乎是以耶人爲而弗又成功而弗居也若此其不欲見賢也

80天下莫柔弱於水□□□□□□□以其无以易之也水之朕剛也弱之朕
强也天下莫弗知也而□□□也是故耶人之言云曰受國之詢是胃社稷之主
受國之不祥是胃天下之王正言若反

81禾大□□□□□□□爲善是以聖人執左芥而不以責於人故又德司芥无
德司徹□□□□□□□□

道經

1道可道也□□□□□□□恒名也无名萬物之始也有名萬物之母也故
恒无欲也□□□□恒又欲也以觀其所噭兩者同出異名同胃玄之又玄衆眇
之門

2天下皆知美之爲美亞已皆知善斯不善矣□□□生也難易之相成也長短之相刑也高下之相盈也音聲之相和也先後之相隋恒也是以聖人居无爲之事行不言之教萬物昔而弗始爲而弗侍也成功而弗居也夫唯弗居是以弗去

3不上賢使民不争不貴難得之貨使民不爲盜不見可欲使民不亂是以聖人之治也虚其心實其腹弱其志强其骨恒使民无知无欲也使夫知不敢弗爲而已則无不治矣

4道沖而用之有弗盈也淵呵似萬物之宗銼其兑解其芬和其光同其塵湛呵似或存吾不知其誰之子也象帝之先

5天地不仁以萬物爲芻狗聖人不仁□百姓爲芻狗天地之間其猶橐籥與虚而不淈勭而俞出多聞數窮不若守於中

6浴神不死是胃玄牝玄牝之門是胃天地之根緜緜呵其若存用之不堇

7天長地久天地之所以能長且久者以其不自生也故能長生是以聖人退其身而身先外其身而身先外其身而身存不以其无私輿故能成其私

8上善如水水善利萬物而有争居衆人之所亞故幾於道矣居善地心善淵予善天言善信正善治事善能動善時夫唯不争故无尤

9揗而盈之不若其已揣而兑之不可長葆也金玉□室莫之能守也貴富而驕自遺咎也功遂身退天之道也

10戴營袙抱一能毋离乎槫氣至柔能嬰兒乎脩除玄監能毋有疵乎愛民栝國能毋以知乎天門啓闔能爲雌乎明白四達能毋以知乎生之畜之生而弗有長而弗宰也是胃玄德

11卅楅同一轂當其无有車之用也燃埴而爲器當其无有埴器之用也鑿户牖當其无有室之用也故有之以爲利无之以爲用

12五色使人目盲馳騁田臘使人心發狂難得之貨使人之行仿五味使人之口爽五音使人之耳□是以耶人之治也爲腹而不爲目故去彼而取此

13弄辱若驚貴大患若身何胃弄辱若驚弄之爲下也得之若驚失之若驚是胃弄辱若驚何胃貴大患若身吾所以有大患者爲吾有身也及吾無身有何患故貴

爲身於爲天下若可以橐天下□愛以身爲天下女可以寄天下矣

14 視之而弗見□之曰微聽之而弗聞命之曰希捪之而弗得命之曰夷三者不可至計故緍而爲一一者其上不謬其下不忽尋尋呵不可命也復歸於无物是胃无狀之狀无物之象是胃沕望隨而不見其後迎而不見其首執今之道以御今之有以知古始是胃道紀

15 古之善爲道者微眇玄達深不可志夫唯不可志故强爲之容曰與呵其若冬涉水猶呵其若畏四哭嚴呵其若客渙呵其若淩澤沌呵其若樸湷呵其若濁湛呵其若浴濁而靜之徐清女以重之徐生葆此道□欲盈是以能褩而不成

16 至虛極也守靜督也萬物旁作吾以觀其復也天物袪袪各復歸於其根曰靜靜是胃復命復命常也知常明也不知常芒芒作凶知常容容乃公公乃王□□天天乃道道乃□沒身不殆

17 太上下知又□□親譽之其次畏之其下母之信不足安有不信猶呵其貴言也成功遂事而百姓胃我自然

18故大道廢安有仁義知慧出安有□□六親不和安又孝兹國家悶亂安有貞臣

19絶耶棄知而民利百倍絶仁棄義而民復孝兹絶巧棄利盜賊无有此三言也以爲文未足故令之有所屬見素抱樸少私而寡欲絶學无憂

20唯與呵其相去幾何美與亞其相去何若人之所畏亦不可以不畏人朢呵其未央才衆人巸巸若鄉於大牢而春登臺我博焉未垗若嬰兒未咳纍呵似无所歸衆人皆又余我愚人之心也湷湷呵鬻人昭昭我獨若悶呵鬻人察察我獨閩閩呵沕呵其若海朢呵若无所止衆人皆有以我獨閌以鄙吾欲獨異於人而貴食母

21孔德之容唯道是從道之物唯朢唯沕沕呵朢呵中又象呵朢呵沕呵中有物呵幼呵冥呵其中有請呵其請甚真其中有信自今及古其名不去以順衆父吾何以知衆父之然也以此

22炊者不立自視者不章自見者不明自伐者无功自矜者不長其在道也曰粽食贅行物或亞之故有欲者弗居

23曲則全汪則正洼則盈𧝓則新少則得多則惑是以耶人執一以爲天下牧不自視故章不自見也故明不自伐故有功弗矜故能長夫唯不争故莫能與之争古之所胃曲全者幾語才誠全歸之

24希言自然飄風不冬朝暴雨不冬日孰爲此天地而弗能久有兄於人乎故從事而道者同於道德者同於德失者同於失同於德者道亦德之同於失者道亦失之

25有物昆成先天地生蕭呵漻呵獨立而不玹可以爲天地母吾未知其名也字之曰道吾强爲之名曰大大曰筮筮曰遠遠曰反道大天大地大王亦大國中有四大而王居一焉人法地地法天天法道道法自然

26重爲輕根静爲趮君是以君子冬日行不遠其甾重雖有環官燕處則昭若若何萬乘之王而以身輕於天下輕則失本趮則失君

27善行者无達迹善言者无瑕適善數者不用檮筭善閉者无闢籥而不可啓也善結者无纆約而不可解也是以耶人恒善怵人而无棄人物无棄財是胃曳明故

善人善人之師不善人善人之資也不貴其師不愛其資雖知乎大迷是胃眇要

28知其雄守其雌爲天下雞爲天下雞恒德不离恒德不离復□□□□其白守其辱爲天下浴爲天下浴恒德乃足恒德乃足復歸於樸知其白守其黑爲天下式爲天下式恒德不貸恒德不貸復歸於无極樸散則爲器耶人用則爲官長夫大制无割

29將欲取□□□□□□□□得已夫天下神器也非可爲者也爲之者敗之執之者失之故物或行或隋或熱或硿或陪或墮是以耶人去甚去大去諸

30以道佐人主不以兵强於天下其□□□□□□□□棘生之善者果而已矣毋以取强焉果而毋驕果而勿矜果□□伐果而毋得已居是胃果而强物壯而老胃之不道不道蚤已

31夫兵者不祥之器也物或亞□□□□□□□□居則貴左用兵則貴右故兵者非君子之器兵者不祥□器也不得已而用之銛憊爲上勿美也若美之是樂殺人也夫樂殺人不可以得志於天下矣是以吉事□□□□□是以偏將軍

居左而上將軍居右言以喪禮居之也殺□□□□□立之□朕而以喪禮處之
32 道恒无名樸唯小而天下弗敢臣侯王若能守之萬物將自賓天地相合以俞甘
洛□□令而自均焉始制有名名亦既有夫亦將知止知止所以不殆卑□□
在天下也猶小浴之與江海也
33 知人者知也自知明也朕人者有力也自朕者强也知足者富也强行者有志也
不失其所者久也死而不忘者壽也
34 道渢呵其可左右也成功遂□□弗名有也萬物歸焉而弗爲主則恒无欲也可
名於小萬物歸焉而弗爲主可命於大是以耶人之能成大也以其不爲大也故
能成大
35 執大象天下往往而不害安平太樂與□過格止故道之出言也曰淡呵其无味
也視之不足見也聽之不足聞也用之不可既也
36 將欲擒之必古張之將欲弱之必古强之將欲去之必古與之將欲奪之必古予
□是胃微明柔弱朕强魚不可說於淵國利器不可以示人

37道恒无名侯王若能守之萬物將自化化而欲作吾將闐之以无名之樸闐之以无名之樸夫將不辱不辱以静天地將自正

帛書老子乙本勘校復原

德經

38上德不德，是以有德；下德不失德，是以无德。上德无爲而无以爲也。上仁爲之而无以爲也。上義爲之而有以爲也。上禮爲之而莫之應也，則攘臂而扔之。故失道而后德，失德而后仁，失仁而后義，失義而后禮。夫禮者，忠信之薄也，而亂之首也。前識者，道之華也，而愚之首也。是以大丈夫居其厚而不居其薄，居其實而不居其華。故去彼而取此。

39昔之得一者，天得一以清，地得一以寧，神得一以靈，谷得一以盈，侯王得一以爲天下正。其誡也，謂天毋已清將恐裂，地毋已寧將恐發，神毋已靈將恐歇，谷毋已盈將恐竭，侯王毋已貴以高將恐蹶。故必貴以賤爲本，必高矣而以下爲基。夫是以侯王自謂孤寡不穀。此其賤之本與，非也？故致數譽无譽。是故不欲禄禄若玉，硌硌若石。

40上士聞道，勤能行之。中士聞道，若存若亡。下士聞道，大笑之。弗笑，不足以爲道。是以建言有之曰：明道如昧，進道如退，夷道如類。上德如谷，大白如辱。廣德如不足，建德如偷。質真如渝。大方无隅，大器免成，大音希聲，大象无形，道褒无名。夫唯道，善始且善成。

41反也者，道之動也；弱也者，道之用也。天下之物生於有，有生於无。

42道生一，一生二，二生三，三生萬物。萬物負陰而抱陽，沖氣以爲和。人之所惡，唯孤寡不穀，而王公以自名也。物或益之而損，損之而益。古人之所教，亦我而教人。故强梁者不得其死，我將以爲學父。

43天下之至柔，馳騁於天下之至堅。无有入於无間。吾是以知无爲之有益也。不言之教，无爲之益，天下希能及之矣。

44名與身孰親？身與貨孰多？得與亡孰病？甚愛必大費，多藏必厚亡。故知足不辱，知止不殆，可以長久。

45大成若缺，其用不敝。大盈如盅，其用不窮。大直如詘，大巧如拙，大贏如肭。趮勝寒，静勝熱，清静可以爲天下正。

46天下有道，卻走馬以糞。无道，戎馬生於郊。罪莫大於可欲，禍莫大於不知足，咎莫憯於欲得。故知足之足，恒足矣。

47不出於户，以知天下。不窺於牖，以知天道。其出彌遠者，其知彌少。是以聖人不行而知，不見而明，弗爲而成。

48爲學者日益，聞道者日損。損之又損，以至於无爲，无爲而无以爲。取天下，恒无事；及其有事也，不足以取天下。

49聖人恒无心，以百姓之心爲心。善者善之，不善者亦善之，德善也。信者信之，不信者亦信之，德信也。聖人之在天下也，欲欲焉，爲天下渾心。百姓皆注其耳目焉，聖人皆孩之。

50出生入死。生之徒十有三，死之徒十有三，而民生生，動皆之死地之十有三。夫何故也？以其生生。蓋聞善攝生者，陵行不避兕虎，入軍不被兵甲。兕无所投其角，虎无所措其爪，兵无所容其刃，夫何故也？以其无死地焉。

51 道生之，德畜之，物形之而器成之。是以萬物尊道而貴德。道之尊也，德之貴也，夫莫之爵也，而恒自然也。道生之、畜之、長之、育之、亭之、毒之、養之、覆之。生而弗有，爲而弗恃，長而弗宰，是謂玄德。

52 天下有始，以爲天下母。既得其母，以知其子；既知其子，復守其母，没身不殆。塞其垙，閉其門，終身不勤。啓其垙，濟其事，終身不救。見小曰明，守柔曰强。用其光，復歸其明，毋遺身殃，是謂襲常。

53 使我絜有知，行於大道，唯迆是畏。大道甚夷，民甚好徑。朝甚除，田甚芜，倉甚虛。服文采，帶利劍，猒飲食而資財有餘。是謂盜竽，非道也哉！

54 善建者不拔，善抱者不脱，子孫以祭祀不絶。修之身，其德乃真。修之家，其德有餘。修之鄉，其德乃長。修之國，其德乃豐。修之天下，其德乃博。以身觀身，以家觀家，以鄉觀鄉，以國觀國，以天下觀天下。吾何以知天下之然哉？以此。

55 含德之厚者，比於赤子。蠭蠆虺蛇弗螫，攫鳥猛獸弗搏。骨筋弱柔而握固，未知牝牡之會而朘怒，精之至也。終日號而不嚘，和之至也。知和曰常，知常曰明，益生曰祥，心使氣曰强。物壯則老，謂之不道，不道早已。

56 知者弗言，言者弗知。塞其垙，閉其門，和其光，同其塵，挫其銳而解其紛，是謂玄同。故不可得而親，亦不可得而疏；不可得而利，亦不可得而害；不可得而貴，亦不可得而賤；故爲天下貴。

57 以正治國，以奇用兵，以無事取天下。吾何以知其然也哉？夫天下多忌諱，而民彌貧。民多利器，而國家滋昏。人多知巧，而奇物滋起，法物滋彰，而盜賊多有。是以聖人之言曰：我无爲而民自化，我好静而民自正，我无事而民自富，我欲不欲而民自樸。

58 其政悶悶，其民惇惇。其政察察，其民狭狭。禍，福之所倚；福，禍之所

伏。孰知其極？其无正也，正復爲奇，善復爲妖，人之迷也，其日固久
矣。是以方而不割，廉而不刺，直而不肆，光而不燿。

59 治人事天莫若嗇，夫唯嗇，是以早服，早服是謂重積德。重積德則无不
克，无不克則莫知其極。莫知其極，可以有國。有國之母，可以長久。是
謂深根固柢，長生久視之道也。

60 治大國若烹小鮮，以道莅天下，其鬼不神。非其鬼不神也，其神不傷人
也。非其神不傷人也，聖人亦弗傷也。夫兩不相傷，故德交歸焉。

61 大國者，下流也，天下之牝也。天下之交也，牝恒以靜勝牡。爲其靜也，
故宜爲下也。故大國以下小國，則取小國；小國以下大國，則取於大國。
故或下以取，或下而取。故大國者，不過欲并畜人；小國，不過欲入事
人。夫皆得其欲，則大者宜爲下。

62 道者萬物之主也，善人之寶也，不善人之所保也。美言可以市，尊行可以
加人。人之不善，何棄之有。故立天子，置三卿，雖有拱之璧以駪駟馬，

不若坐而進此。古之所以貴此者何也？不謂求以得，有罪以免與！故爲天下貴。

63 爲无爲，事无事，味无味，大小，多少，報怨以德。圖難乎其易也，爲大乎其細也。天下之難作於易，天下之大作於細，是以聖人終不爲大，故能成其大。夫輕諾必寡信，多易必多難，是以聖人猶難之，故終於无難。

64 其安也，易持也。其未兆也，易謀也。其脆也，易破也。其微也，易散也。爲之於其未有也，治之於其未亂也，合抱之木，生於毫末。九層之臺，作於虆土。百仞之高，始於足下。爲之者敗之，執之者失之。是以聖人无爲也，故无敗也；无執也，故无失也。民之從事也，恒於幾成而敗之，故曰：慎終若始，則无敗事矣。是以聖人欲不欲，而不貴難得之貨；學不學，復衆人之所過；能輔萬物之自然，而弗敢爲。

65 古之爲道者，非以明民也，將以愚之也。夫民之難治也，以其智也。故以智治國，國之賊也；以不智治國，國之德也。恒知此兩者，亦稽式也；恒知稽式，是謂玄德。玄德深矣，遠矣，與物反也，乃至大順。

66江海所以能爲百谷王者，以其善下之也，是以能爲百谷王。是以聖人之欲上民也，必以其言下之；其欲先民也，必以其身後之。故居上而民弗重也，居前而民弗害。天下皆樂推而弗厭也。不以其无争與，故天下莫能與争。

67小國寡民，使有十百人之器而勿用，使民重死而遠徙。有舟車无所乘之，有甲兵无所陳之，使民復結繩而用之。甘其食，美其服，樂其俗，安其居，鄰國相望，鷄犬之聲相聞，民至老死不相往來。

68信言不美，美言不信。知者不博，博者不知。善者不多，多者不善。聖人无積，既以爲人，己愈有；既以予人矣，己愈多。故天之道，利而不害；人之道，爲而弗争。

69天下皆謂我大，大而不肖。夫唯不肖，故能大。若肖，久矣其細也夫。我恒有三寶，持而寶之。一曰慈，二曰儉，三曰不敢爲天下先。夫慈，故能勇；儉，故能廣；不敢爲天下先，故能爲成器長。今捨其慈，且勇；捨其儉，且廣；捨其後，且先：則死矣。夫慈，以戰則勝，以守則固。天將建之，如以慈垣之。

70故善爲士者不武，善戰者不怒，善勝敵者弗與，善用人者爲之下。是謂不爭之德，是謂用人，是謂配天，古之極也。

71用兵有言曰：吾不敢爲主而爲客，不敢進寸而退尺。是謂行无行，攘无臂，執无兵，乃无敵。禍莫大於無敵，無敵近亡吾寶矣。故抗兵相若，而哀者勝矣。

72吾言易知也，易行也；而天下莫之能知也，莫之能行也。夫言有宗，事有君。夫唯无知也，是以不我知。知我者希，則我貴矣。是以聖人被褐而褱玉。

73知不知，尚矣；不知知，病矣。是以聖人之不病也，以其病病也，是以不病。

74民之不畏威，則大威將至矣。毋狹其所居，毋壓其所生。夫唯弗壓，是以不厭。是以聖人自知而不自見也，自愛而不自貴也。故去彼而取此。

75勇於敢則殺，勇於不敢則活。此兩者或利或害，天之所惡，孰知其故？天之道，不戰而善勝，不言而善應，弗召而自來，坦而善謀。天網恢恢，疏而不失。

76若民恒且不畏死，奈何以殺懼之也？若民恒且畏死，而爲奇者吾得而殺之，夫孰敢矣。若民恒且必畏死，則恒有司殺者。夫代司殺者殺，是代大匠斲。夫代大匠斲，則希不傷其手。

77人之飢也，以其取食税之多，是以飢。百姓之不治也，以其上之有以爲也，是以不治。民之輕死也，以其求生之厚也，是以輕死。夫唯无以生爲者，是賢貴生。

78人之生也柔弱，其死也筋肕堅强。萬物草木之生也柔脆，其死也枯槁。故曰：堅强死之徒也，柔弱生之徒也。是以兵强則不勝，木强則烘。故强大居下，柔弱居上。

79 天之道，猶張弓也。高者抑之，下者舉之；有餘者損之，不足者補之。故天之道，損有餘而益不足。人之道則不然，損不足而奉有餘。夫孰能有餘而有以取奉於天者？唯有道者乎。是以聖人爲而弗有，成功而弗居也，若此其不欲見賢也。

80 天下莫柔弱於水，而攻堅强者莫之能勝，以其无以易之也。柔之勝剛也，弱之勝强也，天下莫弗知也，而莫能行也。是故聖人之言云，曰：受國之垢，是謂社稷之主；受國之不祥，是謂天下之王。正言若反。

81 和大怨，必有餘怨，焉可以爲善？是以聖人執右契，而不以責於人。故有德司契，无德司徹。夫天道无親，恒與善人。

道經

1 道，可道也，非恒道也。名，可名也，非恒名也。无名，萬物之始也；有名，萬物之母也。故恒无欲也，以觀其妙；恒有欲也，以觀其所徼。兩者同出，異名同謂，玄之又玄，衆妙之門。

2 天下皆知美之爲美，惡已；皆知善，斯不善矣。有无之相生也，難易之相成也，長短之相形也，高下之相盈也，音聲之相和也，先後之相隨，恒也。是以聖人居无爲之事，行不言之教。萬物作而弗始，爲而弗恃也，成功而弗居也。夫唯弗居，是以弗去。

3 不上賢，使民不争。不貴難得之貨，使民不爲盗。不見可欲，使民不亂。是以聖人之治也，虚其心，實其腹，弱其志，强其骨。恒使民无知无欲也，使夫智不敢，弗爲而已，則无不治矣。

4 道盅，而用之又弗盈也。淵呵，似萬物之宗。挫其鋭，解其紛，和其光，同其塵。湛呵似或存，吾不知其誰之子也，象帝之先。

5 天地不仁，以萬物爲芻狗；聖人不仁，以百姓爲芻狗。天地之間，其猶橐籥與？虚而不屈，動而愈出。多聞數窮，不若守於中。

6谷神不死，是謂玄牝，玄牝之門，是謂天地之根。緜緜呵其若存，用之不勤。

7天長地久。天地之所以能長且久者，以其不自生也，故能長生。是以聖人退其身而身先，外其身而身存。不以其无私與？故能成其私。

8上善如水，水善利萬物而有靜。居衆人之所惡，故幾於道矣。居善地，心善淵，予善天，言善信，政善治，事善能，動善時。夫唯不争，故无尤。

9持而盈之，不若其已。揣而鋭之，不可長保也。金玉盈室，莫之能守也。貴富而驕，自遺咎也。功遂身退，天之道也。

10載營魄抱一，能毋離乎？摶氣致柔，能嬰兒乎？滌除玄鑒，能毋有疵乎？愛民治國，能毋以智乎？天門啓闔，能爲雌乎？明白四運，能毋以知乎？生之畜之，生而弗有，長而弗宰也，是謂玄德。

11卅輻同一轂，當其无，有車之用也。埏埴而爲器，當其无，有埴器之用也。鑿户牖，當其无，有室之用也。故有之以爲利，无之以爲用。

12 五色使人目盲，馳騁田獵使人心發狂，難得之貨使人之行妨，五味使人之口爽，五音使人之耳聾。是以聖人之治也，爲腹而不爲目，故去彼而取此。

13 寵辱若驚，貴大患若身。何謂寵辱若驚？寵之爲下也。得之若驚，失之若驚，是謂寵辱若驚。何謂貴大患若身？吾所以有大患者，爲吾有身也；及吾無身，有何患？故貴爲身於爲天下，若可以託天下矣；愛以身爲天下，如可以寄天下矣。

14 視之而弗見，名之曰微。聽之而弗聞，名之曰希。捪之而弗得，名之曰夷。三者不可致詰，故混而爲一。一者，其上不皦，其下不昧，繩繩不可名也，復歸於无物。是謂无狀之狀，无物之象，是謂忽恍。隨而不見其後，迎而不見其首。執今之道，以御今之有，以知古始，是謂道紀。

15 古之善爲道者，微妙玄達，深不可識。夫唯不可識，故强爲之容。曰：豫呵其若冬涉水。猶呵其若畏四鄰。嚴呵其若客。渙呵其若凌釋。敦呵其若樸。混呵其若濁。曠呵其若谷。濁而静之徐清，安以動之徐生。保此道不欲盈，夫唯不欲盈，是以能敝而不成。

16 致虚極也，守静篤也，萬物並作，吾以觀其復也。夫物衽衽，各復歸於其根。歸根曰静，静，是謂復命。復命常也，知常明也；不知常，妄，妄作，凶。知常容，容乃公，公乃王，王乃天，天乃道，道乃久。没身不殆。

17 太上，下知有之。其次，親譽之。其次，畏之。其下，侮之。信不足，安有不信。猶呵，其貴言也。成功遂事，而百姓謂我自然。

18 故大道廢，安有仁義。智慧出，安有大僞。六親不和，安有孝慈。國家昏亂，安有貞臣。

19 絶聖棄智，而民利百倍。絶仁棄義，而民復孝慈。絶巧棄利，盗賊无有。此三言也，以爲文未足，故令之有所屬。見素抱樸，少私而寡欲。絶學无憂。

20 唯與呵，其相去幾何？美與惡，其相去何若？人之所畏，亦不可以不畏人。望呵，其未央哉！衆人熙熙，若饗於大牢，而春登臺。我泊焉未兆，若嬰兒未咳。纍呵，似无所歸。衆人皆有餘，我獨匱。我愚人之心也，沌沌呵。俗人昭昭，我獨若昏呵。俗人察察，我獨閩閩呵。忽呵，其若海。恍呵，若无所止。衆人皆有以，我獨頑以鄙。吾欲獨異於人，而貴食母。

21孔德之容，唯道是從。道之物，唯恍唯忽。忽呵恍呵，中有象呵。恍呵忽呵，中有物呵。窈呵冥呵，其中有情呵。其情甚真，其中有信。自今及古，其名不去，以順衆父。吾何以知衆父之然也，以此。

22企者不立，自是者不彰，自見者不明，自伐者无功，自矜者不長。其在道也，曰餘食贅行，物或惡之，故有裕者弗居。

23曲則全，枉則正，洼則盈，敝則新，少則得，多則惑。是以聖人執一，以爲天下牧。不自是故彰，不自見故明，不自伐故有功，弗矜故能長。夫唯不爭，故莫能與之爭。古之所謂曲全者，豈語哉！誠全歸之。

24希言自然，飄風不終朝，暴雨不終日。孰爲此，天地而弗能久，又況於人乎！故從事而道者同於道，德者同於德，失者同於失。同於德者，道亦德之。同於失者，道亦失之。

25 有物混成，先天地生。寂呵寥呵，獨立而不改，可以爲天地母。吾未知其名也，字之曰道。吾强爲之名曰大，大曰逝，逝曰遠，遠曰返。道大，天大，地大，王亦大。國中有四大，而王居一焉。人法地，地法天，天法道，道法自然。

26 重爲輕根，静爲躁君，是以君子終日行，不遠其輜重。雖有營觀，燕處則超若。若何萬乘之王，而以身輕於天下？輕則失本，躁則失君。

27 善行者无轍迹，善言者无瑕讁。善數者不用籌策。善閉者无關鑰而不可啓也。善結者无纆約而不可解也。是以聖人恒善救人，而无棄人，物无棄材，是謂襲明。故善人，善人之師；不善人，善人之資也。不貴其師，不愛其資，雖智乎大迷，是謂妙要。

28 知其雄，守其雌，爲天下溪。爲天下溪，恒德不離。恒德不離，復歸於嬰兒。知其榮，守其辱，爲天下谷。爲天下谷，恒德乃足。恒德乃足，復歸於樸。知其白，守其黑，爲天下式。爲天下式，恒德不忒。恒德不忒，復歸於无極。樸散則爲器，聖人用則爲官長，夫大制无割。

29 將欲取天下而爲之，吾見其弗得已。夫天下神器也，非可爲者也。爲之者敗之，執之者失之。故物或行或隨，或噓或吹，或强或羸，或培或墮。是以聖人去甚，去泰，去奢。

30 以道佐人主，不以兵强於天下，其事好還。師之所處，荆棘生之。善者果而已矣，毋以取强焉。果而毋驕，果而勿矜，果而勿伐，果而毋得已居，是謂果而不强。物壯而老，謂之不道，不道早已。

31 夫兵者，不祥之器也。物或惡之，故有裕者弗居。君子居則貴左，用兵則貴右。故兵者非君子之器，兵者不祥之器也，不得已而用之，恬淡爲上。勿美也，若美之，是樂殺人也。夫樂殺人，不可以得志於天下矣。是以吉事上左，喪事上右。是以偏將軍居左，而上將軍居右。言以喪禮居之也。

殺人衆，以悲哀莅之。戰勝，而以喪禮處之。

32道恒无名，樸雖小，而天下弗敢臣。侯王若能守之，萬物將自賓。天地相
合，以雨甘露，民莫之令而自均焉。始制有名，名亦既有，夫亦將知止，
知止所以不殆。譬道之在天下也，猶小谷之與江海也。

33知人者智也，自知者明也。勝人者有力也，自勝者强也。知足者富也，强
行者有志也。不失其所者久也，死而不亡者壽也。

34道氾呵，其可左右也，成功遂事而弗名有也。萬物歸焉而弗爲主，則恒无
欲也，可名於小。萬物歸焉而弗爲主，可名於大。是以聖人之能成大也，
以其不爲大也，故能成大。

35執大象，天下往；往而不害，安平太。樂與餌，過客止。故道之出言也，
曰淡呵其无味也。視之不足見也，聽之不足聞也，用之不可既也。

36將欲翕之，必固張之；將欲弱之，必固强之；將欲去之，必固舉之；將
欲奪之，必固予之：是謂微明。柔弱勝强。魚不可脱於淵，國利器不可以

示人。

37道恒无名，侯王若能守之，萬物將自化。化而欲作，吾將鎮之以无名之樸。鎮之以无名之樸，夫將不欲。不欲以静，天地將自正。